DESIRÉE —MURMURÓ—. TE AMO.

—Sin dejar de mirarla, empezó a desabrocharse los pantalones.

Ella cogió un pisapapeles e intentó huir hacia la puerta. Se lo arrojó a la cabeza pero falló.

Era una pesadilla, pensó ella. Pero los sueños no dolían. Notó cómo su blusa se rasgaba mientras forcejeaba.

—Lo prometiste —jadeó—. Lo prometiste. —Le acarició un muslo, era tan suave y cálido como había imaginado. Nada lo detendría.

La lujuria lo embargaba, pero no cómo él quería. Los gritos estropeaban la magia del momento. —Cállate –ordenó. Pero Desirée no dejaba de chillar. Ella le arañó la cara, el dolor aumentó aún más su deseo y su furia. No tenía que ocurrir de esta manera. Ella lo había engañado. Desirée no era más que una mentirosa y una puta, pero aún así la deseaba con locura.

Logró liberar una mano y lo empujo con todas sus fuerzas, pero se tambaleo y se dio un golpe contra la mesa. El teléfono cayó al suelo, junto a su cabeza.
Él cogió el cable y se lo pasó alrededor de su cuello, y apretó con fuerza hasta que los gritos cesaron por fin...

entreNOsotras

This translation is published by arrangement with The Bantam Dell Publishing Group, a division of Random House, Inc.

Colección: *entreNOsotras*

Título original: Brazen Virtue

Primera edición: marzo 2007

ISBN: 978-84-96517-27-1
Printed in Spain- Impreso en España
Romanyà-Valls-Capellades, Barcelona
Deposito legal: B. 13.126 -2007

NORA ROBERTS

Atrapada

❧❧❧❧

entreNOsotras

Atrapada

Traducción de Raquel Vázquez Ramil

A Amy Berkower,
con gratitud y afecto.

PRÓLOGO

—¿Y qué te gustaría que hiciera? —preguntó la mujer que decía llamarse Desirée. Tenía una voz suave y dulce como pétalos de rosa. Hacía bien su trabajo, muy bien, y los clientes no dejaban de solicitarla. En aquel momento, estaba hablando con uno de sus asiduos y conocía sus preferencias—. Me encantaría —susurró—. Cierra los ojos, cariño, cierra los ojos y relájate. Quiero que te olvides de la oficina, de tu esposa y de tu socio. Sólo estamos tú y yo.

Cuando él habló, ella respondió con una risita y dijo:

—Sí, ya sabes que lo haré. ¿Acaso no lo hago siempre? Cierra los ojos y escucha. La habitación está en silencio e iluminada por sugestivas velas. Docenas de velas blancas y perfumadas. ¿No percibes el aroma? —Soltó otra risita juguetona—. Sí, blancas. Como la cama, grande, redonda y blanca. Estás acostado, desnudo y preparado. ¿Preparado, señor Drake?

Puso los ojos en blanco. La fastidiaba que aquel tipo quisiera que lo llamase señor. Pero había de todo.

—Acabo de salir de la ducha. Tengo el pelo mojado y mi cuerpo está perlado de gotitas de agua. Una se me ha quedado en el pezón. Se desliza sobre tu cuerpo cuando me arrodillo en la cama. ¿La sientes? Sí, sí, así, es maravilloso, maravilloso, y estás muy caliente. —Ahogó un bostezo. El señor Drake resoplaba como una máquina de vapor. Afortunadamente, era fácil de satisfacer—. Oh, te deseo.

No puedo apartar mis manos de ti. Quiero tocarte, saborearte... Sí, sí, me vuelve loca que me hagas eso. Oh, señor Drake, eres el mejor. El mejor...

Durante los minutos siguientes, se limitó a escuchar los deseos y el placer de él. Escuchar era lo mejor de aquel trabajo. En aquel momento, el hombre estaba a punto, y ella miró el reloj, agradecida. No sólo había acabado su tiempo, sino que era el último cliente de la noche. Convirtió su voz en un susurro y lo ayudó a alcanzar el éxtasis.

—Sí, señor Drake, ha sido maravilloso. Eres maravilloso. No, mañana no trabajo. ¿El viernes? Sí, espero que sí. Buenas noches, señor Drake.

Aguardó a que colgase y luego hizo lo mismo. Desirée se convirtió en Kathleen. Las once menos cinco, pensó con alivio. Acababa a las once, así que no habría más llamadas esa noche. Aún tenía que corregir exámenes y preparar una prueba para el día siguiente. Se levantó y contempló el teléfono. Esa noche había ganado doscientos pavos gracias a AT&T and Fantasy Incorporated. Sonrió y cogió la taza de café. Era muchísimo más rentable que vender suscripciones de revistas.

A unos kilómetros de allí, un hombre colgó el auricular. Tenía la mano húmeda. La habitación olía a sexo, pero estaba solo. En su mente Desirée había estado allí. Desirée, con su cuerpo pálido y mojado y su voz serena y relajante.

Desirée.

Se tumbó en la cama con el corazón acelerado.

Desirée.

Tenía que encontrarla. Y pronto.

Atrapada

CAPITULO 1

El avión sobrevoló el Lincoln Memorial. Grace tenía el maletín abierto en el regazo y un montón de cosas por recoger, pero miró por la ventanilla, deseosa de ver todos los detalles del descenso. Volar le encantaba.

El vuelo llegaba con retraso. Lo sabía porque el hombre, sentado frente a ella en el asiento 3B, no cesaba de quejarse. Grace tuvo ganas de darle una palmadita en la mano y asegurarle que diez minutos más o menos no eran tan importantes. Pero el hombre no tenía cara de agradecer semejante gesto.

Kathleen también se habría quejado, pensó. No en voz alta ni con aspaviento, imaginó Grace mientras sonreía y se preparaba para el aterrizaje. Su hermana se habría irritado tanto como el hombre del 3B, pero sin cometer la grosería de quejarse.

Si conocía bien a su hermana, y la conocía, Kathleen habría salido de casa una hora antes, procurando tener en cuenta el impredecible tráfico de Washington. Grace había percibido en su voz un leve disgusto porque ella, Grace, había escogido un vuelo que llegaría a las seis y cuarto, la hora punta por excelencia. Con veinte minutos de adelanto, Kathleen habría dejado el coche en el aparcamiento de estancia corta y, tras asegurarse de dejar bien cerradas ventanillas y puertas, se dirigiría a llegadas nacionales sin fijarse en las tiendas. Nunca se distraía ni mezclaba las cosas en su cabeza.

Kathleen siempre llegaba con antelación y Grace siempre llegaba tarde. No era nada nuevo, pero aun así, confiaba en que hubiese un punto de encuentro entre ellas, algo que las uniera. Aunque eran hermanas, no se entendían muy bien.

El avión tocó tierra y Grace empezó a meter sus cosas en el maletín. Amontonó el pintalabios con las cerillas, los bolígrafos con las pinzas de depilar. Era algo que jamás comprendería una mujer organizada como Kathleen, para quien cada cosa tenía su sitio. Grace estaba de acuerdo en el principio, pero sus sitios cambiaban continuamente.

A veces, Grace se preguntaba cómo podían ser hermanas. Ella era descuidada, despistada y conseguía fácilmente lo que quería. Kathleen era organizada, práctica y se esforzaba mucho por las cosas. No obstante, tenían los mismos padres, habían crecido en la misma casa de ladrillo de las afueras de Washington y asistido a los mismos colegios.

Las monjas de St. Michael nunca lograron enseñar a Grace cómo organizar un cuaderno, pero en sexto curso ya les fascinaba su habilidad para contar historias.

Cuando el avión finalmente se detuvo, Grace esperó sentada mientras los pasajeros que tenían prisa colapsaban el pasillo. Kathleen seguramente se pondría nerviosa, pensando que su incorregible hermana había vuelto a perder el vuelo, pero necesitaba un minuto para centrarse. Quería recordar el afecto entre ellas, no las discusiones.

Como Grace preveía, Kathleen la esperaba en la puerta de llegadas, observando la fila de pasajeros con gesto de impaciencia. Su hermana siempre viajaba en primera clase, pero no se encontraba entre los primeros desembarcados que iban saliendo al vestíbulo. Tampoco entre los cincuenta primeros. Seguramente estaría charlando con la tripulación, pensó Kathleen, tratando de ignorar una punzada de envidia.

Grace nunca había tenido que esforzarse para hacer amigos. La gente sencillamente se acercaba a ella. A los dos años de licenciarse y tras habérselo pasado de maravilla en la universidad, su hermana ya tenía una próspera carrera. En cambio ella, Kathleen, la estudiante con matrículas de honor, después de toda una vida aún seguía en el mismo instituto donde ambas habían estudiado. Ahora se sentaba en el pupitre del profesor, pero aparte de eso, poco había cambiado.

Los anuncios de las llegadas y las salidas crepitaban en los altavoces. Había cambios de puertas y retrasos, pero Grace seguía sin aparecer. Kathleen ya se disponía a preguntar en el mostrador de información cuando de pronto la divisó. La envidia desapareció y la irritación se desvaneció. Resultaba casi imposible enfadarse con Grace cuando la tenías delante.

¿Por qué siempre parecía recién bajada de un tiovivo? Llevaba el pelo del mismo color negro azabache que Kathleen, cortado a la altura de la barbilla y alborotado. Tenía un cuerpo largo y esbelto, como el de Kathleen, pero mientras que ésta era robusta, Grace parecía un sauce a punto de inclinarse a merced de la brisa. En aquel momento presentaba un aspecto desaliñado, con un jersey holgado que le caía sobre los leotardos, unas gafas de sol torcidas y las manos cargadas de bolsas y maletines. Kathleen llevaba la misma falda y chaqueta con que había dictado su clase de historia. Grace lucía unas zapatillas de deporte amarillo canario a juego con el jersey.

—¡Kath! —exclamó ésta al verla, y dejó sus cosas en el suelo sin reparar en que bloqueaba el paso de los que venían detrás. La abrazó como hacía todo: con entusiasmo desbordante—. ¡Qué alegría verte! ¡Estás estupenda! Oh, nuevo perfume. —Olisqueó—. Me gusta.

—Señora, ¿le importaría moverse?

Sin soltar a su hermana, Grace sonrió al agobiado ejecutivo.

—Pase. —El hombre lo hizo, murmurando—. Buen viaje. —Se olvidó de él como olvidaba la mayoría de los inconvenientes-. ¿Qué aspecto tengo? —preguntó—. ¿Te gusta mi pelo? Espero que sí. He gastado una fortuna en fotos publicitarias.

—Te peinarías antes, supongo.

Grace se llevó una mano al pelo.

—Probablemente.

—Te sienta bien —cedió Kathleen—. Vamos, provocaremos un revuelto si no movemos tus cosas. ¿Qué es esto? —Levantó uno de los maletines.

—Es *Maxwell*. —Grace empezó a recoger bolsas—. Mi ordenador portátil. Tenemos una relación maravillosa.

—Pensé que venías de vacaciones. —Kathleen logró contener su súbita crispación. Aquel ordenador de última generación era un ejemplo más del éxito de Grace. Y de su propio fracaso.

—Y así es. Pero escribiré un poco cuando estés en el colegio. Si el avión se hubiese retrasado diez minutos más, habría acabado un capítulo. —Consultó su reloj, comprobó que se había vuelto a parar y al instante lo olvidó—. En serio, Kath, se trata del asesinato más increíble.

—¿Traes equipaje? —interrumpió Kathleen, sabiendo que Grace se lanzaría a contarle la trama sin necesidad de que la animara.

—Llevarán mi baúl a tu casa mañana.

El baúl era otra de las excentricidades deliberadas de su hermana.

—Grace, ¿cuándo empezarás a utilizar maletas como la gente normal?

Pasaron ante la cinta de equipajes, donde la gente se amontonaba, dispuesta a abalanzarse en cuanto apareciese su Samsonite. «Cuando el infierno se congele», pensó Grace, pero sonrió.

—La verdad es que tienes muy buen aspecto. ¿Cómo te sientes?

—Bien. —Como se trataba de su hermana, Kathleen no se puso a la defensiva—. Mejor, de verdad.

—Estás mejor sin ese cabrón —dijo Grace, mientras pasaban por las puertas automáticas—. Odio decirlo porque sé que le querías, pero es cierto. —Corría una fría brisa del norte que hacía olvidar la primavera. El fragor de los aviones que despegaban martilleaba sobre sus cabezas. Grace bajó la acera para dirigirse al aparcamiento sin mirar a derecha ni a izquierda—. La única alegría que trajo a tu vida fue Kevin. Por cierto, ¿dónde está mi sobrino? Esperaba que viniese.

La punzada de dolor iba y venía. Cuando Kathleen aceptaba algo con la cabeza, también lo aceptaba con el corazón.

—Está con su padre. Acordamos que lo mejor sería que estuviese con él durante el curso escolar.

—¿Qué? —Grace se detuvo en medio de la calle. Sonó una bocina, pero no le hizo caso—. Kathleen, no hablas en serio. Kevin sólo tiene seis años. Necesita estar contigo. Jonathan seguramente lo pondrá a ver las noticias de *McNeil-Lehrer* en vez de *Barrio Sésamo.*

—La decisión está tomada. Nos pareció lo mejor para todos.

Grace conocía esa expresión. Significaba que Kathleen se había cerrado en banda y le costaría mucho volver a abrirse.

—De acuerdo. —Grace se puso a su altura, apretando el paso. Kathleen siempre se apresuraba; Grace serpenteaba—. Ya sabes que puedes hablar conmigo siempre que quieras.

—Lo sé. —Se detuvo ante un Toyota de segunda mano. Un año antes, conducía un Mercedes. Pero ésa era la pérdida menos importante—. No quería preocuparte diciéndotelo por teléfono, Grace. Sólo necesito aislarme una temporada. Casi he conseguido ordenar mi vida otra vez.

Grace dejó sus bolsas y maletines en el asiento de atrás y no dijo nada. Era un coche de segunda mano y muy inferior a lo que Kathleen estaba acostumbrada, aunque la preocupaba más la crispación de su voz que el cambio de estatus. Quería consolarla, pero sabía que Kathleen consideraba la compasión lo más cercano a dar lástima.

—¿Has hablado con papá y mamá?

—La semana pasada. Están bien. —Kathleen subió y se

puso el cinturón—. Cualquiera pensaría que Phoenix es el paraíso.

—Mientras sean felices... —Grace se sentó y se fijó en el entorno por primera vez. El aeropuerto nacional. Su primer vuelo había salido de allí ocho años, no, Dios, casi diez años antes. Y había pasado mucho miedo. Casi deseó volver a experimentar aquella sensación novedosa e inocente.

"¿Estás harta, Gracie?", se preguntó. Demasiados vuelos. Demasiadas ciudades. Demasiada gente. Había regresado, se hallaba a escasos kilómetros de la casa en que se había criado, sentada junto a su hermana. Pero no tenía la sensación de volver a casa.

—¿Por qué has vuelto a Washington, Kath?

—Quería salir de California. Y esto me resulta familiar.

"Pero ¿no querías estar cerca de tu hijo? ¿No lo necesitabas?" No era el momento de preguntar, así que se tragó las palabras.

—Y dar clase en Nuestra Señora de la Esperanza —dijo—. También es familiar, pero ha de resultar extraño.

—Me gusta. Supongo que necesito la disciplina de las clases. —Salió del aparcamiento con estudiada precisión. En el coche guardaba el ticket del aparcamiento y tres billetes de dólar. Grace se fijó en que su hermana verificaba el cambio.

—Y la casa, ¿te gusta?

—El alquiler es razonable y está sólo a quince minutos en coche del colegio.

Grace disimuló un suspiro. ¿Acaso Kathleen no era capaz de tener sentimientos intensos hacia nada?

—¿Estás saliendo con alguien?

—No. —Pero esbozó una leve sonrisa cuando se mezcló con el tráfico—. El sexo no me interesa.

Grace arrugó la frente.

—A todo el mundo le interesa el sexo. ¿Por qué crees que Jackie Collins siempre está en el primer puesto en la lista de los más vendidos? Pero me refería más bien a compañía.

—No hay nadie con quien me apetezca estar en este momento. —Posó una mano sobre la de Grace, lo cual era todo lo que podía ofrecer a cualquiera que no fuese su marido o su hijo—. Excepto contigo. De verdad me alegro de que hayas venido.

Como siempre, Grace respondió al calor recibido.

—Habría venido antes si me hubieras dejado.

—Estabas en medio de un viaje de promoción.

—Las promociones se pueden cancelar. —Movió los hombros con inquietud. Nunca se había considerado temperamental ni arrogante, pero habría sido ambas cosas si con eso hubiera ayudado a Kathleen—. Bien, pero la promoción se ha acabado y ahora estoy aquí. Washington en primavera. —Bajó la ventanilla, aunque el viento de abril aún conservaba el frío de marzo—. ¿Han florecido los cerezos?

—Se malograron con la última helada.

—Nada cambia. —¿Tenían tan poco que contarse? Grace dejó que la radio llenase el vacío. ¿Cómo podían dos personas crecer juntas, vivir juntas, luchar juntas y sentirse tan extrañas? Siempre esperaba que sus encuentros fuesen diferentes, pero siempre eran lo mismo.

Cuando cruzaban el puente de la calle Catorce, se acordó de la habitación que habían compartido de niñas. Limpia como un crisol en un lado, desordenada y hecha un desastre en el otro. Había sido una de las manzanas de la discordia. También estaban los juegos que Grace inventaba. Frustraban más que divertían a su hermana. ¿Cuáles eran las reglas? Aprender las reglas siempre había sido la prioridad esencial de Kathleen. Y cuando no había o eran demasiado flexibles, no conseguía asimilar el juego.

«Siempre reglas, Kath», pensó mientras ambas guardaban silencio. Colegio, iglesia, vida. No era de extrañar que su hermana se confundiese cada vez que cambiaban las reglas. Y en aquel momento habían vuelto a cambiar para ella.

«¿Abandonaste el matrimonio, Kathy, igual que

abandonabas el juego cuando las reglas no se adaptaban a ti? ¿Regresaste a donde habíamos empezado para borrar el tiempo intermedio y recomenzar según tus propias reglas?» Ése era el estilo de Kathleen, pensó, y por su bien esperó que funcionase.

Lo único que la sorprendió fue la calle que Kathleen había elegido para vivir. Se había imaginado un apartamento moderno con electrodomésticos de última generación y servicio de mantenimiento permanente, más que aquel barrio trasnochado y un poco decadente de grandes árboles y casas viejas. Aquel lugar no cuajaba con el estilo de su hermana.

La suya era una de las casas más pequeñas de la manzana, y aunque Grace estaba segura de que no había hecho nada en la diminuta parcela de hierba, aparte de recortarla, unos cuantos bulbos crecían junto al sendero de entrada cuidadosamente barrido.

Cuando bajó del coche, echó un vistazo a la calle. Bicicletas, viejas camionetas y olor a pintura fresca. Usado, gastado, vivido, el barrio se encontraba a punto de renacer o de deslizarse lentamente por la pendiente del deterioro. Le gustó, desde luego que le gustó la sensación que rezumaba todo aquello.

Era exactamente lo que ella habría elegido si hubiera decidido mudarse. Y si tuviera que elegir una casa... sería la de al lado, decidió. Clamaba por una mano de pintura, una ventana estaba tapiada con tablas y se habían caído algunas tejas de la techumbre. Pero alguien había plantado azaleas. La tierra estaba recién removida y formaba montoncitos en el suelo, y las plantas eran pequeñas, de apenas treinta centímetros. Pero los brotes estaban casi a punto de abrirse. Mientras los contemplaba, esperó quedarse el tiempo suficiente para verlos florecer.

—¡Oh, Kath, qué sitio más bonito!

—Es muy diferente de Palm Springs —comentó ésta inexpresivamente mientras descargaba las cosas de su hermana.

—No, cariño, lo digo de verdad. Es un verdadero hogar. —Y no mentía. Con sus ojos de escritora y su imaginación lo veía así.

—Quería poder ofrecerle algo a Kevin cuando... cuando venga.

—Le encantará —repuso Grace con su proverbial optimismo—. Esta zona es ideal para patinar. Y los árboles. —Al otro lado de la calle había uno que parecía partido por un rayo, pero Grace lo pasó por alto—. Kath, al ver esto me pregunto qué demonios hago en la parte alta de Manhattan.

—Enriquecerte y ser famosa. —De nuevo habló inexpresivamente. Le entregó las bolsas a su hermana.

Grace volvió a contemplar la casa de al lado.

—No me importaría tener un par de azaleas. —Cogió del brazo a Kathleen—. Bueno, enséñame el resto.

El interior no deparaba sorpresas. A Kathleen le agradaban las cosas ordenadas. Los muebles eran sólidos, de buen gusto y estaban limpios. "Igual que su propietaria", pensó Grace con una punzada de remordimiento. A ella le gustaba el batiburrillo de las pequeñas habitaciones abarrotadas.

Kathleen había convertido una de ellas en un despacho. La mesa brillaba por ser nueva. No se había traído nada consigo, pensó Grace, ni siquiera a su hijo. Le pareció extraño que se permitiese tener un teléfono sobre la mesa y otro a escasos metros, junto a un sillón, pero no hizo comentarios. Conociendo a Kathleen, seguro que había una razón perfectamente lógica.

—Huelo a salsa de espaguetis. —El aroma la condujo a la cocina. Si alguien le hubiera preguntado por sus pasatiempos favoritos, comer habría encabezado la lista.

La cocina estaba tan impecable como el resto de la casa. Si Grace apostara, lo habría hecho a que no había ni una miga en el tostador. Las sobras debían de estar pulcramente guardadas y etiquetadas en el frigorífico, y los vasos ordenados por tamaño en las estanterías. Así era Kathleen, y no había cambiado un ápice en treinta años.

Antes de pisar el viejo linóleo, Grace rogó haberse acordado de restregar las zapatillas en el felpudo de la entrada. Levantó la tapa de una olla e inspiró hondo.

—Juraría que no has perdido tu toque.

—Lo he recuperado. —Después de varios años de cocineras y criados—. ¿Tienes hambre? —Por primera vez esbozó una sonrisa sincera y relajada—. No sé por qué lo pregunto.

—Espera, he traído algo.

Mientras su hermana iba al vestíbulo, Kathleen se volvió hacia la ventana. De repente reparaba en lo vacía que había estado la casa. ¿Qué magia tenía su hermana para llenar una habitación, una casa, un estadio? Y por el amor de Dios, ¿qué iba a hacer cuando volviera a quedarse sola?

—Vino de Valpolicella —anunció Grace entrando en la cocina—. Como ves, confío en Italia. —Kathleen apartó la vista de la ventana con lágrimas en los ojos—. Oh, cariño. —Grace se acercó con la botella en la mano.

—Oh, Gracie, lo echo mucho de menos. A veces creo que voy a morirme.

—Lo sé. Oh, cariño, lo sé muy bien. Lo siento mucho. —Le acarició el cabello—. Deja que te ayude, Kathleen. Dime qué puedo hacer.

—Nada. —Le costó un gran esfuerzo, pero contuvo las lágrimas—. Será mejor que prepare la ensalada.

—Olvida eso. —La condujo hasta la mesita de la cocina—. Siéntate. Yo me ocuparé de todo. Luego me contarás.

Aunque Kathleen era un año mayor, acató la autoridad de su hermana. Otra cosa que se había convertido en costumbre.

—No quiero hablar, Grace.

—Supongo que es algo demasiado malo. ¿Sacacorchos?

—En el cajón superior.

—¿Copas?

—Segundo estante del armario al lado del frigorífico.

Grace descorchó la botella. Aunque estaba oscureciendo, no se molestó en encender la luz. Puso una copa delante de Kathleen y la llenó hasta el borde.

—¡Bebe! Es un vino muy bueno. —Encontró un frasco vacío de mayonesa Kraft, su madre también los guardaba, y le quitó la tapa para convertirla en cenicero. Sabía que su hermana aborrecía el tabaco y Grace había decidido portarse bien, pero como la mayoría de las promesas que se hacía, la rompió fácilmente. Encendió un cigarrillo, se llenó una copa y se sentó-. Cuéntame, Kathy. No te dejaré en paz hasta que lo hagas.

Kathleen lo sabía antes de aceptar que viniese a visitarla. Tal vez por eso había aceptado.

—Yo no quería la separación. Y no me digas que soy estúpida por aferrarme a un hombre que no me quiere, porque ya lo sé.

—No creo que seas estúpida. —Grace exhaló el humo con cierta sensación de culpa, porque en realidad había pensado eso mismo más de una vez—. Amas a Jonathan y a Kevin. Te pertenecían y quieres retenerlos.

—Supongo que eso lo resume. —Bebió otro sorbo de vino. Grace tenía razón. Hablar era bueno. Le costaba admitirlo, odiaba admitirlo, pero necesitaba hablar con alguien. Y quería que ese alguien fuera Grace porque, por encima de sus diferencias, ella la apoyaría sin vacilar—. Llegó un momento en que tuve que aceptar la separación. -Aún no era capaz de pronunciar la palabra «divorcio»—. Jonathan… me maltrataba.

—¿A qué te refieres? —Hubo un matiz áspero en su voz ligeramente ronca—. ¿Te pegó? —Y se levantó, ya decidida a coger el próximo vuelo a California para ajustarle las cuentas a aquel cretino.

—Hay otras clases de malos tratos —repuso Kathleen con expresión abatida—. Me humillaba. Había otras mujeres, muchas. Oh, claro que era muy discreto. Dudo que su agente de bolsa lo supiera, pero procuraba que yo me enterase. Para darme en las narices.

—Lo siento. —Grace se sentó otra vez. Sabía que Kathleen habría preferido un puñetazo en la mandíbula a la infidelidad. Al pensarlo, tuvo que reconocer que ambas estaban de acuerdo en eso, por lo menos.

—Sé que nunca te cayó bien.

—No, y no lo lamento. —Grace echó la ceniza en el improvisado cenicero.

—Supongo que ya no importa. En cualquier caso, cuando acepté la separación, Jonathan me dejó bien claro que él impondría las condiciones. Él presentaría los papeles y no habría acusaciones. Como un mero accidente de circulación. Ocho años de mi vida y ningún culpable.

—Kath, sabes que no tenías por qué aceptar sus condiciones. Si te había sido infiel, tenías todo a tu favor.

—Ya, pero ¿cómo podía demostrarlo? —repuso con amargura, alterada. Había esperado mucho para desahogarse—. No sabes en qué mundo vivía yo, Grace. Jonathan Breezewood tercero es un hombre irreprochable. Es abogado, por amor de Dios, socio de un bufete familiar que podría representar al diablo contra Dios y alcanzar un acuerdo. Aunque lo hubieran sabido o sospechado, nadie me habría ayudado. Eran amigos de la esposa de Jonathan. La señora de Jonathan Breezewood tercero. Ésa fue mi identidad durante ocho años. —Y después de Kevin, lo más difícil de perder—. A nadie le importaba un bledo Kathleen McCabe. En eso me equivoqué, lo admito. Me dediqué a ser la señora Breezewood, la esposa perfecta, la anfitriona perfecta, la madre perfecta y el alma del hogar. Y me volví una mujer aburrida. Cuando él se aburrió de mí a su vez, no vaciló en librarse de mí.

—Maldita sea, Kathleen, ¿por qué eres siempre tu peor crítica? —Grace aplastó la colilla y bebió un sorbo de vino—. La culpa la tiene él, por Dios, no tú. Le diste todo lo que te pidió. Renunciaste a tu carrera, a tu familia, a tu hogar, y centraste tu vida en él. Ahora estás renunciando otra vez, y por si fuera poco te desprendes de Kevin.

—No he renunciado a Kevin.

—Has dicho que…

—No discutí con Jonathan, no pude. Tenía miedo de lo que pudiera hacer.

Grace dejó la copa con cuidado.

—¿Miedo de lo que te pudiera hacer a ti o a Kevin?

—A Kevin no —se apresuró a puntualizar Kathleen—. Al margen de lo que haya hecho, Jonathan nunca perjudicaría a Kevin. Lo adora. Y aunque fue un marido pésimo, es un padre maravilloso.

—Muy bien. —Aunque Grace no estaba muy segura—. Entonces tenías miedo de lo que pudiera hacerte. ¿Físicamente?

—Jonathan casi nunca pierde los estribos. Se controla mucho porque se conoce. Es sumamente irascible. Una vez, cuando Kevin era un bebé, le regalé una mascota, un gatito. —Kathleen relató con detalle el episodio, sabiendo que Grace siempre recogía las migajas y luego hacía un pastel con ellas—. Estaban jugando y el cachorrillo arañó a Kevin. Entonces Jonathan se puso hecho un basilisco y arrojó al gatito por el balcón desde el tercer piso.

—Siempre dije que era una monada de hombre —murmuró Grace y bebió otro sorbo de vino.

—Luego pasó lo del ayudante del jardinero. El pobre hombre trasplantó uno de los rosales por error. Fue un mero malentendido, porque era extranjero y no entendía bien el inglés. Jonathan lo despidió al momento y se enzarzaron en una discusión. Acabó atizándolo de tal manera que el hombre tuvo que ir hospital.

—Dios mío.

—Jonathan pagó la factura, naturalmente.

—Naturalmente —repitió Grace, aunque el sarcasmo sobraba.

—Luego le pagó para que no lo contara a la prensa. Pero se trataba sólo de un rosal, ¿entiendes? No sé qué haría si yo quisiese trasplantar a Kevin.

—Kath, cariño, eres su madre. Tienes derechos. Estoy segura de que hay abogados excelentes en Washington. Iremos a ver a alguno y averiguaremos qué se puede hacer.

—Ya he contratado uno. —Kathleen bebió otro sorbo; tenía la boca seca. El vino hacía que las palabras le saliesen con fluidez—. Y también un detective. No va a ser fácil, y me han advertido que tal vez haga falta mucho tiempo y dinero, pero he de intentarlo.

—Estoy orgullosa de ti. —Grace le cogió las manos. El sol se había puesto y la habitación estaba en penumbra. Los ojos de Grace, grises como la luz, ardían—. Cariño, Jonathan Breezewood tercero se va a llevar una sorpresa con los McCabe. Tengo relaciones en California.

—No, Grace. Debo llevarlo con discreción. Nadie debe saberlo, ni siquiera mamá y papá. Eso podría estropearlo todo.

Grace pensó en los Breezewood un momento. Las familias de renombre y ricas tenían largos tentáculos.

—De acuerdo, seguramente será lo mejor. Puedo esperar. Los abogados y detectives cuestan dinero y yo tengo más del que necesito.

Por segunda vez, a Kathleen se le humedecieron los ojos, pero consiguió disimularlo. Sabía que Grace tenía dinero y no quería que eso la molestase. Pero la molestaba. Vaya sí la molestaba.

—Tengo que hacerlo yo sola —dijo.

—No es momento para el orgullo. No puedes enfrentarte a una batalla como ésta con un sueldo de profesora. Si has sido una idiota al permitir que Jonathan se librara de ti sin darte un centavo, no significa que debas rechazar mi dinero.

—No quería nada de Jonathan. Salí del matrimonio exactamente con lo que entré. Tres mil dólares.

—No hablaremos de los derechos de la mujer y de que tú también ganaste algo en ocho años de matrimonio. —Grace era una activista sólo cuando le convenía—. El caso es que soy tu hermana y quiero ayudarte.

—No con dinero. Tal vez sea orgullo, pero tengo que hacerlo sola. Estoy pluriempleada.

—¿En qué? ¿Vendiendo *tupperwares*? ¿Enseñándoles a los niños la batalla de Nueva Orleáns? ¿Haciendo la calle?

Kathleen sirvió más vino para las dos y rió de verdad por primera vez desde hacía semanas.

—Es cierto.

—¿Vendes *tupperwares*? —Grace lo pensó un momento—. ¿Sigue habiendo esos pequeños cuencos de cereales con tapa?

—Ni idea. No vendo *tupperwares*. —Bebió un largo trago—. Hago la calle.

Kathleen se levantó para encender la luz y Grace cogió su copa. Era raro que Kathleen hiciese un chiste, así que no supo si reír o no. Decidió que no.

—Creí que habías dicho que no te interesaba el sexo.

—A mí no, al menos de momento. Gano un dólar al minuto por una llamada de siete minutos, diez dólares si el que llama es habitual. La mayoría de los míos lo son. Recibo una media de veinte llamadas por noche tres días a la semana, más veinticinco o treinta los fines de semana. Eso supone más o menos unos novecientos dólares a la semana.

—Caray. —Lo primero que pensó fue que su hermana tenía mucha más energía de lo que creía. Lo segundo, que era una broma para que no se metiera en sus asuntos.

Grace la miró a la dura luz fluorescente. Nada en sus ojos indicaba que estuviera bromeando. Pero reconoció aquella mirada de autosatisfacción. Era la misma que tenía cuando a los doce años Kathleen había vendido cinco cajas más que ella de galletas de las exploradoras.

—Caray —repitió, y encendió otro cigarrillo.

—¿Ahora es cuando me toca una lección de moralidad, Gracie?

—No. —Se llevó la copa a los labios y le costó tragar el sorbo. No estaba segura de cómo considerar el tema moralmente, aún no—. Lo estoy asimilando. ¿Hablas en serio?

—Totalmente.

Por supuesto. Kathleen siempre hablaba en serio. Veinte cada noche, pensó, y apartó la idea.

—No habrá lección de moralidad, pero te daré una de sentido común. Por amor de Dios, Kathleen, ¿sabes qué clase de degenerados y locos andan por ahí? Hasta yo lo sé, y eso que en los últimos seis meses no he tenido una cita que no fuera de negocios. Y no sólo es cuestión de quedar embarazada, sino de pescar algo que no podrás tener en tus rodillas cuando pasen nueve meses. Me parece una estupidez, Kathleen, una estupidez peligrosa. Vas a dejarlo ahora mismo o…

—¿Se lo contarás a mamá?

—No es un chiste. —Grace se removió, incómoda—. Si no piensas en ti misma, piensa en Kevin. Si Jonathan se entera de esto, no tendrás la menor oportunidad de recuperar a tu hijo.

—Estoy pensando en Kevin. Es en lo único que pienso. Bébete el vino, Grace, y escúchame. Siempre tuviste tendencia a completar las historias sin conocer todos los hechos.

—Me parece suficiente el hecho que mi hermana esté pluriempleada como prostituta telefónica.

—Tú lo has dicho. Una prostituta telefónica. Vendo mi voz, Grace, no mi cuerpo.

—Un par de copas de vino más y las nieblas de mi cerebro se disiparán. ¿Por qué no me lo explicas bien, Kathleen?

—Trabajo para Fantasy Incorporated. Se trata de una pequeña empresa especializada en servicios telefónicos.

—¿Servicios telefónicos? —repitió Grace mientras exhalaba humo—. ¿Servicios telefónicos? —Enarcó las cejas—. ¿Estás hablando de sexo telefónico?

—Hablar de sexo es lo más íntimo que he hecho el último año.

—¿Un año? —Grace tuvo que digerirlo—. Te felicitaría, pero estoy demasiado fascinada. ¿Me estás diciendo que llevas un año haciendo lo que se anuncia en las últimas páginas de las revistas masculinas?

—¿Desde cuándo lees revistas masculinas?

—Investigación. ¿Y dices que ganas casi mil dólares a la semana sólo por hablar con hombres por teléfono?

—Siempre tuve buena voz.

—Ya. —Grace se reclinó para asimilarlo. No recordaba que Kathleen hubiese hecho nunca nada extravagante. Había esperado a casarse para acostarse con Jonathan. Grace lo sabía porque se lo había preguntado. A los dos. En su momento, el hecho le había llamado la atención por insólito y divertido.

—La hermana Mary Francis decía que tenías la mejor voz de octavo curso. Me pregunto qué diría la pobrecilla si supiera que su mejor alumna es una puta telefónica.

—No me gusta ese término, Grace.

—Oh, vamos, suena bien. —Soltó una risita mirando el vino—. Lo siento. Bueno, cuéntame cómo funciona.

Kathleen sabía que Grace acabaría viendo el lado frívolo del asunto. Con ella casi nunca había recriminaciones. Relajó los hombros mientras bebía otro trago. Después dijo:

—Los hombres la llaman oficina de la fantasía. Si son asiduos, pueden solicitar una mujer determinada. Si son nuevos, les piden que expliquen sus preferencias para luego emparejarlos con alguien adecuado.

—¿Qué clase de preferencias?

Bien sabía que Grace tenía tendencia a curiosear, pero tres copas de vino impidieron que eso la molestase.

—A algunos les gusta explayarse sobre lo que harían a la mujer, o sobre lo que están haciendo ellos. Otros prefieren que hable la mujer, una especie de examen, ya sabes. Quieren que se describa a sí misma, lo que lleva, la habitación en que está. Otros se decantan por hablar de sadomasoquismo y violencia. Yo no acepto esa clase de llamadas.

Grace se esforzó por tomárselo en serio.

—¿Sólo sexo heterosexual?

Por primera vez en meses Kathleen se sentía agradablemente relajada.

—En efecto. Y lo hago bien. Soy de las más requeridas.

—Felicidades.

—Los hombres llaman, dejan un teléfono de contacto y los datos de una tarjeta de crédito. Tras comprobar que la tarjeta tiene fondos, la oficina se pone en contacto con una de nosotras. Si acepto al cliente, a los pocos minutos éste me llama al teléfono seguro que Fantasy ha instalado aquí.

—Claro. ¿Y luego?

—Luego hablamos.

—Ajá. Luego hablas —murmuró Grace—. Por eso tienes un teléfono extra en tu despacho.

—Siempre te fijas en los detalles. —Kathleen se dio cuenta, con satisfacción, de que iba camino de emborracharse. Le sentaba bien tener un zumbido en la cabeza, haberse quitado el peso de los hombros y que su hermana estuviera allí.

—Kath, ¿cómo evitas que esos tipos averigüen tu nombre y dirección? Alguno podría empeñarse en hacer algo más que hablar.

Kathleen sacudió la cabeza mientras limpiaba cuidadosamente la marca de la copa sobre la mesa.

—Los datos de las empleadas de Fantasy son estrictamente confidenciales. A los clientes no se les proporciona nuestro número bajo ningún concepto. La mayoría de nosotras utilizamos nombres falsos. Yo soy Desirée.

—Desirée —repitió Grace con cierto respeto.

—Mido uno sesenta, soy rubia y tengo un cuerpo que quita el aliento.

—¡No jodas! —Aunque Grace aguantaba bien el alcohol, ese día sólo había comido una barrita de chocolate camino del aeropuerto. La idea de que Kathleen tuviese una doble personalidad no sólo resultaba perfectamente posible, sino lógica—. Felicidades de nuevo. Pero, Kath, imagínate que a alguien de Fantasy se le ocurre estrechar las relaciones entre empresario y trabajadora.

—Ya estás escribiendo otra novela —repuso Kathleen, restándole importancia.

—Tal vez, pero…

—Grace, es absolutamente seguro. Se trata de un simple acuerdo de negocios. Lo único que hago es hablar. A los hombres les compensa lo que pagan, a mí me pagan bien y Fantasy saca tajada. Todos felices.

—Suena lógico. —Grace agitó el vino en la copa y procuró desechar sus reparos—. Y moderno. La nueva moda del sexo de los noventa. No se coge el sida a través de un auricular.

—Sí, es muy higiénico. ¿De qué te ríes?

—Me lo estoy imaginando. —Se enjugó los labios con el dorso de la mano—. «¿Miedo al compromiso, harto del placer solitario? Llame a Fantasy Incorporated y hable con Desirée, Delilah o DeeDee. Orgasmos garantizados a cambio de un módico precio. Se aceptan tarjetas de crédito.» Debería redactaros un anuncio con gancho.

—Nunca me lo he tomado a broma.

—Nunca has bromeado demasiado con la vida —repuso Grace sin acritud—. Oye, cuando estés trabajando, ¿puedo quedarme a escuchar?

—No.

Grace se encogió de hombros.

—Bueno, ya hablaremos de eso más tarde. ¿Hay algo para cenar?

Cuando Grace se acostó esa noche en la habitación de invitados, ahíta de pasta y vino, sintió por su hermana algo que no experimentaba desde que eran niñas. No recordaba la última vez que se habían quedado hasta tan tarde bebiendo y hablando como amigas. En realidad nunca lo habían hecho, pero le costaba admitirlo.

Kathleen estaba haciendo algo nada habitual y defendiéndose sola. Era estupendo, siempre que no tuviese problemas. Su hermana se había hecho cargo de su propia vida. Y seguramente lo haría bien.

Esa noche, él estuvo atento durante tres horas, esperándola. Desirée no apareció. Hubo otras mujeres, sí, con nombres exóticos y voces sensuales, pero no eran Desirée. Acurrucado en la cama, intentó librarse del recuerdo de su voz, pero no lo consiguió. Se estiró, frustrado y sudoroso, preguntándose cuándo tendría el valor de acercarse a ella.

Pronto, pensó. A ella le encantaría verlo. Se acercaría y lo desnudaría, tal como siempre decía. Y dejaría que él la tocase donde quisiese. Sí, tenía que ser pronto.

Se levantó entre las sombras del claro de luna y se dirigió al ordenador. Quería comprobarlo una vez más antes de dormirse. Se encendió con un discreto zumbido. Sus dedos, finos y hábiles, teclearon una serie de números y en unos segundos la dirección apareció en la pantalla. La dirección de Desirée.

Pronto se reuniría con ella.

CAPITULO 2

La despertó un zumbido sordo en la cabeza y culpó al vino, pero no se quejó de la resaca. Le habían enseñado que todos los pecados, veniales o mortales, tenían su penitencia. Era uno de los pocos aspectos de su lejana educación católica que aún conservaba.

El sol ya se filtraba a través de las vaporosas cortinas de las ventanas. Consiguió protegerse de la luz, pero no del zumbido. Maldijo haberse despertado.

Se incorporó, pensando en una aspirina y un café. Entonces advirtió que el zumbido no estaba dentro de su cabeza, sino fuera de la casa. Rebuscó en una de sus bolsas y sacó un raído albornoz de felpa. En el armario de su casa tenía uno de seda, regalo de un antiguo amante. Grace conservaba recuerdos agradables de aquel hombre, pero prefería el albornoz de felpa. Medio mareada, se acercó a la ventana y apartó la cortina.

Era un día hermoso, fresco, y olía ligeramente a primavera y tierra removida. Una abombada valla metálica separaba el patio de su hermana del de la casa vecina. En la valla se enredaba una lastimosa forsitia que se empeñaba en sobrevivir. Grace pensó que sus flores amarillas eran valientes y osadas. Hasta entonces no había reparado en lo harta que estaba de las flores de invernadero y sus pétalos perfectos. Miró más allá, bostezando.

Entonces lo vio, en el patio trasero de la casa de al lado. El hombre medía, marcaba y cortaba unas tablas largas y estrechas dispuestas sobre unos caballetes. Intrigada, levantó la ventana para ver mejor. A continuación se asomó para que el gélido aire matinal la despejase. Como la forsitia, el hombre era digno de ver.

Semejaba el legendario Paul Bunyan, pensó con una sonrisa. Debía de medir casi dos metros y tenía la corpulencia de un zaguero. A pesar de la distancia atisbó la potencia de sus músculos que se tensaban bajo la chaqueta. Tenía melena pelirroja y barba, no una ligera sombra afectada, sino barba de verdad. Y movía la boca al ritmo de la música country que emitía una radio portátil.

Cuando el zumbido de la sierra por fin cesó, Grace apoyó los codos en el alféizar.

—Hola —saludó, y su sonrisa se ensanchó cuando él se volvió. Me gusta su casa.

Ed se relajó al ver una mujer en la ventana. Esa semana había trabajado sesenta horas y matado a un hombre. La visión de una mujer guapa sonriéndole desde la ventana de la casa vecina suavizó su tensa postura.

—Gracias.

—¿La está arreglando?

—Poco a poco. —Se protegió los ojos del sol y la observó. No era su vecina. Aunque Kathleen Breezewood y él no habían intercambiado más de una docena de palabras, la conocía de vista. Pero en aquel rostro sonriente y de cabello alborotado había algo familiar—. ¿Está de visita?

—Sí, soy la hermana de Kathy. Supongo que ya se ha ido. Es profesora.

—Oh. —Se había enterado de más cosas sobre su vecina en dos segundos que en los dos meses anteriores. La llamaban Kathy, tenía una hermana y era profesora. Puso otra tabla sobre el caballete—. ¿Se quedará mucho tiempo?

—No lo sé. —Se asomó un poco más para que la brisa le ondease el pelo. Era un pequeño capricho que el ritmo y las costumbres de Nueva York le negaban—. ¿Ha plantado usted las azaleas de la parte delantera?

—Sí, la semana pasada.

—Son preciosas. Creo que voy a plantar algunas para Kath. —Sonrió otra vez—. Hasta luego. —Metió la cabeza dentro y desapareció.

Ed siguió contemplando la ventana un momento más. Ella la había dejado abierta, aunque la temperatura no llegaba a los quince grados. Luego cogió el lápiz de carpintero para marcar la madera. Conocía aquella cara. Tanto por su trabajo como por su carácter, nunca olvidaba una cara. Ya se acordaría.

Dentro, Grace se puso unos pantalones de chándal. Tenía el pelo mojado de la ducha, pero no estaba de humor para entretenerse con el secador y los cepillos de moldeado. Iba a tomar un café, leer el periódico y resolver un asesinato. Según sus cálculos, pondría a *Maxwell* a trabajar y avanzaría bastante antes de que Kathleen volviese de Nuestra Señora de la Esperanza.

En la planta baja, se sirvió café y comprobó el contenido del frigorífico. La mejor apuesta eran los espaguetis sobrantes de la noche anterior. Apartó los huevos y sacó el pulcro *tupperware*. Tardó un momento en darse cuenta de que la cocina de su hermana aún no se había modernizado tanto como para tener un microondas. Se lo tomó con calma, dejó la tapa del recipiente de plástico en el fregadero y atacó los espaguetis tal como estaban. Mientras comía, vio la nota sobre la mesa de la cocina. Kathleen siempre dejaba notas.

«Sírvete lo que encuentres. —Grace sonrió y tomó otro bocado de espaguetis helados—. No te preocupes por la cena. Compraré un par de filetes. —Ésa era la manera educada que tenía de decirle que no revolviese la cocina—. Papá y mamá llamarán esta tarde. Llegaré a las cinco y media. No uses el teléfono de mi despacho.»

Arrugó la nariz y se metió la nota en el bolsillo. Necesitaría tiempo y perseverancia, pero estaba decidida a enterarse de más cosas sobre las polifacéticas actividades de su hermana. También tenía que averiguar el nombre de su abogado. Pese a las objeciones y el orgullo de Kathleen, Grace quería hablar con él personalmente. Si actuaba con cuidado, el ego de su hermana no se resentiría. De todas maneras, a veces había que herir alguna que otra susceptibilidad para lograr un objetivo. Kathleen no sería capaz de poner orden en su vida hasta que recuperase a Kevin. El cerdo de Breezewood no tenía derecho a utilizar al niño como arma contra Kathleen.

Siempre había sido un aprovechado, pensó. Jonathan Breezewood III era un manipulador frío y calculador que utilizaba su posición social y económica para salirse con la suya. Pero esta vez no lo lograría. Grace encontraría la forma de arreglar las cosas a favor de su hermana.

Apagó la cafetera en el momento en que llamaban a la puerta.

El baúl, pensó, y se dirigió al vestíbulo con el recipiente de los espaguetis. Una propina de diez pavos conseguiría que el repartidor lo subiese al primer piso. Abrió la puerta con una sonrisa persuasiva.

—G. B. McCabe, ¿verdad? —Ed estaba en la entrada con un ejemplar de *Asesinato con estilo* en tapa dura. Había estado a punto de serrarse un dedo cuando por fin consiguió ponerle nombre a aquella cara.

—La misma. —Grace miró la fotografía de la contracubierta. Aparecía con el pelo ondulado, y el fotógrafo había optado por el blanco y negro para darle un aire misterioso—. Tiene buen ojo. Apenas me reconozco en esta foto.

Después de presentarse allí, Ed, no tenía ni idea de qué hacer. Siempre le ocurría cuando actuaba guiado por un impulso, sobre todo con una mujer.

—Me gustan sus novelas. Creo que las he leído casi todas.

—¿Sólo casi todas? —Grace dejó el tenedor sobre los espaguetis y sonrió—. ¿No sabe que los escritores tenemos egos tan hinchados como frágiles? Debería decir que ha leído todos y cada uno de mis libros y que los adora.

Ed se relajó un poco porque la sonrisa de Grace lo requería.

—¿Y si digo que narra unas historias sensacionales?

—También vale.

—Cuando por fin la reconocí, se me ocurrió venir a comprobarlo.

—Ha ganado el premio. Entre.

—Gracias. —Cambió el libro de mano, sintiéndose como un idiota—. Pero no quisiera molestar.

Grace lo miró enarcando una ceja. De cerca resultaba aún más interesante. Y tenía ojos azules, de un azul intenso.

—¿No quiere que se lo firme?

—Bueno, sí, pero…

—Entonces entre. —Lo cogió por el brazo y lo animó—. El café está caliente.

—No tomo café.

—¿No toma café? ¿Y cómo se mantiene vivo? —Sonrió e hizo un gesto con el tenedor—. Bueno, supongo que habrá algo que pueda beber. ¿Así que le gustan las novelas de misterio?

A Ed le agradó su descuidada forma de andar, como si fuera a cambiar de rumbo en cualquier momento.

—Se podría decir que resolver misterios es mi vida.

—También la mía. —Grace abrió el frigorífico—. No hay cerveza —murmuró, y tomó nota mental de remediarlo cuanto antes—. Tampoco refrescos. Por Dios, Kathy. Hay zumo. Parece de naranja.

—Estupendo.

—Estoy tomando espaguetis. ¿Le apetece?

—No, gracias. ¿Es su desayuno?

—Umm. —Le ofreció el zumo y señaló una silla mientras se dirigía a la cafetera para servirse una taza—. ¿Hace mucho que vive aquí?

Ed estuvo a punto de ponerse a hablar sobre dietas saludables y nutritivas, pero se dominó.

—Un par de meses nada más.

—Debe de ser genial arreglar una casa como lo está

haciendo usted. —Tomó otro bocado de pasta—. ¿Es carpintero? Tiene manos de eso.

A él, le gustó que no le preguntase si jugaba al fútbol.

—No. Soy policía.

—Bromea. ¿En serio? —Dejó los espaguetis a un lado y se inclinó hacia delante. Ed decidió que eran sus ojos vivaces lo que la hacía tan hermosa—. Los policías me chiflan. Algunos de mis mejores personajes son polis, incluso los malos.

—Lo sé. —Sonrió—. Capta muy bien el trabajo policial. Se ve en la trama de sus novelas. Todo funciona con lógica y deducción.

—Toda mi lógica se vierte en la literatura. —Cogió el café y se dio cuenta de que había olvidado la leche. En vez de levantarse, lo tomó solo—. ¿Qué clase de policía es, uniformado o secreto?

—De homicidios.

—Sin duda ha sido el destino. —Grace rió y le dio un apretón en la mano—. Me parece increíble. Vengo a visitar a mi hermana y caigo justo al lado de un detective de homicidios. ¿Está trabajando en algo en este momento?

—Ayer cerramos un caso.

Un tipo duro, decidió Grace, percibiendo algo en el tono con que lo dijo, un cambio casi imperceptible. Aunque sentía curiosidad, se contuvo por discreción.

—Yo tengo un lío de asesinos en este momento. Se trata de una serie de crímenes. Yo… —Titubeó. Ed se fijó en que sus ojos se ensombrecían. Ella se reclinó y apoyó los pies descalzos en una silla—. Tal vez cambie la localización —añadió lentamente—. El próximo será aquí, en Washington. Sí, será mejor. Funcionará. ¿Qué le parece?

—Pues yo…

—Tal vez me pase por la comisaría en algún momento. Podría enseñarme el lugar. —Con sus procesos de pensamiento en pleno funcionamiento, metió la mano en el bolsillo del albornoz para buscar un cigarrillo—. Está permitido, ¿no?

—Creo que podría arreglarlo.

—Genial. ¿Tiene esposa, amante o algo parecido?

La miró encender el cigarrillo y exhalar el humo.

—En este momento no —dijo con cautela.

—Entonces, tal vez pueda dedicarme un par de horas por las noches de vez en cuando.

Ed bebió un largo trago de zumo.

—Un par de horas —repitió—. ¿De vez en cuando?

—Sí. No espero que me dedique todo su tiempo libre, sólo que me haga un huequecito cuando esté de humor.

—Cuando esté de humor —murmuró. El albornoz caía hasta el suelo, pero se abría a la altura de las rodillas y dejaba ver las piernas, pálidas del invierno y tersas como el mármol. A lo mejor aún existían los milagros.

—Podría ser mi asesor experto en la materia. Al fin y al cabo, ¿quién sabe más de investigación de asesinatos en Washington que un detective de homicidios?

Asesor. Un poco alterado por sus propios pensamientos, apartó la mente de las piernas de Grace.

—De acuerdo. —Respiró hondo y rió—. No pierde el tiempo, ¿eh, señorita McCabe?

—Llámeme Grace, y desde luego soy avasalladora, pero no me enfurruñaré demasiado si dice que no.

Él se preguntó cómo debía mirarla y si habría algún hombre capaz de decir que no a aquellos ojos. Su compañero Ben siempre le estaba diciendo que era un imbécil con las mujeres.

—Tengo un par de horas de vez en cuando.

—Gracias. ¿Qué tal si cenamos juntos mañana? A esas alturas Kath estará encantada de librarse de mí un rato. Podemos hablar de asesinatos. Me muero de ganas.

—Me gustaría. —Se levantó con la sensación de haber hecho un inesperado viaje—. Bien, será mejor que vuelva al trabajo.

—Permita que le firme el libro. —Tras una rápida búsqueda, encontró un bolígrafo en un soporte magnético junto al teléfono—. No sé su nombre.

—Ed. Ed Jackson.

—Hola, Ed. —Garabateó unas letras en la portadilla y se guardó el bolígrafo en el bolsillo—. Así pues, ¿mañana a eso de las siete?

—De acuerdo. —Se fijó en que media docena de pecas le salpicaban la nariz. Y sus muñecas eran delgadas y frágiles. Señaló el libro—. Gracias por el autógrafo.

Grace lo despidió en la puerta de atrás. Le pareció que olía bien, a virutas y jabón. Luego, frotándose las manos, subió al piso de arriba y encendió a *Maxwell*.

Trabajó todo el día, sustituyendo la comida por la barrita de caramelo que encontró en el bolsillo de su chaqueta. Cuando salía del mundo que estaba creando al mundo que la rodeaba, oía los martilleos y la sierra de Ed. Había colocado su puesto de trabajo junto a la ventana porque le gustaba contemplar la casa de al lado e imaginar qué ocurría en su interior.

A cierta hora, pasó el repartidor a entregarle el baúl. Después, un coche se detuvo delante de la casa de Ed. Un hombre larguirucho y moreno se apeó con aire despreocupado y entró sin llamar. Grace lo observó un momento y luego se centró en su trabajo. Cuando volvió a mirar, habían pasado dos horas y el coche ya no estaba allí.

Estiró la espalda, cogió el último cigarrillo del paquete y leyó unos párrafos.

—Buen trabajo, *Maxwell* —declaró. Pulsó unas teclas y apagó el ordenador. Recordó a su hermana y decidió hacer la cama.

El baúl estaba en medio de la habitación. El repartidor lo había subido al piso de arriba. Si ella se lo hubiese pedido, también habría colocado sus cosas en el armario. Grace lo miró, pensativa, y optó por enfrentarse más tarde al caos que contenía. Bajó las escaleras, sintonizó una emisora de radio y llenó la casa con el último éxito de ZZ Top.

Kathleen la encontró en la sala, tumbada en el sofá con una revista y una copa de vino, y tuvo que reprimir una punzada de impaciencia. Había pasado el día luchando para meter algo en la mollera de ciento treinta adolescentes, la reunión con los padres no había dado ningún fruto y su coche había empezado a hacer ruidos sospechosos en el trayecto a casa. Y allí estaba su hermana, con todo el tiempo del mundo y dinero en el banco.

Se acercó a la radio sin soltar la bolsa de la compra y la apagó. Grace alzó la vista, la vio y sonrió.

—Hola. No te he oído entrar.

—No me sorprende. Tenías la radio a todo volumen.

—Lo siento. —Grace se acordó de poner la revista sobre la mesa en vez de dejarla caer al suelo—. ¿Un día duro?

—A algunos no nos sonríe el destino. —Se dirigió a la cocina.

Grace se incorporó y se quedó un minuto sentada con la cabeza entre las manos, haciendo de tripas corazón. Luego se levantó y siguió a su hermana a la cocina.

—Me adelanté y preparé la ensalada para esta noche. Sigue siendo mi plato estrella.

—Estupendo. —Kathleen estaba forrando una parrilla con papel de aluminio.

—¿Una copa de vino?

—No. Esta noche tengo que trabajar.

—¿Con el teléfono?

—En efecto, con el teléfono. —Colocó la carne en la parrilla.

—Eh, Kath, era una pregunta, no una crítica. —Como no obtuvo respuesta, cogió su copa y bebió un sorbo—. Se me ha ocurrido que podría utilizar lo que haces como argumento para un libro.

—No has cambiado, ¿eh? —Kathleen se giró en redondo. Sus ojos encendidos centelleaban—. Para ti no hay nada privado.

—Por Dios, Kathy, no pretendo dar tu nombre ni

mencionar tu situación, sólo la idea, nada más. Es una posibilidad.

—Todo sirve, al menos para ti. Tal vez también quieras utilizar mi divorcio, ya puesta.

—Nunca te he utilizado —musitó Grace.

—Lo utilizas todo: amigos, amantes, familia. Oh, claro, te compadeces de su dolor y sus problemas exteriormente, pero por dentro sólo piensas en cómo aprovecharlos. ¿No puedes oír ni ver nada sin pensar en plasmarlo en un libro?

Grace iba a protestar, pero se contuvo con un suspiro. Por muy desagradable que fuese la verdad, era mejor afrontarla.

—No, supongo que no. Lo siento.

—Dejémoslo, ¿de acuerdo? —Kathleen se sosegó de repente—. No quiero discutir esta noche.

—Ni yo. —Inspiró hondo y cambió de tema—. Estaba pensando en alquilar un coche mientras esté aquí, ya sabes, para hacer un poco de turismo. También podría ir a la compra y ayudarte.

—Estupendo. —Encendió el horno y cambió de postura para que Grace no viese que le temblaba la mano—. Hay una oficina de Herz camino del colegio. Puedo acercarte por la mañana.

—Bien. —¿Y ahora qué?, se preguntó Grace mientras tomaba un sorbito de vino—. Oh, esta mañana he conocido al vecino de al lado.

—No me extraña. —Su voz sonó tensa mientras metía la carne en el horno. Le sorprendía que a esas alturas Grace no hubiera hecho amistad con todo el barrio.

Grace bebió más vino y se preparó. Siempre solía perder ella, pero en esta ocasión no cedería.

—Me pareció muy agradable. Resulta que es policía. Vamos a cenar juntos mañana.

—Normal. —Puso agua a hervir—. No pierdes el tiempo, Gracie, como siempre.

Grace bebió otro sorbo y dejó la copa sobre la encimera.

—Creo que saldré a dar un paseo.

—Lo lamento. —Kathleen se apoyó en la encimera y cerró los ojos—. No quería ofenderte, no era mi intención hablarte en ese tono.

—De acuerdo. —Grace no perdonaba con facilidad, pero sólo tenía una hermana—. ¿Por qué no te sientas? Estás cansada.

—No, esta noche tengo llamadas. Quiero dejar la cena preparada antes de que el teléfono empiece a sonar.

—Déjame a mí. Sobreviviré. —Cogió a su hermana por un brazo y la sentó en una silla—. ¿Qué pongo en la olla?

—Hay un paquete en la bolsa. —Kathleen rebuscó en su bolso, sacó un frasco y se tragó dos comprimidos sin agua.

Grace hurgó en la bolsa de la compra y encontró el paquete.

—Fideos en salsa de ajo. Muy práctico. —Lo abrió y lo vació sin mirar las instrucciones—. Espero que no me saltes al cuello otra vez, pero ¿te apetece hablar?

—No; ha sido un día agotador. Además, aparte del teléfono, tengo exámenes que corregir.

—Bueno, en eso no puedo ayudarte. Podría atender las llamadas en tu lugar.

Kathleen esbozó una sonrisa.

—No, gracias.

Grace cogió la fuente de la ensalada y la puso en la mesa.

—También podría tomar notas.

—No. Si no remueves los fideos, se pegarán.

—Oh. —Grace se centró en los fideos, dispuesta a ser una buena hermana menor. Oyó el crepitar de la carne—. La semana que viene es Pascua. ¿No tienes unos días libres?

—Cinco, contando el fin de semana.

—Podríamos hacer un viajecito a Fort Lauderdale y tomar el sol.

—No puedo permitírmelo.

—Invito yo, Kath. Venga, lo pasaremos bien. ¿Recuerdas la primavera de nuestro último curso, cuando les pedimos a papá y mamá por activa y por pasiva que nos dejaran ir?

—Pediste tú por activa y por pasiva —precisó Kathleen.

—Da igual, al final fuimos. Pasamos tres días de fiesta, nos pusimos morenas y conocimos a un montón de chicos. ¿Te acuerdas de aquel, Joe o Jack, que intentó colarse por la ventana de nuestra habitación en el motel?

—Después de que tú le dijeras que yo estaba loca por él.

—Sí, y era cierto. El pobre casi se mata. —Riendo, pinchó un fideo y se preguntó si estarían en su punto—. Dios mío, éramos muy jóvenes y muy tontas. ¡Qué diablos, Kath, aún podemos conseguir atraer a unos cuantos universitarios!

—Las juergas y los universitarios no me interesan. Además, recibiré llamadas durante el fin de semana. Baja el fuego de los fideos, Grace, y dale la vuelta a la carne.

Mientras lo hacía, Grace pensó que su invitación no tenía que ver con juergas ni hombres. Sólo quería recuperar algo del compañerismo de hermanas que habían compartido, pero Kathleen no lo había entendido. La miró poner la mesa.

—Trabajas demasiado —comentó Grace.

—No estoy en tu posición. No puedo pasarme la tarde tumbada en el sofá leyendo revistas

Grace cogió su copa otra vez y se mordió la lengua. Había días en que pasaba doce horas sentada ante el ordenador y noches en que trabajaba hasta las tres. Durante la promoción de un libro, trabajaba todo el día y parte de la noche, hasta que sólo le quedaban fuerzas para arrastrarse a la cama y caer en un sueño aletargado. Se consideraba afortunada, incluso la asombraba el dinero que obtenía en concepto de derechos, pero se lo había ganado. El hecho de que su hermana no lo viera la molestaba mucho.

—Estoy de vacaciones. —Procuró decirlo con ligereza, pero se notó su crispación.

—Yo no.

—Muy bien. Si no quieres salir, ¿te importa si me ocupo un poco del jardín?

—Como quieras. —Kathleen se frotó las sienes. Las

jaquecas nunca desaparecían del todo—. Y te lo agradezco. Lo tengo bastante abandonado. Teníamos un jardín precioso en California. ¿Te acuerdas?

—Claro. —A Grace siempre le había parecido demasiado ordenado y formal, como Jonathan. Como Kathleen. Procuró ignorar una punzada de amargura—. Podemos plantar pensamientos y… ¿cómo se llamaban aquellas cosas que le encantaban a mamá? ¿Dondiegos?

—Sí. De acuerdo, pues. —Pero tenía la cabeza en otras cosas—. Grace, la carne se está quemando.

Más tarde, Kathleen se encerró en su despacho. Grace oyó sonar el teléfono, el teléfono de la fantasía, como había decidido llamarlo. Contó diez llamadas antes de subir a su habitación. Demasiado inquieta para dormir, encendió el ordenador. Pero no pensaba en el trabajo ni en los asesinatos que inventaba.

La sensación de alegría que la había embargado la noche anterior y durante gran parte del día había desaparecido. Su hermana no se encontraba bien. Experimentaba unos cambios de humor demasiado bruscos. Ella había estado a punto de proponerle que hiciera alguna clase de terapia, pero temía su reacción. Kathleen la haría callar con una mirada dura y tajante y ahí acabaría la conversación.

Grace sólo había nombrado a Kevin una vez. Su hermana le había dicho que no quería hablar de él ni de Jonathan. Y ella la conocía lo suficiente para comprender que ahora lamentaba su visita. Aún peor, Kathleen se avergonzaba de sí misma. Siempre se las arreglaba para subrayar los peores aspectos de su carácter, aspectos que en otras circunstancias Grace habría pasado por alto.

Pero había ido a ayudar y lo haría. Aunque iba a costarle lo suyo, se resignó, apoyando la barbilla en el brazo. Había luces en la casa de al lado.

Con las puertas del despacho y su dormitorio cerradas

no oía sonar el teléfono. Se preguntó cuántas llamadas atendería su hermana esa noche. ¿A cuántos hombres satisfaría sin verles siquiera la cara? ¿Corregiría los exámenes entre llamada y llamada? Debía de ser divertido. Ojalá lo fuera, pero durante la cena Kathleen había estado sumamente tensa y apenas había probado bocado.

De momento no podía hacer nada, se dijo, mientras se frotaba los ojos. Kathleen estaba decidida a hacer las cosas a su manera.

Qué maravilloso era oír su voz de nuevo, escuchar sus promesas y su risa ligera y ronca. Vestía una prenda negra, fina y vaporosa, que un hombre podía quitarle de un tirón. A ella le gustaría, pensó. Le gustaría que él estuviera a su lado y le rasgara la ropa.

El hombre con el que ella hablaba en ese momento apenas decía nada. Pero Jerald estaba contento y si cerraba los ojos, imaginaba que ella hablaba con él, no con aquel hombre. Sólo con él. La había estado escuchando durante horas, llamada tras llamada. Pasado un tiempo, las palabras ya no importaban. Sólo su voz, la voz cálida y juguetona que salía de los auriculares y se metía en su cabeza. En algún lugar de la casa había un televisor encendido, pero él no lo oía. Sólo oía a Desirée.

La deseaba con locura.

A veces la oía en su mente pronunciar su nombre. Jerald. Lo decía con aquella especie de risita que a menudo asomaba a su voz. Cuando él fuese a verla, ella abriría los brazos y lo repetiría lentamente, casi sin aliento: Jerald.

Harían el amor de todas las formas que ella sugería durante las llamadas.

Jerald era el hombre destinado a satisfacerla, al que desearía más que a ningún otro. Ella repetiría su nombre una y otra vez, en un susurro, en un gemido, en un grito.

Jerald, Jerald, ¡Jerald!

Se estremeció y, agotado, se reclinó en la silla giratoria delante del ordenador.

Tenía dieciocho años y sólo había hecho el amor con mujeres en sueños. Y estaba loco.

Esa noche sus sueños pertenecían a Desirée.

CAPITULO 3

—¿Adónde vas?

Ed había ganado la apuesta e iba al volante. Su compañero Ben Paris y él habían pasado lo mejor del día en el juzgado. No bastaba con detener a los delincuentes, también había que dedicar horas a testificar contra ellos.

—¿Qué?

—Te he preguntado adónde vas. —Ben llevaba una bolsa grande de chocolatinas M&M, y las comía una detrás de las otras—. ¿A verte con la escritora?

—No lo sé. —Aminoró la marcha ante un stop, dudó y aceleró.

—No has respetado el stop. —Ben masticaba un trozo de chocolatina—. El trato fue que, si conducías, respetarías las señales.

—No venía nadie. ¿Crees que debo llevar corbata?

—¿Cómo quieres que lo sepa si no me dices adónde vas? Además, estás ridículo con corbata. Como un toro con una campanilla al cuello.

—Gracias, colega.

—Ed, el semáforo ha cambiado. El semáforo… mierda. —Guardó las chocolatinas en un bolsillo mientras Ed seguía adelante—. ¿Cuánto tiempo se quedará en la ciudad la famosa novelista?

—No lo sé.

—¿Cómo que no lo sabes? Has hablado con ella, ¿no?

—No se lo pregunté. No es asunto mío.

—A las mujeres les gusta que les pregunten. —Ben pisó un freno imaginario cuando Ed giró en una esquina casi sin aminorar—. Escribe cosas buenas. Le echa valor. Recordarás que fui yo el que te recomendé a sus libros.

—¿Quieres que le ponga tu nombre al primer niño?

Ben pulsó el encendedor del coche y chasqueó la lengua.

—¿Se parece a la fotografía del libro?

—Es mejor. —Ed sonrió y bajó la ventanilla cuando Ben encendió el cigarrillo—. Tiene unos grandes ojos grises y sonríe mucho. Una sonrisa preciosa.

—No has tardado mucho en picar, ¿eh?

Ed se movió, incómodo, sin apartar los ojos de la calle.

—No sé a qué te refieres.

—Ya ha ocurrido antes. —Ben relajó los pies cuando Ed se colocó tras un coche que iba a escasa velocidad—. Las de ojos grandes y sonrisa maravillosa pestañean y tú te pierdes. No eres capaz de resistirte cuando se trata de mujeres, colega.

—Está demostrado que los hombres que llevan menos de seis meses casados tienen tendencia a dar consejos.

—¿Lo has leído en *Redbook*?

—En *Cosmopolitan.*

—Lo suponía. Bah, cuando tengo razón, tengo razón. —La única persona a la que conocía mejor que a sí mismo era Ed Jackson. Ben ni siquiera conocía tan bien a su esposa. Y no necesitaba una lupa para reconocer los primeros síntomas de enamoramiento en su colega—. ¿Por qué no la llevas a casa a tomar una copa? Así Tess y yo le echaríamos un vistazo.

—Echaré el vistazo por mi cuenta, gracias.

—Ánimo, compañero. Ya sabes que, ahora que estoy casado, tengo una visión objetiva de las mujeres.

Ed sonrió.

—Y un cuerno.

—De verdad. —Ben posó un brazo en el respaldo del asiento—. ¿Sabes qué? Puedo llamar a Tess e iremos contigo esta noche. Para protegerte de ti mismo.

—Gracias, pero me basto yo solo.

—¿Le has dicho que sólo comes nueces y bayas?

Ed lo miró con benevolencia cuando doblaron la esquina siguiente.

—Podría influir en la elección de restaurante. —Ben arrojó la colilla por la ventanilla, pero su sonrisa desapareció cuando Ed se metió en un aparcamiento—. Coño, la ferretería no. Otra vez no.

—Necesito bisagras.

—Claro, siempre la misma historia. Eres peor que un grano en el culo desde que compraste esa casa, Jackson.

Cuando bajaron del coche, Ed le dio una moneda de veinticinco centavos.

—Ve al Seven-Eleven y tráeme una taza de café. No tardaré mucho.

—Te concedo diez minutos. Ya fue bastante coñazo pasar la mañana en el juzgado aguantando al abogado de Torcelli para tener que soportar ahora a don manitas.

—Me aconsejaste que comprara una casa.

—Eso no tiene nada que ver. Y no puedo pagar un café con veinticinco centavos.

—Enséñales la placa, tal vez te hagan un descuento.

Ben cruzó la calle refunfuñando. Si tenía que hacer tiempo mientras su compañero hurgaba entre tuercas y tornillos, le vendría bien un café con un bollo.

La pequeña tienda estaba casi vacía. Faltaba un par de horas para que el gentío de la hora punta parase a comprar una hogaza de pan o un refrigerio para el camino. La cajera estaba leyendo el periódico, pero alzó la vista y sonrió al ver a Ben. Él decidió, objetivamente, que tenía un bonito pecho.

En el fondo de la tienda, junto a los platos calientes y al microondas, se sirvió un café grande, cogió la jarra de agua caliente y llenó una taza para Ed, que siempre llevaba una bolsita de té en el bolsillo.

En otro momento habría dicho que Ed había cometido un gran error al comprar aquella casa ruinosa, pero se lo estaba pensando mejor. Tal vez Tess y él deberían seguir su ejemplo. La suya no sería una casa con agujeros en el techo y ratas en el desván, como la de Ed, sino que tendría un bonito jardín para hacer barbacoas en verano. Un lugar para criar hijos, pensó, pero era mejor no correr. Seguramente el matrimonio tenía la culpa de que viera el año próximo como si fuera el día siguiente.

Se acercó a la cajera mientras bebía su café. De pronto, alguien lo empujó y el café se derramó sobre su camisa.

—¡Maldita sea! Pero qué... —exclamó, y calló cuando vio el cuchillo que un chico de unos diecisiete años empuñaba con mano temblorosa.

—Venga, la pasta. —El chico lo amenazó con el cuchillo mientras apremiaba a la cajera—. Date prisa, zorra.

—Genial —murmuró Ben y miró a la mujer del mostrador, pálida e inmóvil—. Oye, chico, en estas cajas apenas hay calderilla.

—¡La pasta! ¡Te he dicho que me des la jodida pasta! —exclamó él y un hililllo de saliva rojiza le resbaló mentón abajo, pues se había mordido el labio. Tenía un mono en fase aguda—. Mueve el culo, furcia estúpida, o te grabaré mis iniciales en la frente.

La mujer miró el cuchillo y obedeció. Sacó la bandeja del cajón y la soltó sobre el mostrador. Las monedas tintinearon y algunas cayeron al suelo.

—La cartera —le dijo a Ben mientras metía billetes y monedas en sus bolsillos. Era su primer robo. No sabía que fuera tan fácil, pero tenía el corazón en un puño y las axilas empapadas—. Sáquela despacio y póngala sobre el mostrador.

—De acuerdo. Tranquilo. —Pensó en coger el arma. El chico sudaba profusamente y tenía una mirada tan aterrorizada como la cajera. Sin embargo, Ben sacó su cartera con dos dedos y la sostuvo en el aire. Luego la dejó caer al suelo. Cuando el chico bajó la vista, Ben se abalanzó.

No le costó arrebatarle el cuchillo, resbaladizo a causa

del sudor, pero entonces la cajera empezó a proferir aullidos sin moverse de su sitio. Y el chico aprovechó para revolverse como un oso herido. Ben logró aferrarlo por la cintura, afirmando bien los pies en el suelo, pero ambos cayeron contra una vitrina que se hizo añicos con estrépito. Los bollitos de chocolate y las golosinas se esparcieron por el suelo. El chico gritó y maldijo, boqueando como un pez mientras se precipitaba en pos del cuchillo. Ben fue tras él y se golpeó el codo contra el armario de los pasteles congelados. A sus pies, el chico se puso a temblar y se orinó de miedo. Ben hizo lo que le pareció más fácil: sentarse encima de él.

—Estás jodido, amigo —jadeó, y le puso su placa delante de las narices—. Y ese temblor que te ha dado es lo mejor que podía haberte ocurrido.

El chico sollozaba cuando Ben lo esposó. Luego, fastidiado y sin aliento, miró a la cajera.

—¿Quieres llamar a la poli, cariño?

Ed salió de la ferretería con una bolsa de bisagras, media docena de picaportes de bronce y cuatro tiradores de cerámica. Los tiradores eran un verdadero hallazgo porque hacían juego con el color que había elegido para el cuarto de baño del piso de arriba. Su siguiente proyecto. Como el coche estaba vacío, miró al otro lado de la calle y vio un coche patrulla. Con un suspiro, dejó la bolsa en su vehículo y se acercó en busca de su compañero. Al verlo, echó un vistazo a su camisa y luego al chico que lloriqueaba y temblaba en el asiento trasero del coche patrulla.

—Ya veo que te has tomado el café.

—Sí, invitación de la casa, ¿no te jode? —Ben se despidió del policía uniformado y cruzó la calle con las manos hundidas en los bolsillos—. Ahora, tendré que rellenar un maldito informe. Y fíjate en la camisa. —La apartó de su piel, donde se había adherido, fría y pegajosa—. ¿Qué demonios voy a hacer con estas manchas de café?

Eran casi las seis cuando Ed detuvo el coche en el camino de su casa. Se había entretenido en la comisaría, arreglando la mesa y dedicándose al papeleo. Lo cierto era que estaba nervioso. Le gustaban las mujeres, pero no pretendía entenderlas. Su propio trabajo limitaba su vida social, pero cuando tenía citas, solía buscar el trato fácil con personas sin complicaciones. Nunca había tenido la habilidad de sus compañeros para reunir mujeres en manadas o para hacer malabarismos ante un público femenino. Tampoco había experimentado el compromiso repentino y total con una sola mujer, como era el caso de Ben.

Prefería a las mujeres que no iban demasiado rápido ni pulsaban demasiadas teclas. Le gustaban las conversaciones largas y provechosas, pero era muy difícil quedar con una mujer que compartiese ese interés. Y jamás analizaba el motivo.

Admiraba la inteligencia de G. B. McCabe, pero no sabía muy bien cómo debía tratarla en el plano social. No estaba acostumbrado a que una mujer lo invitara a salir y fijase día y lugar. Estaba más habituado a mimar y guiar, aunque se habría sentido insultado si alguien lo hubiese acusado de machismo.

Había apoyado sin reservas la enmienda constitucional por la igualdad de derechos, pero eso era política. Y aunque hacía años que trabajaba con Ben, no habría pestañeado si le asignaban una compañera del sexo femenino, pero eso era trabajo.

Su madre había trabajado desde siempre, que él recordase, mientras criaba a tres hijos y una hija. No habían tenido padre y, como era el hijo mayor, Ed había asumido el papel de cabeza de familia antes de llegar a la adolescencia. Estaba acostumbrado a que una mujer se ganase la vida y que tomase decisiones importantes.

En algún rincón de su mente siempre había albergado la idea de que, si se casaba, su mujer no tendría que trabajar.

Él se ocuparía de ella, exactamente lo que no había hecho su padre con su madre. Un día, cuando su casa estuviese acabada, las paredes pintadas y el jardín plantado, encontraría a la mujer adecuada, le ofrecería un hogar y se ocuparía de que no le faltase nada, tanto tangible como intangible.

Mientras se cambiaba de ropa, miró por la ventana la casa de al lado. Grace había dejado las cortinas abiertas y la luz encendida. Bien, ahí tenía un motivo para hacerle un comentario amable sobre la privacidad. De pronto la vio entrar en la habitación dando un portazo. Aunque sólo la veía de cintura para arriba, le pareció que le daba una patada a algo y luego se ponía a pasearse nerviosamente.

¿Qué iba a hacer? Grace se revolvió el pelo con furia, como si así pudiera arrancar las respuestas a su mente. Su hermana tenía problemas, más de los que había supuesto. Y estaba indefensa.

No debería haber perdido los nervios, se dijo. Gritarle a Kathleen era como leer *Guerra y paz* a la llama oscilante de un mechero. Lo único que se conseguía era dolor de cabeza y no entender nada. Tenía que hacer algo. Se sentó en la cama, se rodeó las piernas con los brazos y apoyó la cabeza en las rodillas. ¿Cuánto tiempo llevaba así? ¿Desde el divorcio? No había obtenido respuestas de Kathleen, así que llegó a la conclusión de que aquello también era culpa de Jonathan.

Pero ¿qué podía hacer al respecto? Kathleen estaba furiosa y no querría escucharla. Grace sabía de drogas, había visto el daño que hacían a la gente. Había consolado a personas que luchaban por salir del atolladero y se había apartado de quienes se precipitaban hacia la autodestrucción. Incluso había abandonado a un hombre por culpa de la droga.

Pero ahora se trataba de su hermana. Se apretó los ojos con los dedos e intentó pensar.

Valium. Tres botes recetados por tres médicos diferentes. Y tal vez tuviese más en el colegio, en el coche, Dios sabía dónde.

No había estado fisgoneando, no de la manera en que Kathleen lo había entendido. Necesitaba un maldito lápiz y pensó que Kathleen tendría uno en su mesilla. Y en efecto, había encontrado el lápiz. Y tres botes de Valium.

—Tú no sabes lo que es sufrir de los nervios —le había espetado Kathleen, enfadada—. Ni lo que es tener problemas de verdad. Tú siempre has tenido suerte, todo lo que has tocado se ha convertido en oro. Pero yo he perdido a mi marido y a mi hijo. ¿Cómo te atreves a darme lecciones sobre algo que tomo para mitigar el dolor?

Por su parte, ella no había dicho las palabras correctas, sólo ira y recriminaciones. "Afróntalo, maldita sea. Por una vez en tu vida, afróntalo. ¿Por qué no dije: te ayudaré? Estoy aquí para ayudarte." Eso era lo importante. Sí, podía bajar de nuevo, rogar, postrarse o gritar, pero obtendría la misma reacción. El muro se interponía entre ambas. Ya se había enfrentado a aquel muro en anteriores ocasiones, cuando Kathleen había roto con un novio de siempre, cuando ella misma había conseguido el papel protagonista en la obra teatral del colegio.

Familia. Una no podía lavarse las manos cuando se trataba de su familia. Con un suspiro, Grace bajó para intentarlo de nuevo.

Kathleen estaba en su despacho con la puerta cerrada. Llamó, prometiéndose mantener la calma.

—Kath. —No hubo respuesta, pero la puerta no estaba cerrada con llave y la abrió—. Kath, lo siento.

Ésta acabó de corregir un examen de décimo curso antes de levantar la vista.

—No necesitas disculparte.

—De acuerdo. —Se había tranquilizado, pensó Grace, aunque no sabía si por las pastillas o de verdad—. Creo que iré a decirle a Ed que quedaremos otra noche. Después tú y yo podríamos hablar.

—No hay nada más que hablar. —Kathleen puso el examen corregido en un montón y cogió otro de un segundo montón. Estaba demasiado tranquila. Las pastillas habían surtido efecto—. Y esta noche recibo llamadas. Ve y pásalo bien.

—Kathy, estoy preocupada por ti. Te quiero.

—Yo también te quiero. —Lo decía de verdad y ojalá fuera capaz de demostrarlo—. Y no tienes por qué preocuparte. Sé lo que hago.

—Has sufrido mucha presión, una presión terrible. Quiero ayudarte.

—Te lo agradezco. —Tachó una respuesta incorrecta y se preguntó por qué sus alumnos no le prestaban más atención. Nadie prestaba atención—. Estoy manejando la situación. Ya te dije que me alegro de que hayas venido, de verdad. Y también de que te quedes todo el tiempo que quieras, siempre que no interfieras en mi vida.

—Cariño, la adicción al Valium puede ser muy peligrosa. No quiero que te ocurra nada.

—No soy una adicta. —Calificó el examen con un notable bajo—. En cuanto recupere a Kevin y ordene mi vida, no necesitaré pastillas. —Sonrió y cogió otro examen—. Deja de preocuparte, Gracie. Ya no soy una niña. —En ese momento sonó el teléfono. Se levantó y se acercó al sillón—. ¿Sí? —Cogió un bolígrafo—. De acuerdo, lo acepto. Déle el número. —Colgó—. Buenas noches, Grace. Dejaré encendida la luz del porche.

Como su hermana se quedó esperando junto al teléfono, Grace salió del despacho. Cogió su abrigo en el armario del vestíbulo, donde lo había colgado Kathleen, y se apresuró a salir.

El frescor de principios de abril hizo que pensase de nuevo en Florida. Tal vez aún lograse convencer a Kathleen para ir. O al Caribe, o a México. A cualquier lugar cálido y tranquilo. Y cuando estuvieran fuera de la ciudad, lejos de la presión, podrían hablar de verdad. Si eso fracasaba, Grace había memorizado los nombres de los médicos que figuraban en las etiquetas de los frascos de pastillas. Iría a verlos.

Llamó a la puerta de Ed encogida en su abrigo.

—Sé que llego pronto —dijo cuando él abrió—. Espero que no te importe. Pensé que podríamos tomar una copa antes. ¿Puedo pasar?

—Claro, adelante. ¿Te encuentras bien?

—¿Se nota? —Entre risas se apartó el pelo alborotado de la cara—. Sólo he reñido con mi hermana. Nunca hemos aguantado más de una semana sin pelearnos. Generalmente por culpa mía.

—Las peleas suelen ser culpa de dos.

—No cuando son conmigo —sonrió. No le costaría nada sincerarse, la verdad. Los ojos de él expresaban consuelo y comprensión, pero se trataba de un asunto familiar. Así pues, se volvió deliberadamente para ver la casa—. Esto es precioso.

Pasó por alto el papel desprendido de la pared y los montones de madera apilada y se fijó en el tamaño y amplitud de la sala. Reparó más en la altura del techo que en la escayola desportillada, y en la belleza del entarimado noble del suelo a pesar de las manchas y los rasguños.

—Aún no me he puesto con la sala. —Aunque mentalmente ya la veía acabada—. Mi prioridad era la cocina.

—Como la mía. —Sonrió y le tendió la mano—. ¿Vas a enseñármela?

—Claro, si quieres. —Era extraño, pero siempre le daba la impresión de que imantaba las manos de las mujeres. La de ella era pequeña y fina, pero sostenía la suya con firmeza. Grace miró la escalera al subir.

—Cuando quites el barniz a la madera, te vas a encontrar con algo muy especial. Me encantan estas casas antiguas con sus pequeñas habitaciones. Tiene gracia, porque mi apartamento de Nueva York se reduce prácticamente a una habitación enorme, y me siento muy cómoda en él, pero... oh, esto es una maravilla.

Ed había arrancado, raspado, limpiado al vapor y restaurado. La cocina era el resultado de casi dos meses de trabajo. Grace juzgó que, por mucho tiempo que le hubiese dedicado, había valido la pena. Las encimeras eran rosa oscuro, un tono que jamás habría pensado que un hombre supiera apreciar. Por contraste, había pintado los armarios de verde menta. Los electrodomésticos eran blancos, con aire años cuarenta. Un hogar y un horno de ladrillo se veían perfectamente restaurados. El suelo era de roble, en sustitución del viejo linóleo.

—Mil novecientos cuarenta y cinco, la guerra ha terminado y no hay nada mejor que vivir en América. Me encanta. ¿Dónde has encontrado este horno? -Era extraño lo bien que Grace encajaba en aquel ambiente, con su pelo rizado y suelto y su abrigo con hombreras.

—Bueno, pues en una tienda de antigüedades de Georgetown. Tuve que pagar una pequeña fortuna para conseguir todas las piezas.

—Es magnífico. Verdaderamente magnífico. —Se relajó, apoyándose en el fregadero. Era de porcelana blanca y le recordó su hogar y tiempos más sencillos. En la ventana había unos tiestos con tallos verdes—. ¿Qué has plantado?

—Algunas hierbas.

—¿Hierbas? ¿Romero y cosas así?

—Cosas así. Tengo intención de hacer un pequeño huerto en la parcela.

Grace miró por la ventana y vio que Ed había estado trabajando la tierra. La gustó imaginar el nacimiento de un pequeño huerto, aunque no distinguía el tomillo del orégano. Hierbas en la ventana, velas en la mesa: sería una casa acogedora y apacible, no chirriante y tensa como la de su hermana. Se sacudió ese pensamiento con un suspiro.

—Eres un hombre ambicioso, Ed.

—¿Por qué?

Ella sonrió.

—No hay lavaplatos. Vamos. —Le ofreció la mano otra vez—. Te invito a una copa.

Kathleen estaba sentada en su sillón con los ojos cerrados y el auricular colocado entre el hombro y la oreja. Aquél quería llevar la voz cantante. Ella sólo tenía que emitir sonidos de aprobación. Bonito trabajo, pensó, y se enjugó una lágrima.

Pero no permitiría que Grace la dominara. Sabía muy bien lo que hacía, y si necesitaba una pequeña ayuda química para no perder la cabeza, tenía derecho a ella.

—No; es maravilloso –musitó-. No, no quiero que pares.

Soltó un suspiro y pensó que ojalá se hubiera acordado de preparar café. Grace la había confundido. Consultó su reloj. Aún faltaban dos minutos, y a veces dos minutos podían parecer eternos.

Alzó la vista, creyendo oír un ruido, y luego volvió a centrar la atención en el cliente. A lo mejor aceptaba que Grace la llevase a pasar el fin de semana a Florida. Le sentaría bien alejarse, tomar el sol y dejar de pensar durante un par de días. El problema era que en presencia de Grace no dejaba de obsesionarse con sus propias culpas y fracasos. Siempre había sido así, y daba por sentado que nunca cambiaría. De todos modos, no debería haber discutido con su hermana, se dijo, frotándose la sien. Pero ya había pasado y ahora estaba trabajando.

A Jerald le latía el corazón. La oía murmurar y suspirar. La risa grave resbaló por su piel. Tenía las manos heladas y se preguntó cómo sería calentarlas contra aquel cuerpo.

Ella se iba a alegrar de verlo. Se llevó el dorso de una mano a la boca y se acercó un paso más. Quería sorprenderla. Había necesitado dos horas y tres rayas de coca, pero al fin había reunido el valor necesario para visitarla.

Había soñado con ella la noche anterior. Y ella le había pedido que fuera a verla, se lo había rogado. Desirée. Ella quería ser la primera, la que se quedase con su virginidad.

El vestíbulo estaba oscuro, pero vio luz debajo de la puerta del despacho. Y oyó que su voz lo llamaba, juguetona.

Tuvo que detenerse y apoyar la mano en la pared para recuperar el aliento. El sexo con ella sería más arrebatador que cualquier colocón que se hubiese metido o esnifado. El sexo con ella sería lo máximo, la culminación. Y cuando acabasen, ella le diría que él era el mejor.

De pronto, Desirée calló. A continuación la oyó moverse, seguramente preparándose para él. Lentamente, a punto de desmayarse de emoción, Jerald abrió la puerta.

Y allí estaba ella.

Jerald sacudió la cabeza. Era diferente, diferente de la mujer de sus fantasías. Era morena, no rubia, y no llevaba un vaporoso vestido negro ni encaje blanco, sino una sencilla falda con una blusa. Confundido, se quedó en la puerta mirándola.

Cuando la sombra se proyectó sobre la mesa, Kathleen alzó la vista, esperando ver a Grace. Su primera reacción no fue de miedo. El chico que la miraba podría haber sido uno de sus alumnos. Kathleen se levantó, como si fuera a dar una clase.

—¿Cómo has entrado aquí? ¿Quién eres?

No era la cara, sino la voz. Todo lo demás desapareció, salvo la voz. Jerald se acercó, sonriendo.

—No tienes que fingir, Desirée. Te dije que vendría.

Cuando él se colocó a la luz, Kathleen sintió una punzada de miedo. No hacía falta tener experiencia con la locura para reconocerla.

—No sé de qué me hablas. —La había llamado Desirée, pero no podía ser. Nadie lo sabía. Nadie podía saberlo. Buscó algo con que defenderse en la mesa al tiempo que calculaba la distancia hasta la puerta—. Tienes que irte o llamaré a la policía.

Pero él siguió sonriendo.

—Te he escuchado durante semanas. Anoche me dijiste que podía venir a verte. Y ahora estoy aquí. Para ti.

—Estás loco. Nunca he hablado contigo. —Dios, tenía que mantener la calma—. Seguramente me confundes con otra persona, y ahora haz el favor de irte.

Aquélla era la voz. La habría reconocido entre miles. Millones.

—Todas las noches, te he escuchado todas las noches. —Sentía una creciente erección y tenía la boca reseca. A primera vista se había equivocado: ella era rubia, rubia y hermosa. Antes debía de haberlo engañado la luz o su propia magia—. Desirée —murmuró—. Te amo. —Sin dejar de mirarla, empezó a desabrocharse los pantalones.

Ella cogió un pisapapeles e intentó huir hacia la puerta. Se lo arrojó a la cabeza pero falló.

—Lo prometiste —dijo él, al tiempo que se abalanzaba y la atrapaba con sus brazos delgados y ásperos. Jadeando, apretó la cara contra la suya—. Prometiste darme todas esas cosas de las que hablabas. Y ahora las quiero, Desirée.

Era una pesadilla, pensó ella. Desirée no existía y aquello tampoco. Un sueño, nada más. Pero los sueños no dolían. Notó cómo su blusa se rasgaba mientras forcejeaba. Las manos de él la retenían por mucho que se revolviera y patalease. Le hincó los dientes en el hombro y el joven gritó y la derribó, desgarrándole la falda.

—Lo prometiste —jadeó—. Lo prometiste. —Le acarició un muslo, era tan suave y cálido como había imaginado. Sí, lo había conseguido. Y nada lo detendría.

Cuando Kahtleen sintió que la penetraba, rompió a chillar con desesperación.

—Cállate —ordenó él. La lujuria lo embargaba, pero no cómo él quería. Los gritos estropeaban la magia del momento, pero ella no tenía derecho a estropearlo. Él había esperado demasiado, la había deseado demasiado—. ¡He dicho que te calles!

La embistió con más fuerza, buscando la concreción de todas sus promesas, pero Desirée no dejaba de chillar. Le arañó en la cara, lo que aumentó aún más su deseo y su furia. Ella lo había engañado. No tenía que ocurrir de aquella manera. Desirée no era más que una mentirosa y una puta, pero aun así la deseaba con locura.

Kathleen logró liberar una mano y darle un empujón pero se tambaleó y se dioun golpe contra la mesa. El teléfono cayó al suelo, junto a su cabeza.

Él cogió el cable y lo pasó alrededor de su cuello, y apretó con fuerza hasta que los gritos cesaron por fin.

—Así que tu compañero está casado con una psiquiatra. —Grace bajó la ventanilla tras encender un cigarrillo. La cena la había relajado. Ed la había relajado, se corrigió. Resultaba fácil hablar con él y tenía una forma dulce y divertida de ver la vida.

—Se conocieron en un caso en el que trabajamos hace unos meses. —Ed se acordó de respetar el stop en la intersección. Pero Grace no era Ben. Ella era diferente de todos—. Seguramente te hubiera interesado porque se trataba de un asesino en serie.

—¿De verdad? —Nunca dejaba de sentir fascinación por el asesinato—. Entiendo, y llamaron a la especialista para que trazara un perfil psicológico.

—En efecto.

—¿Es buena?

—La mejor.

Grace asintió, pensando en Kathleen.

—Me gustaría hablar con ella. Podríamos organizar una cena o algo por el estilo. Kathleen no hace mucha vida social.

—Te preocupa tu hermana.

Grace suspiró cuando doblaron una esquina.

—Lo siento. No quería estropear la velada, pero supongo que no he sido la mejor compañía.

—No me he quejado.
—Porque eres demasiado educado.
Cuando se detuvieron en el camino de la casa, Grace se inclinó y le dio un beso en la mejilla.
—¿Quieres tomar un café en casa? —propuso—. No, no tomas café, sólo té. Te prepararé un té y haré las paces contigo. -Y se apeó sin darle tiempo a bajar para abrirle la puerta.
—No tienes que hacer las paces conmigo –dijo él.
—Es que me gusta tu compañía. Kath seguramente estará acostada y yo no tengo sueño. —Buscó la llave en su bolso—. Podemos hablar de mi visita a la comisaría. Maldita sea, sé que está en alguna parte. Sería más fácil si Kath se hubiera acordado de encender la luz del porche. Aquí está. —Abrió la puerta y guardó las llaves en el bolsillo sin prestar atención—. ¿Por qué no te acomodas en la sala y enciendes el tocadiscos o algo mientras preparo el té?
Se quitó el abrigo sin detenerse y lo lanzó despreocupadamente sobre una silla. Ed logró cazarlo al vuelo antes de que cayera al suelo y lo dobló. Olía como ella, pensó. Luego, diciéndose que estaba comportándose como un tonto, lo puso en el respaldo de la silla. Se acercó a una ventana para observar las molduras, costumbre que había adquirido desde que compró su casa. Les pasó el dedo, tratando de imaginarlas en sus propias ventanas.
Oyó que Grace llamaba a Kahtleen una y otra vez. Y a continuación un grito desgarrador.
La encontró arrodillada junto al cuerpo de su hermana, sacudiéndolo y chillando. Trató de apartarla pero ella se resistió como una posesa, presa de la desesperación.
—¡Suéltame! ¡Maldita sea, déjame! ¡Es Kathy!
—Tranquila. Ve a la otra habitación, Grace.
—¡Kathy! Oh Dios, suéltame. Me necesita…
—Vamos. —La sujetó firmemente por los hombros, interponiéndose ante el cuerpo, y la sacudió por los hombros para hacerla reaccionar—. Ve a la otra habitación, Grace.

Yo me ocuparé de todo.

—Pero tengo que…

—Quiero que me escuches. —La miró fijamente a los ojos y vio su terrible conmoción. Pero en ese momento no podía reconfortarla ni calmarla—. Ve a la sala y llama a una ambulancia ¿Podrás hacerlo?

—Sí… —balbuceó ella, tambaleándose—. Sí, claro.

Él esperó a que se marchara y luego se volvió hacia el cuerpo. Una ambulancia no iba a ayudar a Kathleen Breezewood. Ed se agachó a su lado y se convirtió en policía.

CAPITULO 4

Parecía una escena sacada de sus novelas. Después del asesinato venían los policías. Algunos con aspecto cansado; otros, taciturnos u hoscos, incluso los había cínicos. Dependía de la historia o de la personalidad de la víctima, pero en todos los casos dependía de su imaginación, la de Grace.

La acción podía desarrollarse en una callejuela o en un salón. La atmósfera siempre era parte importante de la escena. En la historia que estaba escribiendo, había ubicado un asesinato en la biblioteca del secretario de Estado. Le resultaba estimulante mezclar el servicio secreto, la política y el espionaje con la policía.

Se trataba de un asunto de venenos y de beber de la copa equivocada. El asesinato siempre era más interesante cuando sus circunstancias no resultaban claras. Le encantaba el argumento porque aún no había decidido quién sería el asesino. La fascinaba hacer averiguaciones y sorprenderse a sí misma.

Al final el malo siempre metía la pata.

Grace estaba sentada en el sofá, callada, observando. Por algún motivo, no podía abandonar aquel pensamiento. Las autodefensas de su mente habían convertido la histeria en una conmoción entumecida, a tal punto que incluso le parecía que sus temblores sacudían un cuerpo ajeno. Un buen asesinato tenía más gancho si la víctima dejaba a alguien asombrado o desolado. Era un mecanismo casi infalible para arrastrar al lector si se hacía bien. Ella poseía un innegable talento para describir emociones: pena, ira, desconsuelo. Cuando creaba a sus personajes, también los sentía. Durante horas, días, trabajaba alimentando sus emociones, descubriéndolas, deleitándose en los claroscuros de la naturaleza humana. Después las desconectaba con la misma facilidad que apagaba el ordenador y volvía a sus quehaceres cotidianos.

Al fin y al cabo sólo eran novelas, y la justicia triunfaba en el último capítulo.

Reconoció las tareas de los hombres que pasaron por la casa de su hermana: de la oficina del fiscal, del equipo forense, de la policía científica.

En una ocasión había escogido a un fotógrafo de la policía como protagonista de una novela, describiendo los detalles más desagradables de la muerte con una especie de placer morboso. Conocía el procedimiento, lo había descrito muchas veces sin un parpadeo ni un estremecimiento. Las visiones y los olores del asesinato no eran extraños a su imaginación. Incluso en aquel momento, le parecía que si cerraba los ojos, al abrirlos todos se habrían convertido en personajes a los que podría controlar, personajes que sólo existirían en su mente, personajes que se podían crear o eliminar con sólo pulsar una tecla.

Pero no su hermana. No Kathy.

Cambiaría el argumento, se dijo mientras recogía las piernas bajo el cuerpo. Lo rescribiría, borraría la escena del asesinato, reestructuraría los personajes. Lo cambiaría todo hasta que fuese exactamente como ella quería. Para hacerlo sólo necesitaba concentrarse. Cerró los ojos y, apretando los brazos contra el pecho, se esforzó por arreglarlo.

—No murió enseguida —murmuró Ben, mientras observaba al forense que examinaba el cadáver—.

Seguramente parte de la sangre pertenece al asesino. Tal vez encontremos huellas en el cable del teléfono.

—¿Cuánto tiempo hace? —Ed anotaba los detalles en su libreta mientras se esforzaba por no pensar en Grace. No podía permitírselo en aquel momento. Podía pasar por alto algo crucial si pensaba en ella, sentada en la otra habitación como una muñeca rota.

—No más de dos horas, probablemente menos —dijo el forense y consultó su reloj—. Entre las nueve y las once. Afinaré cuando le practique la autopsia. —Le hizo una seña a dos ayudantes y se incorporó.

Ambos hombres colocaron el cuerpo en una gruesa bolsa de plástico negro. Muy metódico. Muy definitivo.

—Gracias —dijo Ben y encendió un cigarrillo. Luego examinó la silueta de tiza sobre la alfombra—. Por el aspecto de la habitación, parece que la sorprendió aquí. La puerta de atrás estaba forzada. No le costó mucho trabajo, así que probablemente ella no se enteró.

—Es un barrio tranquilo —murmuró Ed—. No hace falta guardar el coche.

—Es más duro cuando ocurre cerca de casa, lo sé. —Ben esperó, pero no recibió respuesta—. Tendremos que hablar con la hermana.

—Ya. —Ed guardó la libreta en un bolsillo—. ¿Podéis esperar un par de minutos antes de llevaros el cuerpo? —le dijo al forense y salió del despacho. No había podido evitar que Grace encontrase el cadáver, pero evitaría que su dolor se acrecentara.

La encontró donde la había dejado, acurrucada en el sofá. Tenía los ojos cerrados y Ed deseó que estuviese dormida. Pero ella los abrió al momento y lo miró; los tenía resecos. Él conocía muy bien el brillo apagado de la conmoción.

—No logro arreglarlo —dijo ella con voz firme pero casi inaudible—. He intentado reestructurar la escena retrocediendo en el tiempo. No salí contigo y Kath decidió quedarse conmigo por la noche. Pero no funciona.

—Grace, vamos a la cocina. Tomaremos un té y hablaremos.

Aceptó la mano que él le ofrecía, pero no se levantó.

—No funciona porque ya es tarde para cambiarlo.

—Lo siento, Grace. Ven, acompáñame.

—Aún no se la han llevado, ¿verdad? Quiero verla antes...

—Ahora no.

—Debo ver cómo se la llevan. Sé que no puedo acompañarla, pero quiero ver cómo se la llevan. Es mi hermana.

Se levantó, fue al vestíbulo y esperó.

—Déjala —aconsejó Ben—. Lo necesita.

Ed metió las manos en los bolsillos.

—Nadie necesita algo así.

Había visto a muchas personas despedirse trágicamente de seres queridos en escenas de crimen. Y con esa experiencia a sus espaldas, él había aprendido a involucrarse lo menos posible.

Estrujándose las frías manos, Grace esperó a que sacasen a su hermana. No lloró. Buceó en sus sentimientos y no encontró nada. Quería sufrir, lo necesitaba, pero la pena se había escondido en algún rincón, dejándola vacía. Cuando Ed posó una mano en su hombro, ella no se apartó ni se estremeció, se limitó a suspirar hondo.

—¿Tienes que interrogarme ahora?

—Si estás preparada.

—Lo estoy. —Se aclaró la garganta. Debía hablar con más convicción. Siempre había sido la fuerte—. Prepararé té.

En la cocina, puso la tetera al fuego y se ocupó de las tazas y los platos.

—Kath siempre tiene todo muy ordenado. Sólo debo recordar donde guardaba mi madre las cosas y... —Se le quebró la voz. Tenía que llamar a sus padres y contárselo. «Lo lamento, mamá. Lo lamento mucho. No estaba en casa y no pude evitarlo.» No era el momento, se dijo mientras buscaba las bolsitas de té. Ahora no podía pensar en aquella dolorosa obligación-. Supongo que no tomas azúcar.

—No. —Ed se movió, incómodo, deseando que ella se sentase. Parecía bastante firme, pero apenas tenía color en el semblante desde que la había encontrado inclinada sobre el cadáver de su hermana.

—¿Y usted? Es usted el detective Paris, ¿verdad? El compañero de Ed.

—Ben. —Apartó una silla de la mesa—. Como Ed, se fijó en la palidez de Grace, pero también reparó en su determinación de aguantar. Era frágil pero no quebradiza, pensó, como un trozo de cristal que se fisura en vez de hacerse añicos.

Grace puso las tazas sobre la mesa y se fijó en la puerta de atrás.

—Entró por ahí, ¿verdad?

—Eso parece. —Ben sacó su libreta y la puso junto al plato. Ella estaba hablando de lo ocurrido y, como policía, debía aprovechar el momento—. Siento que tengamos que hablar de esto.

—No importa. —Bebió un sorbo de té y percibió el líquido caliente, pero no le supo a nada—. No puedo decir gran cosa, la verdad. Kath estaba en su despacho cuando salí. Se disponía a trabajar. Serían, no sé, las seis y media. Cuando regresamos, creí que se había acostado. No había encendido la luz del porche. —"Detalles", pensó mientras mantenía a raya la histeria. "La policía necesita detalles, como en las buenas novelas"—. Me dirigía a la cocina cuando vi la puerta abierta, la puerta de su despacho, y la luz encendida, así que entré. -Cogió la taza otra vez y bloqueó la mente a lo ocurrido a continuación.

Como Ed había estado allí, Ben no insistió. Todos sabían lo que había sucedido después. Así que preguntó:

—¿Su hermana estaba saliendo con alguien?

—No. —Grace se relajó un poco. Hablarían de otras

cosas, cosas lógicas, y no de la horrible escena del despacho—. Acababa de pasar por un divorcio espantoso y no lo había superado. Trabajaba mucho, pero no hacía vida social. Estaba centrada en ganar dinero suficiente para acudir a los tribunales y recuperar la custodia de su hijo.

"Kevin. Dios, pobre Kevin." Cogió la taza con ambas manos y bebió té.

—Su marido era Jonathan Breezewood tercero, de Palm Springs —prosiguió—. Familia de dinero, linaje antiguo y muy mal carácter. —Su mirada se endureció al fijarse en la puerta trasera—. A lo mejor os encontráis con que ha venido de viaje al Este.

—¿Tienes motivos para pensar que tu ex cuñado quería matar a tu hermana?

—No se divorciaron amistosamente. Hacía años que la engañaba, y ella contrató un abogado y un detective. Seguramente él se enteró. Breezewood es de esa clase de apellidos que no toleran que se los asocie con nada sucio.

—¿Sabe si amenazó a su hermana? —Ben probó el té, aunque añoraba el café.

—No me lo dijo, pero le tenía miedo. En principio no luchó por Kevin debido al mal carácter de su marido y al poder de sus influencias familiares. Me contó que le había dado una paliza a un jardinero por una simple discusión sobre un rosal.

—Grace. —Ed apoyó la mano en de ella—. ¿Has visto a alguien sospechoso en el barrio? ¿Ha venido alguien a traer algo o a pedir?

—No. Bueno, el hombre que trajo mi baúl, pero parecía inofensivo. Estuve sola con él durante unos minutos.

—¿Cómo se llamaba la empresa? —preguntó Ben.

—No lo sé… —Se frotó la nariz con los dedos. No le costaba reconstruir los detalles, pero en aquel momento era como caminar entre la niebla-. Rápido y Fácil, creo. No; *Con Rapidez*. Y el tipo se llamaba… Jimbo. Sí, Jimbo. Tenía el nombre bordado en el bolsillo de la camisa. Parecía de Oklahoma.

—¿Su hermana era profesora? —preguntó Ben.

—Sí.

—¿Problemas con los compañeros?

—La mayoría son monjas. Es difícil discutir con las monjas.

—Ya. ¿Y los alumnos?

—No me comentó nada. Nunca lo hacía. —Se le encogió el estómago—. La noche que llegué hablamos y tomamos un poco de vino. Me habló de Jonathan. Pero desde entonces, como durante gran parte de nuestras vidas, se cerró. Puedo aseguraros que Kathleen no tenía enemigos y tampoco amigos, al menos amigos íntimos. Durante los últimos años había volcado su vida en la familia. No llevaba en Washington el tiempo suficiente para establecer vínculos, para conocer a alguien que quisiera... hacerle una cosa así. Fue Jonathan o un desconocido.

Ben no replicó. Quien fuera no había entrado a robar, sino a violar. Los robos tenían un carácter especial y las violaciones otro. Salvo el despacho, todas las habitaciones estaban impecables. Y la casa olía a violación.

—Grace. —Ed había llegado a la misma conclusión que su compañero, pero fue un poco más lejos. El asesino había ido allí por una u otra hermana—. ¿Tienes cuentas pendientes con alguien? —Ante su expresión de incomprensión, aclaró—: ¿Alguien con quien hayas tenido relación últimamente querría hacerte daño?

—No. No tengo tiempo para comprometerme hasta ese punto. —Pero la pregunta bastó para desencadenar el pánico. ¿Había sido ella la causa? ¿Era culpa suya?—. Acabo de llegar de una gira de promoción. No conozco a nadie que pudiera hacer algo así. A nadie.

Ben dio un paso más.

—¿Quién sabía que usted estaba aquí?

—Mi editor, mi editorial, mi jefe de publicidad. Cualquiera. Acabo de recorrer doce ciudades haciendo relaciones públicas. Si alguien quisiera atacarme, podría haberlo hecho una docena de veces en habitaciones de hoteles, en el metro, en mi propio apartamento. Es Kathleen quien ha muerto. Yo ni siquiera estaba aquí. —Hizo una pausa para calmarse—. La violó, ¿verdad? —Sacudió la cabeza sin esperar una respuesta—. No, no, no quiero centrarme en eso ahora. No puedo centrarme en nada. —Se levantó y encontró una botella pequeña de coñac en el armario. Se llenó un vaso hasta la mitad—. ¿Hay más?

Ed quería cogerle la mano, acariciarle el cabello y decirle que dejase de pensar. Pero era policía y tenía un deber que cumplir.

—Grace, ¿sabes por qué tu hermana tenía dos líneas telefónicas en su despacho?

—Sí. —Bebió un sorbo de coñac, esperó a sentir el efecto, y luego tomó otro—. Pero se trata de algo muy privado.

—Intentaremos que no se sepa.

—Kathleen odiaría que se ventilara. —Se sentó con el vaso entre las manos—. Su privacidad era lo más importante para ella. Y no creo que lo ocurrido tenga que ver con esa línea extra.

—Necesitamos saberlo todo. —Ed esperó a que tomase otro trago—. Ahora ya no le hará daño.

—Ya. —El coñac no la ayudaba mucho, pero no se le ocurría ningún otro remedio para su malestar—. Ya os dije que había contratado a un abogado y todo eso. Necesitaba uno bueno para enfrentarse a Jonathan, y los buenos abogados no se pagan con el sueldo de una profesora. Tampoco aceptaba que yo le prestara dinero. Kathy era muy orgullosa y estaba resentida... bueno, eso no importa.—Respiró hondo. El coñac le había revuelto el estómago. Aun así, bebió otro trago—. El otro teléfono era para trabajar. Estaba pluriempleada en una empresa llamada Fantasy Incorporated.

Ben alzó una ceja mientras lo anotaba.

—¿Fantasy?

—Es un eufemismo. —Grace suspiró y se frotó los ojos—.

Sexo telefónico. Me pareció muy innovador e incluso pensé en utilizarlo para un argumento. —Se le revolvió el estómago otra vez y cogió un cigarrillo. Empezó a pelearse con el encendedor y Ben se lo quitó, lo encendió y luego lo dejó junto al vaso de coñac—. Gracias.

—No bebas demasiado rápido —le advirtió él.

—Me encuentro bien. Mi hermana estaba ganando mucho dinero, y el trabajo parecía inofensivo. Los que llamaban no sabían su nombre y su número era seguro, o sea inidentificable, porque la llamada del putero, supongo que ésa es la palabra, era filtrada por la centralita de la empresa.

—¿Mencionó algún cliente fijo u obsesivo?

—No, y si lo hubiera seguro que me lo habría dicho. Me habló de ese trabajo la noche que llegué. Parecía que le divertía y también la cansaba. Aunque alguien hubiese querido un contacto más personal, no la habría encontrado. Como ya dije, no utilizaba su verdadero nombre. Ah, y me explicó que sólo aceptaba llamadas de sexo normal, nada de perversiones. —Extendió la mano sobre la mesa. Ambas hermanas se habían sentado en aquel mismo lugar la primera noche, mientras el sol se ponía—. Nada de sadomasoquismo ni violencia. Era muy quisquillosa con esas cosas. Si alguien quería una conversación poco convencional, debía recurrir a otra chica.

—¿Nunca conoció a ningún cliente? —preguntó Ed.

No lo podía demostrar, pero estaba segura de que no.

—No, desde luego que no. Era un trabajo que enfocaba de forma profesional, como la enseñanza. No salía con nadie ni iba a fiestas. Su vida era el colegio y esta casa. Tu vivías al lado —le dijo a Ed—. ¿Viste que alguna vez viniese alguien? ¿Algún día la viste salir después de las nueve de la noche?

—La verdad es que no.

—Tenemos que comprobar la información que nos ha dado —dijo Ben, levantándose—. Si recuerda cualquier cosa, llámenos.

—Lo haré. Gracias. ¿Me avisarán cuando pueda... llevármela?

—Intentaremos que sea pronto. —Ben miró a su compañero. Sabía mejor que nadie lo frustrante que era mezclar el asesinato con las emociones, y también que Ed tendría que sobrellevarlo a su manera—. Redactaré el informe. ¿Por qué no te quedas y atas los cabos sueltos?

—De acuerdo. —Ed le hizo un gesto a su compañero y se levantó para poner las tazas en el fregadero mientras el otro se iba.

—Parece un buen hombre —dijo Grace—. ¿Es eficiente?

—Uno de los mejores.

Grace apretó los labios, deseando que así fuera.

—Sé que es tarde, pero ¿te importaría quedarte? Tengo que llamar a mis padres.

—Claro. —Ed metió las manos en los bolsillos y la miró. Ella parecía demasiado frágil para tocarla. Acababan de hacerse amigos y ya tenía que adoptar su papel de policía. La placa y la pistola marcaban una frontera entre un paisano y un poli.

—No se me ocurre qué decirles. No creo que pueda decir nada.

—Yo hablaré con ellos.

Grace dio una profunda calada al cigarrillo porque tuvo el impulso de aceptar su ofrecimiento.

—Siempre ha habido alguien que me saque las castañas del fuego, pero en esta ocasión tengo que hacerlo yo.

—Esperaré en la otra habitación.

—Te lo agradezco.

Grace aguardó a que saliese y se preparó para la llamada.

Ed se paseó por la sala, tentado de regresar a la escena del crimen y echar un vistazo, pero se contuvo. No quería que Grace lo encontrase allí. A ella no le convendría verlo, recordarlo todo. La muerte violenta era el trabajo de Ed, pero aún no se acostumbraba a las reacciones que provocaba.

Una vida era segada abruptamente y casi siempre se veían afectadas muchas otras vidas. Su trabajo consistía en considerarlo objetivamente, comprobar los detalles, los evidentes y los ocultos, y reunir pruebas suficientes para efectuar una detención. La parte más satisfactoria del trabajo policial era la recopilación de datos. Ben obedecía al instinto y la intensidad, Ed al método. Para él, un caso se investigaba mediante la lógica y el análisis detallado de los hechos. Había que controlar las emociones, o mejor, aún evitarlas. Se trataba de una línea muy fina sobre la que había aprendido a caminar, la línea que separaba la implicación emocional del estudio objetivo.

Su madre no quería que fuese policía, prefería que trabajase con su tío en el negocio de la construcción. "Tienes buenas manos —le decía—. Y una espalda fuerte. Ganarías un buen salario." Años después ella seguía esperando a que su hijo cambiase la placa por el casco.

Él nunca había sabido explicarle por qué no lo hacía, por qué seguía siendo policía. No era por la emoción resultante de un trabajo así. La vigilancia, el café frío o, en su caso, el té tibio, y los informes por triplicado no resultaban precisamente emocionantes. Y desde luego, tampoco lo hacía por la paga.

Era por la satisfacción que le proporcionaba. No la satisfacción de detentar autoridad y llevar una pistola, sino la satisfacción con que se acostaba algunas noches, muy pocas, consciente de que durante el día había hecho algo bueno. Filosóficamente, la ley era la mayor y más importante invención de la humanidad. Pero en el fondo sabía que, en su caso, se trataba de algo más elemental que eso.

Él era el bueno de la película. Tal vez fuera así de sencillo. Cuando se cometía un crimen, él tenía que atrapar al asesino. Debía hacer cumplir la ley, y los tribunales se lo agradecían.

Justicia. Era Ben quien solía hablar de justicia. Ed lo reducía todo a bueno y malo.

—Gracias por esperar.

Se volvió y vio a Grace en la puerta. Estaba aún más pálida. Tenía ojeras y el pelo alborotado como si se lo hubiese revuelto.

—¿Te encuentras bien?

—Supongo que acabo de darme cuenta de que ocurra lo que ocurra en mi vida, cualquier cosa, nada será más doloroso que esto. —Sacó un cigarrillo de un paquete arrugado y lo encendió—. Mis padres cogerán el primer vuelo de la mañana. Les dije que había avisado a un sacerdote. Es importante para ellos.

—Puedes llamar a uno mañana.

—Lo primero es comunicárselo a mi ex cuñado.

—Se ocuparán de eso.

Grace asintió. Empezaban a temblarle las manos otra vez. Dio una profunda calada mientras procuraba calmarse.

—Yo... no sé a quién llamar para que se encargue de todo. El funeral. Sé que Kath hubiera querido algo discreto. —Sintió una punzada en el pecho y dio otra calada—. Habrá que oficiar una misa. Mis padres lo querrán así. La fe amortigua la desesperación, creo que lo escribí una vez. —Otra calada—. Quiero arreglar todo lo que pueda antes de que lleguen. Debo llamar al colegio.

Ed reconoció los síntomas del derrumbe emocional: se movía con nerviosismo, su voz oscilaba entre la tensión y el temblor.

—Mañana, Grace. ¿Por qué no te sientas un momento?

—Cuando fui a tu casa estaba enfadada con ella. Muy disgustada y frustrada. Al diablo, pensé, que se vaya al infierno. —Suspiró—. No dejo de pensar que podría haberlo evitado si me hubiera quedado con ella. Entonces...

—Es un error, siempre es un error culparse por las cosas que no se pueden controlar. —La cogió por el brazo, pero ella se apartó, sacudiendo la cabeza.

—Podría haberlo controlado. Nadie manipula tan bien como yo, pero con Kath no pulsé la tecla adecuada. Nos poníamos nerviosas mutuamente. Nunca supe tanto de su vida como para nombrar a seis personas que ella conociese. Si lo hubiera sabido, podría haber hecho algo. Oh, desde luego que sí. —Soltó una carcajada breve y seca—. Kath me dejó de lado y yo no insistí. Así era más fácil. Esta misma noche me enteré de que era adicta a las pastillas.

Grace reparó en que no había contado ese punto. No quería decírselo a la policía. Lanzó un tembloroso suspiro y se dio cuenta de que no hablaba a Ed como policía, sino como vecino. Era tarde para dar marcha atrás. Aunque él no dijo nada, era tarde para retroceder y recordar que no se trataba sólo de un buen vecino con ojos amables.

—Había tres malditos frascos de Valium en el cajón de su mesilla. Me enteré y discutimos, y cuando no pude más, me marché. Así era más fácil. —Aplastó el cigarrillo con vehemencia y cogió otro—. Ella tenía problemas, estaba herida, y para mí fue más cómodo alejarme.

—Grace. —Ed se acercó para quitarle el cigarrillo—. También suele ser más fácil culparse de todo.

Ella lo miró y se llevó las manos a la cara cuando ya no pudo contenerse.

—¡Oh Dios, cuánto debió de sufrir! Estaba sola, sin nadie que la ayudase. Ed, ¿por qué? Dios bendito, ¿por qué querría alguien hacerle una cosa así? Y ahora es irremediable.

Él la rodeó con los brazos y la meció suavemente. Ella apoyó las manos en su pecho y él la sostuvo, acariciándole la espalda.

—La quería —musitó—. La quería de verdad. Cuando llegué, estaba encantada de verla y durante un rato creí que podríamos estar unidas después de tantos años. Pero ahora se ha ido para siempre. Mi madre. Oh Dios, Ed, qué le diré a mi madre mañana cuando la tenga delante de mí. No lo soportaré.

Ed hizo lo único que cabía en esas circunstancias. La llevó hasta el sofá, la sentó y la abrazó para consolarla. No sabía mucho sobre como consolar a las mujeres, qué palabras utilizar ni qué tono emplear. Sabía mucho de la muerte y de la conmoción e incredulidad que generaba, pero Grace no era otra desconocida a la que interrogar u ofrecer un poco de compasión. Era una mujer que lo había llamado desde su ventana una mañana de primavera. Conocía su olor, su voz y el movimiento de sus labios, formando pequeños hoyuelos. En aquel momento lloraba sobre su hombro.

—No soporto que se haya ido —dijo Grace—. Ni pensar en lo que le ha ocurrido... en lo que le está ocurriendo ahora mismo.

—No lo hagas, no sirve de nada. —La abrazó un poco más fuerte—. No deberías quedarte aquí esta noche. Puedes venir a mi casa.

—No; si mis padres llaman... No puedo. —Ocultó la cara en el hombro de él, incapaz de pensar. Mientras las lágrimas aflorasen no podría pensar. Y había mucho que hacer. Pero la conmoción se estaba cobrando su precio en agotamiento—. ¿Puedes quedarte? Por favor, no quiero estar sola. ¿Te quedas?

—Por supuesto. Intenta relajarte. No iré a ninguna parte.

Se acostó con el corazón martilleando y el eco de aquellos gritos en la cabeza. Le dolía el brazo donde ella lo había mordido. Se lo vendó para no manchar las sábanas de sangre; su madre era muy quisquillosa con las sábanas. Pero el dolor era un recordatorio constante. Un recuerdo que se había traído consigo.

Dios, no había pensado que sería de aquella manera. Su cuerpo, su mente, su alma -si existía tal cosa-, habían subido hasta lo más alto, se habían tensado al máximo. Los otros recursos que había utilizado -el alcohol, las drogas, el ayuno— no lo habían aproximado ni por asomo a aquel placer tan brusco y peligroso.

Se había sentido fuerte. Invencible.

¿Había sido el sexo o el asesinato?

Se rió, agitándose sobre la sábana empapada de sudor. ¿Cómo iba a saberlo si era la primera vez que hacía ambas cosas? Tal vez fuese la combinación de las dos cosas. Una combinación fascinante. En cualquier caso, tenía que averiguarlo.

Por un instante de aterradora lucidez pensó en ir al piso de abajo y matar a una de las criadas mientras dormía. Pero la idea no lo excitó y la descartó sin inmutarse. Debía esperar unos días, pensar con la cabeza fría. De todos modos, no lo excitaría matar a alguien tan insignificante como una criada.

Pero Desirée...

Se dio la vuelta y rompió a llorar. No había pretendido hacerle daño. Quería amarla, demostrarle cuánto podía ofrecerle. Pero ella no dejaba de gritar, y sus gritos lo habían vuelto loco, lo habían arrastrado a un ardor desconocido que al final había sido hermoso, lo más hermoso que había experimentado nunca. Se preguntó si ella habría sentido aquella oleada de excitación salvaje e imparable antes de morir. Ojalá que sí. Él había querido darle lo mejor de sí.

Desirée se había ido. Aunque había muerto en sus manos, e inesperadamente había obtenido placer de aquel acto, la echaba de menos. Ya no volvería a escuchar su voz excitándole, bromeando, sugiriendo.

Tenía que encontrar a otra. Sólo de pensarlo se estremecía. Otra voz que le hablase únicamente a él. Semejante éxtasis no podía experimentarse una sola vez en la vida. Volvería a encontrar a Desirée; no importaba cómo se llamase esta vez.

Se puso boca arriba y contempló las primeras luces del amanecer filtrándose través de la ventana. La encontraría.

CAPITULO 5

Grace despertó con las primeras luces. No experimentó desorientación ni confusión alguna. Su hermana había muerto y ese hecho descarnado martilleaba su cabeza. Intentó levantarse y afrontarlo.

Kathleen había muerto y ella no podía cambiarlo, como tampoco había sabido cambiar los fallos de su relación. Era más difícil afrontarlo a la luz del día, cuando el primer estallido de pena se había convertido en un dolor seco.

Habían sido hermanas, pero no amigas. Lo cierto era que no había conocido a Kathleen, no de la forma en que podía decir que conocía al menos a una docena de personas. En verdad, nunca había sabido cuáles eran los sueños y esperanzas de su hermana, sus fracasos y su desesperación. No habían compartido alocados secretos ni pequeñas desgracias. Y ella no había presionado lo suficiente para romper la barrera que las separaba.

Ya no lo sabría nunca. Apoyó la cara en las manos para hacer acopio de fuerzas. Nunca tendría la oportunidad de averiguar si se podía salvar aquel vacío. Sólo podía hacer una cosa: encargarse de los crueles pormenores que dejaba la muerte tras de sí para que los vivos los recogiesen.

Apartó la manta que Ed le había echado por encima. Sin duda, había ido mucho más allá de lo que el deber le exigía al quedarse hasta que ella lograra conciliar el sueño. Tenía que agradecérselo, pero ahora necesitaba un litro de café para coger el teléfono y hacer las llamadas necesarias.

No quería detenerse ante el despacho de su hermana. Quería pasar de largo sin mirarlo. Pero se detuvo, se sintió obligada a ello. La puerta estaba cerrada con llave y precintada por la policía, pero su imaginación de escritora le permitió ver su interior. Se recordó a sí misma absorta en medio de aquella escena terrible: la mesa volcada, los exámenes desperdigados, el pisapapeles roto y el teléfono caído en el suelo. Y su hermana. Golpeada, ensangrentada, semidesnuda. Al final ni siquiera le habían permitido conservar su dignidad.

Kathleen se había convertido en un caso, un expediente, un titular que la gente leería durante la pausa del café o en su casa. Aunque costara admitirlo, pensó que si Kathleen hubiera sido una desconocida, Grace también habría leído el titular mientras tomaba café. Con los pies apoyados en la mesa, habría absorbido hasta el mínimo detalle. Luego habría recortado la historia para guardarla como posible referencia.

El asesinato siempre la había fascinado. Al fin y al cabo, era su medio de vida.

Se volvió y se dirigió al vestíbulo. Detalles. Llenaría su tiempo con los detalles hasta reunir valor para afrontar las emociones. Por una vez en su vida sería práctica. Era lo menos que podía hacer.

No esperaba encontrar a Ed en la cocina. Para ser un hombre tan grande, se movía en silencio. Aquello la hizo sentir incómoda, una sensación inhabitual.

Él se había quedado no sólo hasta que ella se durmiese, sino toda la noche. Se había quedado con ella. Tal vez era esa bondad natural lo que la incomodaba. Se detuvo en la puerta y se preguntó cómo se daba las gracias a una buena persona.

Ed estaba remangado y descalzo delante de la cocina, removiendo algo que olía sospechosamente a avena. Por fortuna también detectó aroma a café.

—Hola.

Ed se volvió y con una rápida mirada constató que Grace estaba demacrada y tenía ojeras, pero parecía más firme que la noche anterior.

—Hola. Creí que dormirías un par de horas más.

—Hoy tengo mucho que hacer. No esperaba encontrarte aquí.

Ed cogió una taza y le sirvió café. Tampoco él lo había esperado, pero no había podido marcharse.

—Me pediste que me quedara.

—Lo sé. —Tuvo ganas de llorar otra vez, pero tragó saliva y respiró hondo un par de veces—. Lo siento. Seguramente no habrás dormido nada.

—Dormí unas horas en el sillón. Los polis dormimos en cualquier parte. —Como ella no se movía, él se acercó y le ofreció café—. Lo lamento, pero el café suele quedarme asqueroso.

—Esta mañana bebería aceite de motor. —Cogió la taza y retuvo la mano de él—. Eres una buena persona, Ed. No sé lo que habría hecho sin ti anoche.

Él temió no encontrar la respuesta adecuada, así que se limitó a apretarle la mano y dijo:

—Ven y desayuna algo.

—No creo que… —El teléfono sonó y ella dio un respingo, derramándose café sobre la mano.

—Siéntate. Yo contestaré.

Ed la sentó en una silla antes de coger el supletorio de pared. Escuchó unos momentos, miró a Grace y apagó el fuego de la olla.

—La señorita McCabe no tiene nada que declarar —dijo, y colgó. Empezó a echar copos de avena en un cuenco.

—No han tardado mucho, ¿eh?

—No. Seguro que recibirás llamadas todo el día. La prensa sabe que eres la hermana de Kathleen y que estás aquí.

—Escritora de novelas de misterio descubre el cadáver de su hermana. —Sonrió con amargura—. Sí, un buen titular de primera plana. —Observó el teléfono—. Sé arreglármelas con la prensa, Ed.

—Sería mejor que te traslades unos días a un hotel.

—De eso nada. —Sacudió la cabeza. No lo había pensado, pero lo decidió en el momento—. Tengo que estar aquí. No te preocupes, sé lidiar con los periodistas. —Sonrió y cambió de tema—: No querrás que coma eso, ¿verdad?

—Pues sí. —Puso el cuenco delante de ella y le dio una cuchara—. Necesitarás algo más que espaguetis fríos.

Grace lo olisqueó.

—Huele a primer curso de primaria. —Pero se lo debía, así que probó la avena—. ¿Tendré que firmar una declaración?

—Cuando estés lista. Como yo estaba aquí, será más sencillo.

Grace asintió y logró tragar la primera cucharada. No sabía como la avena de su madre. Ed le había añadido algo, miel, azúcar moreno o algo parecido. Pero la avena no dejaba de ser avena, así que cogió el café.

—Ed, ¿me responderás con sinceridad?

—Sí, si puedo.

—¿Crees, y apelo a tu criterio profesional, crees que el que... el culpable eligió esta casa por casualidad?

Ed había vuelto a registrar la habitación la noche anterior, en cuanto se aseguró de que Grace dormía. Había pocas cosas de valor en ella, salvo una máquina de escribir eléctrica que no había sido tocada, y recordaba que el cadáver llevaba un pequeño guardapelo de oro que podría valer cincuenta o sesenta dólares. Podía contestar con una mentira piadosa o decirle la verdad. Los ojos de ella lo decidieron. Ya sabía la verdad.

—No, creo que no.

Grace asintió y clavó la vista en el café.

—Tengo que llamar a Nuestra Señora de la Esperanza. Espero que la madre superiora me recomiende una iglesia y un sacerdote. ¿Cuándo crees que me permitirán hacerme cargo del cadáver?

—Haré algunas llamadas. —Quería hacer más, pero se

limitó a poner su mano sobre la de ella con gesto torpe—. Quiero ayudarte.

Grace contempló la mano de Ed. Las dos suyas cabían en una sola de él. Irradiaba una fuerza capaz de defender sin avasallar. Miró su expresión, también fuerte y digna de confianza. La idea casi la hizo sonreír. Había muy pocas cosas en las que se pudiera confiar.

—Lo sé. —Le acarició la mejilla—. Y ya lo haces. Los pasos siguientes he de darlos sola.

Él no quería irse de su lado. No recordaba haber sentido algo así por ninguna mujer, así que decidió marcharse inmediatamente.

—Te anotaré el número de la comisaría. Llámame cuando estés lista para ir.

—De acuerdo. Gracias por todo, de verdad.

—Pasaremos por aquí periódicamente, pero preferiría que ahora no te quedaras sola.

Ella había vivido demasiado tiempo sola como para tener miedo.

—Mis padres no tardarán.

Ed garabateó un número en una servilleta.

—Volveré en cuanto pueda.

Grace esperó a que la puerta se cerrara tras él y luego se dirigió al teléfono.

—Nadie vio nada, nadie oyó nada. —Ben, apoyado en un lado de su coche, sacó un cigarrillo. Habían ido casa por casa durante toda la mañana con el mismo resultado: nada.

Contempló el vecindario con sus casas anticuadas y sus jardines minúsculos. ¿Dónde estaban los fisgones?, se preguntó. ¿Dónde estaba la gente que se apostaba tras las ventanas para espiar las idas y venidas detrás de las cortinas? Se había criado en un barrio no muy distinto de aquél. Y recordaba que, si alguien cambiaba una bombilla, la noticia se extendía por la calle antes de que sus orgullosos propietarios tuviesen tiempo de encenderla. Por lo visto, la vida de Kathleen Breezewood era tan insulsa que no interesaba a nadie.

—Según esto, nunca recibía visitas y llegaba a casa invariablemente entre las cuatro y media y las seis. Era muy reservada. Anoche todo estaba tranquilo. Excepto el perro del 634, que se puso a ladrar en torno a las nueve y media; encaja si el tipo aparcó en esa manzana y cruzó su jardín. No estaría de más comprobar la calle siguiente y ver si alguien observó un coche extraño o un peatón. —Miró a su compañero, que también estaba contemplando la calle. Las cortinas seguían corridas en casa de Kathleen Breezewood. Parecía vacía, pero Grace estaba dentro—. ¿Ed?

—¿Sí?

—¿Quieres tomarte un descanso mientras investigo en la otra calle?

—No me gusta saber que está sola ahí dentro.

—Pues ve a hacerle compañía. —Ben arrojó la colilla a la calle—. Puedo encargarme de esto.

Dudó y casi estaba decidido a hacerlo cuando vieron acercarse un taxi. Aminoró la marcha y se detuvo tres casas antes. Un hombre y una mujer se apearon. Mientras él pagaba al taxista y cogía una bolsa, la mujer echó a andar hacia la puerta de Grace. Ed reparó en su parecido con Grace, que en ese momento salió de la casa y se arrojó a sus brazos. Ambas se estrecharon mientras la mujer rompía en sollozos.

—Los padres. —Ed vio cómo el hombre se sumaba a ellas y los tres no podían contener las lágrimas.

—Es duro —murmuró Ben.

—Vamos. —Ed se puso en movimiento y metió las manos en los bolsillos—. A lo mejor tenemos suerte.

Llamó a la puerta, resistiendo la tentación de volverse para mirar a Grace. Habría sido una intromisión en su intimidad. En su trabajo ya lo hacía a menudo con los desconocidos.

—Lowenstein se encarga del ex —señaló Ben—. Tendrá

algo para nosotros cuando volvamos.

—Ya. —Ed se frotó la nuca; dormir en el sillón le había dejado el cuello entumecido—. Me cuesta creer que el tipo viniese hasta aquí, forzase la puerta trasera y le hiciera eso a su mujer.

—Cosas más raras se han visto. Recuerda el... —Se calló cuando la puerta se entornó. Vislumbró una mata de pelo blanco y una mano nudosa y llena de sortijas de bisutería—. Oficiales de policía, señora. —Le enseñó la placa—. ¿Sería tan amable de responder a unas preguntas?

—Entren, entren. Los esperaba —dijo una voz quebrada por los años y la emoción—. Atrás, *Boris* y *Lillian*. Sí, tenemos compañía. Entren, entren —repitió con cierta irritación mientras se agachaba trabajosamente y cogía una gata gorda y perezosa—. Ven, *Esmeralda*, no tengas miedo. Son policías. Siéntate, tranquila.

La mujer se abrió paso entre gatos (Ben contó cinco) hasta una polvorienta sala con cortinas de encaje y tapetes mustios.

—Sí, esta misma mañana le he dicho a *Esmeralda* que íbamos a tener compañía. Siéntense, siéntense. —Señaló un sofá lleno de pelo de gato—. Se trata de la mujer, claro, de esa pobre mujer del otro lado de la calle, ¿verdad?

—Así es, señora. —Ed reprimió un estornudo cuando se sentó en el borde de los cojines. Un gato anaranjado se acurrucó a sus pies, siseando.

—Pórtate bien, *Bruno*. —La mujer sonrió y recompuso el cuadro de arrugas de su rostro—. Tiene mal genio. Bien, soy la señora Kleppinger. Ida Kleppinger, aunque seguro que ya lo saben. —Con cierta ceremonia se puso unas gafas y los miró—. Vaya, usted es el joven que vive dos casas más allá. Compró la casa de los Fowler, ¿verdad? Una gente horrible. No les gustaban los gatos. Solían quejarse de que revolvían las basuras. Les dije que si cerraban bien los cubos, mis niños no se meterían con su asquerosa basura. No son salvajes, ¿saben? Me refiero a mis niños. De todas formas, me alegro de que se hayan marchado. ¿Verdad que sí, *Esmeralda*?

—Sí, señora. —Ed se aclaró la garganta e intentó no respirar hondo. Estaba claro que había cajas de arena para gatos por toda la casa—. Nos gustaría hacerle unas preguntas.

—Sobre esa pobre señora Breezewood, sí, claro. Nos enteramos por la radio esta mañana, ¿verdad, pequeñines? No tengo televisión; produce esterilidad. La estrangularon, ¿no?

—Queríamos saber si vio algo inusual anoche. —Ben procuró mantener la calma cuando un gato se colocó sobre sus rodillas y empezó a hurgar peligrosamente cerca de su entrepierna.

—Le cae bien a *Boris*. ¿No es encantador? —La anciana se acomodó y acarició a su gata—. Anoche estábamos meditando. Yo había regresado al siglo dieciocho y era una de las doncellas de la reina. Una época muy dura, desde luego.

—Uy, uy. —Aquello pasaba de castaño oscuro. Ben apartó el gato y se levantó—. Agradecemos su tiempo, señora.

—No hay de qué. Naturalmente, esto no me ha sorprendido. Lo esperaba.

Ed, que estaba más preocupado por lo que *Boris* había dejado sobre sus zapatos, la miró.

—¿En serio?

—Totalmente. La pobrecilla nunca tuvo una oportunidad. Los pecados del pasado siempre te persiguen.

—¿Los pecados del pasado? —Ben dudó—. ¿Conocía bien a la señora Breezewood?

—Íntimamente. Sobrevivimos a Vicksburg juntas. Una batalla tremenda. Aún oigo el fragor de los cañones. Pero su aura… —Sacudió la cabeza con tristeza—. Condenada, me temo. Fue asesinada por un grupo de asaltantes yanquis.

—Señora, lo que nos interesa es lo que le ocurrió a la señora Breezewood anoche. —La paciencia de Ed, habitualmente generosa, se estaba agotando.

—Sí, claro. —Le resbalaron las gafas por la nariz y los miró con ojos de miope—. Una mujer muy triste. Reprimida sexualmente, estoy segura. Creí que se alegraría de la visita de su hermana, pero no lo parecía. La veo irse al trabajo todas las mañanas mientras riego mis gardenias. Tensa. Estaba tensa, un manojo de nervios, como en Vicksburg. Una mañana la siguió un coche.

Ben se sentó otra vez, olvidándose de los gatos.

—¿Qué clase de coche?

—Oh, oscuro, uno de esos coches caros, grandes y silenciosos. No me habría fijado en él, pero estaba regando mis gardenias. Hay que tener cuidado con ellas, son flores muy frágiles. Mientras las regaba, vi cómo el coche seguía al de la señora Breezewood y me puse muy nerviosa, la verdad. —Agitó la mano delante de la cara para darse aire. Sus sortijas eran demasiado opacas y no reflejaban la luz—. El corazón se me desbocó y tuve que sentarme. Como en Visksburg y en la Revolución. Sólo podía pensar en la pobre Lucilla, así se llamaba antes. Lucilla Greensborough. A la pobre Lucilla iba a volver a pasarle lo mismo y yo no podía hacer nada para evitarlo —explicó mientras acariciaba a la gata—. Al fin y al cabo, el destino es el destino.

—¿Pudo ver al conductor del coche?

—Oh no, cielos. Mis ojos ya no son los de antes.

—¿Se fijó en la matrícula?

—Querido, apenas vería a un elefante en el jardín de al lado. —Se ajustó las gafas y enfocó la mirada—. Pero tengo mis impresiones y sensaciones. Aquel coche me produjo una mala sensación. De muerte. Oh sí, no me sorprendió nada escuchar la noticia en la radio esta mañana.

—Señora Kleppinger, ¿recuerda qué día vio el coche?

—El tiempo no significa nada. Es un ciclo. La muerte es un suceso natural y temporal. Ella regresará y tal vez entonces sea feliz.

Cuando salieron a la calle Ben respiró hondo.

—¡Joder, qué peste! —Se palpó el muslo con la mano— Creí que ese pequeño bastardo me haría sangrar. —Mientras iban hacia el coche, intentó en vano sacudirse el pelo de gato—. ¿Qué te ha parecido?

—Ha perdido unos cuantos tornillos desde Vicksburg. A lo mejor vio un coche. —Miró hacia atrás y se fijó en que las ventanas ofrecían una clara perspectiva de la calle—. Tal vez siguiese o no al coche de la víctima. De todas maneras, no hay que descartarlo.

—Ya. —Ben se acomodó en el asiento del conductor—. ¿No quieres pasarte un momento? —preguntó señalando la casa del otro lado de la calle.

—Vámonos. Seguramente necesita tiempo para estar con sus padres.

Grace sirvió a su madre un tazón de té con unas gotas de ron, le dio la mano a su padre y lloró hasta que se le agotaron las lágrimas. Les había mentido porque lo necesitaban. En su versión, Kathleen estaba encauzando su vida. No mencionó las pastillas ni la amargura contenida. Grace sabía que sus padres habían albergado grandes esperanzas con respecto a su hija mayor.

Siempre habían considerado que Kathleen era la estable, la fiable, mientras con una sonrisa tolerante veían a Grace como la graciosa. Disfrutaban de su creatividad sin llegar a entenderla. Kathleen, con su matrimonio convencional, su atractivo marido y su hijo resultaba fácil de entender.

Evidentemente, el divorcio les había disgustado, pero eran unos padres cariñosos y habían ampliado su mentalidad para aceptarlo, sin abandonar del todo la esperanza de que su hija se reconciliase con su familia.

Ahora, tenían que aceptar que eso nunca ocurriría. Debían afrontar el hecho de que su hija mayor, en la que habían depositado sus mayores esperanzas, había muerto. Era sufrimiento más que suficiente, había decidido Grace. Con eso bastaba y sobraba. Así que no mencionó los cambios de humor, el Valium ni el resentimiento que envenenaba a su hermana.

—¿Era feliz aquí, Gracie? —Louise McCabe estaba encogida junto a su marido, estrujando un kleenex.

—Sí, mamá. —Ya no sabía cuántas veces había respondido a aquella pregunta en la última hora. Nunca había visto a su madre tan desvalida. Louise McCabe siempre había sido una mujer dominante, tomaba decisiones y las ejecutaba.

Y en cuanto a su padre, éste nunca le había fallado. Siempre le daba un billete extra de cinco dólares o se encargaba de limpiar cuando el perro tenía un escape sobre la alfombra. Al mirarlo, Grace reparó por primera vez en que parecía un anciano. Su pelo se veía mucho más frágil que cuando era niña. Tenía la tez bronceada por las horas que pasaba fuera de casa y el rostro más lleno. Era un hombre en la plenitud de la vida, pensó, sano y vigoroso. Pero en aquel momento tenía los hombros hundidos y la viveza de sus ojos había desaparecido.

Quería abrazar a aquellas dos personas que tanto habían hecho por ella. Quería que el reloj retrocediese para que volviesen a ser jóvenes y vivir todos juntos en una bonita casa residencial con un perro travieso.

—Queríamos que fuese a pasar una temporada a Fénix —dijo Louise, secándose los ojos con el amasado pañuelo de papel—. Mitch habló con ella. Siempre le hacía caso a su padre, pero no en esta ocasión. Nos encantó que vinieras a visitarla. Tenía muchos problemas. Y Kevin. —Cerró los ojos—. Pobre, pobrecillo Kevin.

—¿Cuándo podremos verla, Gracie?

Ella apretó la mano de su padre, mirándolo fijamente. Él contempló la sala intentando, según le pareció a Grace, absorber lo que quedaba de su hija mayor. Había muy pocas cosas: unos cuantos libros y un jarrón con flores de seda. Grace lo abrazó, esperando que su padre no notase lo frío que resultaba todo.

—Tal vez esta noche. Le he pedido al padre Donaldson que venga por la tarde. Pertenece a la antigua parroquia. ¿Por qué no subes, mamá, y descansas un rato antes de que llegue? Te sentirás mejor cuando hables con él.

—Grace tiene razón, Lou. —Su padre se había dado cuenta. Como Grace, tenía muy buen ojo para los detalles. La única señal de vida en aquella sala era la chaqueta que Grace había arrojado descuidadamente sobre una silla. Aquello le dolía en lo más profundo, aunque no podía explicarlo—. Vamos, te acompaño.

Louise McCabe se apoyó en su marido. Era una mujer delgada y morena, de espalda fuerte. Grace los observó retirarse y comprendió con pesar que le había llegado el turno de comportarse como cabeza de familia. Esperaba tener fuerzas para ello.

Tenía la mente aturdida de llorar y obnubilada por las gestiones que había hecho y las aún pendientes. Sabía que, cuando el dolor se enfriara, sus padres tendrían el consuelo de su fe. Pero Grace se enfrentaba por primera vez al hecho de que la vida no siempre consistía en un juego que se podía manejar con una sonrisa y un cerebro inteligente. El optimismo no siempre protegía contra lo peor, y a veces no bastaba con la aceptación.

Nunca había sufrido una sacudida emocional completa, ni personal ni profesional. No creía que su vida fuese un camino de rosas y tampoco tenía paciencia con los que se quejaban de su destino. La gente construía su propia suerte. Pensaba que era cuestión de superar las dificultades, capear el temporal y encontrar la mejor salida.

Cuando decidía escribir, se sentaba y lo hacía. Sin duda tenía un talento natural, una imaginación fértil y voluntad para trabajar, pero también poseía una innata determinación que la llevaba a conseguir lo que quería de verdad. No había languidecido en una buhardilla ni experimentado el sufrimiento creativo. No conocía el dolor ni la angustia del artista. Había sacado sus ahorros y se había trasladado a

Nueva York. Con un trabajo a tiempo parcial había pagado el alquiler mientras escribía su primera novela en tres meses desenfrenados.

Cuando se enamoraba, lo hacía con el mismo brío y energía. Nada de lamentos o vacilaciones. Alimentaba el sentimiento mientras duraba, y cuando se extinguía, seguía adelante sin lágrimas ni lamentos.

Tenía casi treinta años y nunca se le había roto el corazón ni se habían desmoronado sus sueños. Había sufrido un par de sacudidas, sí, pero había logrado enderezarse y seguir adelante. Pero ahora, por primera vez en el torbellino de su vida, había chocado contra un muro inevitable e infranqueable. No podía cambiar ni convertir en algo neutral la muerte de su hermana. Y tampoco podía aceptar su asesinato como un guiño más de la vida.

Tenía ganas de gritar, de romper algo, de liberar su furia. Le temblaban las manos cuando retiró las tazas de la mesa. Si hubiera estado sola, se habría regodeado en un aparatoso desahogo. Pero se contuvo. Por primera vez, sus padres la necesitaban. Y no les fallaría.

Sonó el timbre de la puerta y fue a abrir. Si el padre Donaldson llegaba temprano, repasaría los detalles del funeral con él. Pero no era el padre Donaldson, sino Jonathan Breezewood III.

—Grace. —La saludó con un gesto, pero no le tendió la mano—. ¿Puedo pasar?

Ella tuvo que contenerse para no darle con la puerta en las narices. Si no se había preocupado de Kathleen cuando estaba viva, ¿por qué ahora? Sin decir nada, se hizo a un lado.

—He venido en cuanto me informaron.

—Hay café en la cocina. —Le dio la espalda y se dirigió al vestíbulo.

Pero Jonathan le puso la mano en el hombro y, como no quería mostrar debilidad ante él, Grace se detuvo justo delante del despacho de Kathleen.

—¿Fue aquí?

—Sí. —Lo miró y vio que las emociones ensombrecían su rostro: pena, disgusto, pesar. Pero estaba demasiado cansada para preocuparse por él—. No has traído a Kevin.

—No. —Siguió contemplando la puerta—. He pensado que era mejor dejarlo con mis padres.

Como estaba de acuerdo, no replicó. Se trataba de un niño demasiado pequeño para aguantar funerales y manifestaciones de dolor.

—Mis padres están arriba descansando.

—¿Se encuentran bien?

—Pues no. —Grace reanudó la marcha hacia la cocina—. No sabía si vendrías, Jonathan.

—Kathleen era mi esposa, la madre de mi hijo.

—Sí, pero por lo visto eso no bastó para que le fueras fiel.

La observó con ojos serenos. Era sin duda un hombre guapo, de rasgos despejados, con abundante cabello rubio al estilo de California y un cuerpo firme y en forma. Pero a Grace nunca le habían gustado sus ojos. Serenos, siempre serenos, casi fríos.

—Ya. Supongo que Kathleen te contó su versión. No me parece propio contarte la mía en este momento. He venido para que me expliques qué ocurrió.

—Kathleen fue asesinada. —Grace sirvió café. No había tomado nada más durante todo el día—. Violada y estrangulada en su despacho anoche.

Jonathan cogió su taza y se sentó lentamente en una silla.

—¿Estabas aquí cuando... cuando sucedió?

—No; había salido. Regresé poco después de las once y la encontré.

—Entiendo. —Si sentía algo, no lo reflejó en aquella palabra—. ¿La policía tiene alguna pista?

—De momento no. Puedes hablar con ellos. Los encargados son los detectives Jackson y Paris.

Jonathan asintió. Con sus relaciones, tendría copias de

los informes policiales al cabo de una hora sin necesidad de tratar directamente con los detectives.

—¿Ya hay hora para el funeral?

—Será pasado mañana a las once. Habrá una misa en St. Michael's, la iglesia a la que pertenecemos. Celebraremos una reunión mañana por la noche porque es importante para mis padres. En Pumphrey's. La dirección está en la guía.

—Me encantaría colaborar en las gestiones o contribuir a los gastos.

—No te preocupes.

—Muy bien. —Se levantó sin haber probado el café—. Me alojo en el hotel Washington. Si necesitas ponerte en contacto conmigo…

—No lo haré.

Él enarcó una ceja al percibir la malevolencia de su voz. A pesar de ser hermanas, Jonathan nunca había visto el menor parecido entre Kathleen y Grace.

—Nunca me has soportado, ¿verdad, Grace?

—Realmente no. Pero no importa lo que sintamos el uno por el otro en este momento. Me gustaría dejar claro una cosa. —Sacó el último cigarrillo del paquete y lo encendió con pulso firme. La rabia le había proporcionado un oportuno resto de energía—. Kevin es mi sobrino. Espero que me permitas verlo cuando vaya a California.

—Naturalmente.

—Y a mis padres. —Apretó los labios un momento—. Kevin es lo único que les queda de Kathleen. Tendrán que verlo regularmente.

—No hace falta que lo digas. Siempre consideré que mi relación con tus padres era razonable.

—¿Te consideras un hombre razonable? —La amargura estalló, sorprendiéndola. Como si hablase por boca de Kathleen—. ¿Te pareció razonable apartar a Kevin de su madre?

Jonathan no contestó de inmediato. Aunque su rostro era inexpresivo, ella casi percibía los engranajes de su mente.

Cuando habló, lo hizo brevemente y sin exteriorizar emoción alguna.

—No me acompañes.

Grace lo maldijo mentalmente. Se volvió, se apoyó en la encimera y siguió maldiciéndolo hasta vaciarse.

Ed hundió la cara en un lavabo lleno de agua fría y contuvo el aliento. Cinco segundos, diez, y notó cómo cedía la fatiga. Una jornada de diez horas no era raro. Una jornada de diez horas con dos horas de sueño tampoco era raro. Pero la preocupación sí lo era, y consumía más energía que una botella de ginebra.

¿Qué podía decirle a Grace? Levantó la cabeza y el agua le resbaló por la barba. No tenían ninguna pista. Ni un atisbo. Y sabía que si el rastro se enfriaba en las primeras veinticuatro horas, solía extinguirse rápidamente.

Tenían a una anciana chiflada que tal vez hubiese visto un coche que tal vez hubiese seguido al coche de su hermana. Tenían un perro que había ladrado. Kathleen no tenía amigos ni compañeros, nadie más cercano que la propia Grace. Si ésta había dicho todo lo que sabía, el rastro apuntaba a un desconocido. Alguien que se había fijado en Kathleen cuando iba a trabajar, en el mercado o en el jardín. La ciudad contaba con su cuota de violencia, provocada y sin provocar. Visto así, era una víctima casual más.

Por la mañana habían interrogado a un par de violadores en libertad condicional cuyos abogados habían conseguido devolver a la calle. Reunir pruebas y llevar a cabo una detención no aseguraba el cumplimiento de una condena; la ley no seguía siempre el camino a la justicia. No tenían motivos para retener a ninguno de los dos, y aunque Ed sabía que tarde o temprano reincidirían, no habían violado a Kathleen Breezewood.

Cogió una toalla de un armario cuyas puertas de celosía estaban apoyadas contra una pared de la planta baja, esperando a que él las puliese. Había pensado hacerlo aquella noche y luego colocarlas en su día libre. Pero no creía que una tarea manual lo tranquilizase esta vez.

Se secó la cara con la toalla y pensó en llamarla. ¿Para decirle qué? Ya le habían avisado que le entregarían el cuerpo por la mañana. El informe de la autopsia había estado sobre su mesa de la comisaría a las seis, pero no servía de nada contarle los detalles. Agresión sexual, muerte por estrangulamiento entre las nueve y las diez de la noche. Café y valium en el cuerpo y poco más. Grupo sanguíneo cero positivo, lo cual revelaba que el grupo sanguíneo del asaltante era A positivo. Kathleen no lo había dejado marchar indemne. Le había arrancado piel y pelos, y por eso sabían que era blanco y joven, menor de treinta años.

Incluso habían encontrado un par de huellas parciales en el cable del teléfono, lo que llevó a Ed a deducir que o el asesino era estúpido o había sido un asesinato no premeditado. Pero las huellas sólo servían si encajaban con otras. Y hasta el momento el ordenador no había encontrado coincidencias.

Si lo capturaban, tenían suficientes pruebas circunstanciales para que el fiscal lo acusara y tal vez lograse una condena. Si es que lo capturaban.

Dejó la toalla sobre el borde del lavabo. ¿Estaba nervioso porque el asesinato se había cometido en la casa de al lado, porque conocía a la víctima, o porque empezaba a albergar estimulantes fantasías hacia la hermana de la víctima?

Sonriendo, se apartó el pelo mojado de la cara y bajó las escaleras. No, no creía que sus sentimientos hacia Grace, fueran los que fuesen, tuvieran relación con el instinto que le decía que en aquel asunto había algo más repugnante de lo que parecía. Tal vez fuese la proximidad. Pero había perdido a personas mucho más cercanas a él que Kathleen Breezewood. Camaradas cuyas familias eran conocidas. Sus muertes le habían provocado ira y frustración, pero no lo habían puesto nervioso.

Sí, se sentiría mucho mejor si ella no estuviera en aquella casa.

Se dirigió a la cocina. Se sentías más cómodo en aquella estancia rediseñada con sus propias manos. Con la mente en otras cosas, cogió un bol para preparar una ensalada. Lo hizo con destreza, como un hombre que se las había arreglado solo durante la mayor parte de su vida.

Muchos hombres que conocía se conformaban con abrir una lata o comer platos precocinados. Para Ed eso era lo más deprimente de la vida de soltero, y el microondas había empeorado más las cosas. Se podía comprar una comida completa en una caja, calentarla en cinco minutos y tomarla sin utilizar ni ollas ni platos. Limpio, práctico y solitario.

Comía solo muchas veces, con un libro por única compañía, pero no se limitaba a vigilar el colesterol y los carbohidratos. Era cuestión de actitud, lo sabía desde hacía mucho tiempo. Los platos de verdad y una mesa puesta marcaban la diferencia entre comer solo y una comida solitaria.

Puso a exprimir zanahorias y un apio. De pronto oyó que llamaban a la puerta de atrás. Ben utilizaba a veces esa puerta, pero nunca llamaba. Era una entrada propia de parejas y cónyuges. Apagó el aparato y se secó las manos con un paño antes de acudir.

—Hola. —Grace le dedicó una sonrisa con las manos en los bolsillos—. Vi la luz y salté la valla.

—Pasa.

—Espero no importunarte. A veces los vecinos son una pesadilla. —Entró en la cocina y se sintió entera y segura por primera vez en muchas horas. Había ido con la excusa de hacer preguntas de trámite, pero en realidad a buscar consuelo—. Oh, te estoy estropeando la cena. Mejor me voy.

—Siéntate, Grace.

Ella asintió, agradecida, y se prometió no llorar ni ponerse furiosa.

—Mis padres han ido a la iglesia y no podía estar sola. —Se sentó, moviendo las manos sobre el regazo antes de ponerlas sobre la mesa y, luego, de nuevo sobre el regazo— .

Quiero darte las gracias por agilizar el papeleo. No creo que mis padres aguanten otro día sin… ver a Kath. —Puso las manos otra vez sobre la mesa—. Pero no quiero fastidiarte la cena.

Ed pensó que sería feliz durante horas sólo con mirarla. Siguió preparando la ensalada para evitar quedarse absorto contemplándola.

—¿Tienes hambre?

Grace negó con la cabeza y estuvo a punto de sonreír.

—He comido antes. Supuse que la única manera de conseguir que mis padres probasen bocado era dar ejemplo. Es curioso como algo así intercambia los papeles. ¿Qué es eso? —Miró el vaso que Ed había puesto en la mesa.

—Zumo de zanahoria. ¿Quieres un poco?

—¿Bebes zanahorias? —Era un pequeño detalle, pero bastó para hacerla reír—. ¿Tienes cerveza?

—Claro. —Sacó una del frigorífico, cogió un vaso y puso ambas cosas delante de ella. Cuando sacó un cenicero de un cajón de la cocina, ella le dedicó una mirada de gratitud.

—Eres un verdadero amigo, Ed.

—¿Necesitas ayuda mañana?

—Creo que nos las arreglaremos. —Grace ignoró el vaso y bebió directamente de la botella—. Lo siento, pero debo preguntarte si has averiguado algo.

—No. Estamos aún con los preliminares. Lleva su tiempo.

Aunque asintió, sabía tan bien como él que el tiempo era un enemigo.

—Ha venido Jonathan. ¿Lo van a interrogar?

—Por supuesto.

—Ya. —Sacó un cigarrillo cuando él se sentó frente a ella—. Estoy segura de que hay muchos buenos policías en tu departamento, pero ¿podrías hacerlo tú?

—De acuerdo.

—Oculta algo, Ed. —Como no contestó, Grace cogió la cerveza otra vez. No le serviría de nada ponerse nerviosa ni hacer las acusaciones que había estado rumiando todo el día. Ed era bueno y comprensivo, pero no se tomaría en serio nada de lo que ella dijera en caliente. Lo cierto era que quería creer que Jonathan había tenido la culpa. Sería una solución fácil y tangible. Resultaba mucho más difícil odiar a un desconocido-. Ya sé que no estoy en pleno uso de mis facultades y que tengo predisposición contra Jonathan. —Tomó aliento. Su voz le sonaba tranquila y razonable. No percibía, como Ed, el leve matiz de desesperación—. Pero oculta algo. No se trata sólo de instinto, Ed. Eres un observador experimentado, y yo soy una observadora innata. Nací catalogando a la gente. No puedo evitarlo.

—Cuando estás demasiado cerca de algo, la visión se empaña, Grace.

Ella se indignó, presionada por la tensión de las últimas veinticuatro horas. Se dio cuenta de que perdía los nervios y apenas logró contenerse.

—De acuerdo. Por eso te pido que hables con él. Lo verás por ti mismo. Luego, llámame.

Ed tomó la ensalada lentamente. Cuanto más se prolongase aquello, pensó, más duro iba a ser.

—Grace, no puedo hablarte de la investigación, ni darte detalles. Sólo lo que el departamento comunique a la prensa.

—No soy una maldita periodista, sino su hermana. Si Jonathan tuvo algo que ver, ¿no tengo derecho a saberlo?

—Tal vez. —Clavó los ojos en los suyos, con una mirada tranquila y de pronto distante—. Pero yo no puedo contarte nada hasta que sea oficial.

—Entiendo. —Grace aplastó el cigarrillo muy despacio, con un celo que empleaba sólo cuando intentaba dominarse—. Mi hermana fue violada y asesinada. Yo encontré el cuerpo y soy el único consuelo que les queda a mis padres. Pero aun así la policía dice que no tengo acceso a la investigación. —Se levantó, a punto de echarse a llorar.

—Grace…

—No, no me vengas con discursos. Te odiaría si lo hicieras. —Se obligó a calmarse mientras lo observaba—. ¿Tienes una hermana, Ed?

—Sí.

—Piénsalo —dijo, mientras se dirigía a la puerta de atrás—, y dime cuánto significarían para ti los procedimientos policiales si fueras a enterrarla.

Cuando la puerta se cerró, Ed apartó su plato, cogió la cerveza y acabó de beberla en dos largos tragos.

CAPITULO 6

Jerald no sabía por qué había enviado flores al funeral. En parte era porque le parecía necesario admitir el papel extraño y único que ella había desempeñado en su vida. También pensaba que si lo admitía, podría cerrar el círculo y dejar de soñar con ella.

Estaba buscando a otra, escuchando hora tras hora las conversaciones de aquel teléfono erótico, en pos de una voz que le provocase excitación y emoción. No dudaba que la encontraría, la reconocería en una frase, una palabra. La voz lo llevaría a la mujer, y la mujer lo llevaría a la gloria.

La paciencia era importante y el control del tiempo crucial, pero no sabía cuánto podría esperar. Aquella experiencia había sido extraordinaria y gloriosa. Experimentarla de nuevo sería tal vez como morir.

Dormía poco. Su madre se había dado cuenta, a pesar de que sólo vivía para sus comités y cócteles. Naturalmente, tras escuchar la excusa de que se quedaba a estudiar hasta tarde, le había dado una palmadita en la mejilla, diciéndole que no se esforzara tanto. Era una idiota, pero no lo molestaba. Los desvelos de su madre le habían proporcionado el espacio que necesitaba para sus diversiones. A cambio, él le ofrecía la imagen del hijo ideal. No ponía la música alta ni iba a fiestas locas. De todas maneras, esas cosas le parecían infantiles.

Aunque consideraba el colegio una pérdida de tiempo, sacaba buenas notas, notas excelentes. La forma más sencilla de evitar que la gente te moleste es darle lo que esperan de ti, o al menos procurar que así lo crean.

Era exigente, más bien quisquilloso, con su habitación y su higiene personal. Y eso le había valido que el servicio no invadiese su espacio personal. Su madre lo consideraba una leve excentricidad, no exenta de atractivo, y a él le garantizaba que nadie encontraría sus drogas. Y lo más importante, ningún criado, ningún amigo, nadie de la familia tocaba su ordenador.

Tenía una aptitud natural para los ordenadores. Eran mucho mejores y más limpios que las personas. A los quince años había accedido a la cuenta corriente de su madre. Le había resultado muy fácil coger lo que necesitaba y mucho más reconfortante quc pedirlo. Había accedido a otras cuentas, pero pronto se cansó del dinero. Entonces descubrió el teléfono y lo emocionante que era escuchar a otras personas. Como un fantasma. Había encontrado el número de Fantasy por casualidad, pero enseguida se convirtió en su único interés.

Ahora no podría parar hasta encontrar a la siguiente, hasta encontrar una nueva voz que aliviase el martilleo en su cabeza. Pero debía tener cuidado. Sabía que su madre era tonta, pero su padre... Si él notaba algo, haría preguntas. Al pensarlo, Jerald tomó una pastilla, y luego dos más. Aunque prefería las anfetaminas a los barbitúricos, esa noche quería dormir sin sueños. Su padre era un hombre muy inteligente.

Había demostrado su talento durante años en los tribunales antes de dar el salto a la política. Desde la Cámara de Representantes al Senado, Charlton P. Hayden se había ganado fama de poderoso e inteligente. Su imagen correspondía a un hombre rico y privilegiado que entendía las necesidades de las masas, que luchaba por las causas perdidas y ganaba. Un ejemplo a seguir, sin una sombra que manchase su reputación. No, su padre siempre había sido un hombre muy prudente, muy abnegado y muy inteligente.

Jerald no dudada que, cuando acabase la carrera electoral, cuando se contasen los votos y cayesen las últimas serpentinas, su padre sería el ocupante más joven y encantador del Despacho Oval desde Kennedy.

A Charlton P. Hayden no le agradaría nada saber que su único hijo, su heredero, había estrangulado a una mujer y esperaba la oportunidad de estrangular a otra.

Pero Jerald también era muy inteligente. Nadie se enteraría jamás de que al hijo de un candidato seguro a la presidencia de la nación más poderosa del mundo le gustaba asesinar. Si podía ocultárselo a su padre, podría ocultárselo a cualquiera.

Y por eso había enviado flores al funeral y se quedaba despierto hasta muy tarde, esperando encontrar una nueva voz especial y unas nuevas palabras especiales.

—Gracias por venir, hermana. —Grace sabía que era absurdo sentirse incómoda por darle la mano a una monja, pero no podía evitar recordar las veces en que las monjas le habían pegado en los nudillos con una regla. Como tampoco conseguía acostumbrarse a que ya no vistiesen hábito. Aquella monja, que se había presentado como hermana Alice, llevaba un crucifijo de plata sobre un discreto vestido negro y zapatos de tacón bajo, pero ni toca ni hábito.

—Todas nuestras oraciones están con usted y su familia, señorita McCabe. Durante los pocos meses que traté a Kathleen, llegué a respetar su dedicación y su buen hacer como profesora.

Respeto. La palabra surgió varias veces, como frío consuelo, a lo largo de una hora. Nadie hablaba de afecto ni de amistad.

—Se lo agradezco, hermana.

En la iglesia había también varios miembros del profesorado y un grupo de alumnos. Sin ellos los bancos habrían estado vacíos. Kathleen no tenía a nadie, pensó Grace sentándose al fondo, nadie que no acudiera por sentido del deber o por compasión.

Había muchas flores. Contempló las cestas y las coronas depositadas en la nave. Se preguntó si era la única a la que los colores le resultaban obscenos, dadas las circunstancias. La mayoría procedían de California. Un ramo de gladiolos y una tarjeta formal bastaban para la gente que había pasado por la vida de Kathleen, o por la de la señora de Jonathan Breezewood.

Grace detestaba el olor de las flores en los funerales, tanto como el brillante ataúd blanco al que se negaba a acercarse. Aborrecía la discreta música que se oía y sabía que nunca podría volver a escuchar un órgano sin pensar en la muerte.

Aquélla era la parafernalia que los muertos esperaban de los vivos. ¿O la que los vivos esperaban de los muertos? No estaba segura de nada salvo que, cuando llegase su hora, no habría ceremonias, ni cantos fúnebres, ni amigos ni familiares contemplando sus restos con ojos llorosos.

—Grace.

Se volvió, confiando en que su rostro no reflejase su malestar.

—Jonathan. Has venido.

—Por supuesto.

A diferencia de Grace, él se acercó al ataúd blanco en el que yacía su ex esposa. Luego regresó junto a Grace.

—Ya veo que sigues preocupado por cuidar tu imagen —dijo ella.

Jonathan se fijó en las cabezas que se volvían al oír el comentario, pero se limitó a consultar su reloj.

—Me temo que sólo podré quedarme al servicio. Tengo una entrevista con el detective Jackson dentro de una hora. Y luego he de coger un vuelo.

—Un detalle de tu parte encontrar un hueco en tu agenda para acudir al funeral de tu esposa. ¿No te fastidia ser tan hipócrita, Jonathan? Kathleen no significaba nada, menos que nada para ti.

—No creo que éste sea el momento ni el lugar para discusiones.

—Te equivocas. —Lo cogió por el brazo antes de que se alejara—. Jamás habrá un momento ni un lugar mejor.

—Si te empeñas, Grace, vas a oír cosas que preferirías no haber oído.

—Me empeño. Me pone enferma verte aquí, representando el papel de marido apenado después de todo lo que le hiciste.

Los murmullos lo decidieron a hacer algo. Los murmullos y las miradas casi acusatorias que le lanzaban. Sujetó a Grace por el brazo y la sacó fuera.

—Prefiero mantener las discusiones familiares en privado.

—No somos familia.

—Tienes razón, y sería absurdo fingir que ha existido afecto entre nosotros. Nunca te molestaste en disimular lo mucho que me despreciabas.

—No creo en los barnices, sobre todo en cuestión de sentimientos. Kathleen no debería haberse casado contigo.

—En eso coincidimos. Kathleen no debería haberse casado con nadie. Apenas se le podía llamar madre y era un pobre esbozo de esposa.

—¡Pero bueno! ¿Cómo te atreves a presentarte aquí y hablar de esa forma? La humillabas, le restregabas tus amantes por las narices.

—¿Hubiera sido mejor que lo hiciera a sus espaldas? —Soltó una risita amarga y contempló un antiguo olmo plantado en la época en qué se construyó la iglesia—. ¿Crees que le importaba? Eres más tonta de lo que pensaba.

—Ella te quería —le espetó. Era muy doloroso estar allí, en la escalinata donde, de niñas, había estado tantas veces con su hermana. En la procesión de mayo con vestidos de volantes blancos o el domingo de Pascua con boinas amarillas y zapatos de charol. Habían subido y bajado aquellos peldaños muchas veces, y ahora Kathleen se había ido. La música de órgano salía grave y triste por la puerta—. Kevin y tú erais toda su vida.

—Estás muy equivocada, Grace. Te hablaré de tu hermana. No le importaba nadie. No tenía pasión ni capacidad para sentir. No sólo física, sino tampoco emocional. Nunca movió una ceja por mis deslices, siempre que fueran discretos, siempre que no interfiriesen con lo único que le interesaba: ser una Breezewood.

—Cállate.

—No, ahora vas a escucharme. —La sujetó para que no se escabullese—. No sólo era ambivalente con el sexo, sino con cualquier cosa que no encajase en sus planes. Quería un hijo, un Breezewood, y cuando tuvo a Kevin, consideró que había cumplido con su deber. Para ella era un símbolo, no un niño.

Aquello la hirió en lo más íntimo, demasiado cerca de donde habían rondado sus pensamientos durante años. Y se avergonzó.

—Eso no es cierto. Ella quería a Kevin.

—Todo lo que era capaz de quererlo. Dime, Grace, ¿alguna vez le viste dar muestras espontáneas de afecto hacia tus padres o hacia ti?

—Kathy no era expresiva. Eso no significa que no tuviese sentimientos.

—Era un témpano. —Grace echó la cabeza atrás como si Jonathan la hubiese abofeteado. No la sorprendía oírlo, sino darse cuenta de que ella siempre había pensado lo mismo—. Y lo peor es que estoy seguro de que no podía evitarlo. Durante la mayor parte de nuestro matrimonio seguimos cada uno nuestro propio camino porque nos convenía a los dos.

Aquello era más duro que la vergüenza. Se sentía asqueada. Porque lo sabía, lo había visto, pero se había negado a creerlo. Se fijó en cómo Jonathan se atusaba el pelo cuando la leve brisa lo alborotaba: el gesto casual de un hombre al que no le gustaban las imperfecciones. Tal vez Kathleen hubiese tenido la culpa, pero no había sido la única.

—Luego dejó de convenirte.

—Correcto. Cuando le pedí el divorcio, demostró la primera emoción que le vi en años. Se negó, amenazó y rogó. Pero no por mí, sino por la cómoda posición que le proporcionaba ser mi esposa. Al final comprendió que yo no cambiaría de parecer y entonces se marchó. Rechazó cualquier tipo de acuerdo. Se fue y durante tres meses no tuve noticias de ella ni preguntó por Kevin. Pasó tres meses sin ver ni hablar con su hijo.

—Estaba sufriendo.

—Tal vez. Ya no me importaba. Le dije que no permitiría que sacase a Kevin de su ambiente, pero que podíamos llegar a un acuerdo para que pasase con ella las vacaciones escolares.

—Pensaba luchar por su hijo. Os tenía miedo a tu familia y a ti, pero iba a luchar por Kevin.

—Soy muy consciente de ello.

—¿Sabías… —dijo Grace lentamente— sabías lo que estaba haciendo?

—Sabía que había contratado un abogado y un detective.

—¿Y qué hubieras hecho para evitar que ganase la custodia?

—Lo que fuera necesario. —Consultó su reloj de nuevo—. Creo que nos estamos perdiendo el servicio.

Abrió la puerta de la iglesia y entró.

Ben sacó un donut de una bolsa de papel cuando se detuvo en un semáforo en rojo. Llevaba las ventanillas a medio bajar y la música ligera del coche de al lado se impuso a la suya propia de B. B. King.

—¿Cómo puede haber gente capaz de escuchar esa porquería? —refunfuñó. Vio que el coche era un Volvo y puso los ojos en blanco—. Seguro que es una conspiración soviética. Se han apoderado de las ondas para llenarlas de estúpida musiquilla orquestada para la mente del americano medio se convierta en gelatina. Mientras esperan que entremos en coma cerebral con Manilow, ellos escuchan a los Stones. -Dio un mordisco al donut antes de subir un poco a B. B. King—. ¡Y nos preocupan los misiles de alcance medio en Europa!

—Deberías quejarte al Pentágono —sugirió Ed.

—Demasiado tarde. —Ben cruzó la intersección y dobló a la derecha en la esquina siguiente—. Seguramente ya están preparando una andanada de baladas de los Carpenters. Nos están limando, Ed, limando. Así nos derrotarán sin pegar un solo tiro.

Como su compañero no respondió, Ben bajó la radio. Si no iba a conseguir distraer a Ed, sería mejor ir al grano.

—El funeral es hoy, ¿no?

—Sí.

—Cuando acabemos con esto, puedes tomarte un par de horas.

—No querrá verme a menos que tenga algo que contarle.

—Tal vez tengamos algo. —Ben empezó a comprobar números en la estrecha calle lateral—. ¿Cuándo regresa a Nueva York?

—No lo sé. —Y sería mejor que no lo pensara—. Dentro de un par de días, supongo.

—¿Vas en serio con ella?

—No he tenido tiempo de pensarlo.

Ben acercó el coche al bordillo.

—Mejor lo piensas rápido. —Miró la pequeña oficina medio oculta en medio de otra media docena de tiendas. Podría haber sido una boutique de moda o una tienda de artesanía, pero era Fantasy Incorporated.

—No parece un antro de perversión.

—Tú deberías saberlo. —Con gesto ausente Ben se relamió el azúcar de los dedos—. Para ser un negocio que marcha bien, no gastan mucho en imagen.

—Veo *Corrupción en Miami*. —Ed esperó a que pasaran dos coches para abrir la puerta y apearse.

—No creo que reciban muchas visitas de clientes.

Dentro, la oficina era del tamaño de una habitación mediana, sin florituras. Las paredes estaban pintadas de blanco y la moqueta era de calidad industrial. Un par de sillas desparejadas parecían compradas en una venta ambulante. El espacio era mínimo y las dos mesas ocupaban casi de pared a pared. Ben observó que eran saldos del ejército, sólidas y mediocres, pero los ordenadores eran de última generación.

Detrás de uno de los monitores, una mujer dejó de teclear cuando entraron. Su cabello castaño enmarcaba un rostro redondo y bonito. Tenía la chaqueta colgada en el respaldo de la silla. Lucía tres cadenillas doradas sobre la blusa blanca. Se puso en pie esbozando una sonrisa.

—Hola. ¿Puedo ayudarles?

—Nos gustaría hablar con el encargado. —Ben le enseñó su placa.

Ella la cogió, la miró un momento y se la devolvió.

—Yo soy la encargada. ¿Qué puedo hacer por ustedes?

Ben guardó la placa. No sabía bien qué esperaba, pero desde luego no a aquella pulcra joven que parecía a punto de organizar una excursión de exploradoras.

—Nos gustaría hablar de una de sus empleadas, señorita…

—Señora Cawfield. Eileen Cawfield. Se trata de Kathleen Breezewood, ¿verdad?

—Sí, señora.

—Siéntese, por favor, detective Paris. —Miró a Ed.

—Jackson.

—Siéntese, por favor. ¿Os apetece un café?

—No, gracias —rehusó Ed antes de que Ben aceptase—. Ya sabe que Kathleen Breezewood fue asesinada.

—Lo he leído en el periódico. Horrible. —Ocupó su sitio tras la mesa y cruzó las manos sobre una carpeta rosa—. La vi sólo una vez, cuando vino a hacer la entrevista, pero me siento muy próxima a todas mis empleadas. Era muy popular.

De hecho, Desirée... Lo siento, suelo referirme a ellas por sus nombres profesionales. Como digo, Desirée era una de las más requeridas. Tenía una voz muy reconfortante, y eso es muy importante en este negocio.

—¿Se quejó Kathleen de alguna llamada? —Ed pasó una página de su libreta—. ¿Alguien la puso nerviosa o la amenazó?

—No que yo sepa. Kathleen era muy especial con respecto a las llamadas que aceptaba. Una mujer muy conservadora, y nosotros lo respetábamos. También tenemos chicas que se ocupan de fantasías menos habituales. Disculpen —dijo cuando sonó el teléfono-. Fantasy, Incoporated. —Con la eficiencia de una recepcionista veterana, cogió un bolígrafo—. Sí, por supuesto. Veré si Luisa está disponible. Necesito un número de tarjeta de crédito. ¿Sí? Y la fecha de caducidad. Y el número al que desea que lo llamen. Si Luisa no está disponible, ¿tiene otra preferencia? De acuerdo, lo intentaré. Gracias.

Tras colgar, sonrió con gesto de disculpa.

—Tardaré sólo un minuto. Se trata de un cliente habitual, esto facilita las cosas. —Pulsó el teclado y, luego, cogió el teléfono otra vez—. ¿Luisa? Soy Eileen. Al señor Dunnigan le gustaría hablar contigo. ¿Sí? Bien, de acuerdo De nada. Hasta luego. —Tras colgar, marcó otro número—. ¿Señor Dunnigan? Ya puede llamar. Adiós. -Volvió a colgar y dijo—. Lamento la interrupción.

—¿Hay muchas como ésa? —preguntó Ben—. ¿Llamadas de clientes habituales?

—Oh sí. Hay mucha gente sola y frustrada sexualmente. En los tiempos que corren, son muchos los que prefieren la seguridad y el anonimato de una llamada a los riesgos de los bares de solteros. —Se reclinó en la silla y cruzó las piernas bajo la mesa—. Todo el mundo ve con preocupación el aumento de las enfermedades de transmisión sexual. El estilo de vida de los sesenta y los setenta ha cambiado mucho en la segunda mitad de los ochenta. Las llamadas de Fantasy son una alternativa.

—Ya. —Ed pensó que la tal Eileen podría defender aquella postura en un debate televisivo y salir bien parada. En realidad, no le parecía mal su argumento, pero le interesaba más el asesinato que el análisis de las costumbres actuales—. ¿Tenía Kathleen muchos clientes habituales?

—Como les he dicho, era muy popular. En los últimos dos días varios clientes han preguntado por ella y se han llevado una gran decepción al enterarse de que ya no trabaja con nosotros.

—¿Ha echado en falta alguna llamada habitual?

Eileen lo pensó detenidamente, se puso ante el ordenador y tecleó.

—No; creo que deberían investigar en la gente relacionada con Kathleen. Los hombres que llaman aquí sólo conocían a Desirée, una voz sin rostro o con el rostro que ellos quisieran ponerle. Somos muy cuidadosos, tanto por razones legales como profesionales. Las mujeres no tienen apellidos, y no se les permite dar el número de teléfono de sus casas a los clientes ni verlos. El anonimato forma parte de la ilusión y la protección. Los clientes no tienen manera de ponerse en contacto con una mujer, salvo a través de los teléfonos de la oficina.

—¿Quién tiene acceso a sus archivos?

—Mi marido, mi cuñada y yo. Se trata de un negocio familiar —explicó, mientras el teléfono sonaba de nuevo—. Mi cuñada estudia en la universidad y se encarga de las llamadas por las noches. Perdón.

Atendió la llamada con la misma rutina. Ed consultó la hora. Las doce y cuarto. Al parecer el sexo telefónico era una actividad en auge a la hora de comer. Luego se preguntó si el funeral habría acabado y si Grace estaría sola en casa.

—Lo siento —se disculpó la mujer—. Antes de que me pregunten, les diré que nuestros archivos son confidenciales. No hablamos de nuestros clientes ni de nuestras empleadas con nadie. Es un negocio, pero no de estos que se comentan en los cócteles. Procuramos que todo sea legal. Nuestras mujeres no son prostitutas. No venden sus cuerpos, sino sólo su conversación. Investigamos a nuestras empleadas minuciosamente, y si infringen las reglas, las despedimos. Sabemos que hay negocios similares al nuestro donde un chico puede llamar y cargar la llamada en la factura telefónica de sus padres. Creemos que es una irresponsabilidad y algo muy triste. Sólo atendemos a adultos y explicamos nuestras condiciones de antemano, antes de darles acceso a ninguna chica.

—Somos de homicidios, no de antivicio, señora Cawfield —dijo Ben—. De todas formas, ya hemos comprobado su negocio y nos consta que es legal. Sólo nos interesa Kathleen Breezewood. Nos sería de gran ayuda si nos facilitase una lista de sus clientes.

—Imposible. Nuestra lista de clientes es confidencial por razones obvias, detective Paris.

—Y el asesinato no es confidencial por razones obvias, señora Cawfield.

—Comprendo su postura. Deben comprender ustedes la mía.

—Conseguiremos una orden judicial —le advirtió Ed—. Es sólo cuestión de tiempo.

—Pues muy bien, detective Jackson. Hasta que la tengan, debo proteger a mis clientes. Se lo repito, ninguno podría haberla localizado sin tener acceso a este ordenador y violar la contraseña del programa.

—También querríamos hablar con su marido y su cuñada.

—Naturalmente. Sin quebrantar la confidencialidad del cliente, cooperaremos en todo.

—Señora Cawfield, ¿sabe dónde estaba su marido la noche del diez de abril? —Ed la miró sosteniendo el bolígrafo sobre la libreta. Ben se fijó en que la mujer tensaba los dedos.

—Supongo que deben preguntarlo, pero me parece de muy mal gusto.

—Sí, claro. —Ben cruzó las piernas—. El asesinato no es de muy buen gusto.

Eileen se humedeció los labios.

—Allen juega al fútbol. Aquella noche tenía un partido. Participó en los nueve lanzamientos. Yo estaba allí. Después, fuimos a una pizzería con otras parejas. Llegamos a casa poco después de las once.

—Si necesitamos nombres, ¿podría dárnoslos?

—Por supuesto. Lo siento, siento mucho lo de Kathleen, pero mi negocio no tiene nada que ver con su muerte. Y ahora, si me disculpan...

—Gracias por su tiempo. —Ed abrió la puerta y Ben lo siguió. Una vez en la acera, dijo—: Si juega limpio, y creo que sí, ningún cliente habría podido localizar a Kathleen.

—Tal vez Kathleen se saltó las normas. —Sacó un cigarrillo—. Dio su dirección o su verdadero nombre. Tal vez se vio con uno de esos tipos, y él la siguió y decidió que quería algo más que palabras.

—Tal vez. —Pero le costaba ver a su vecina como alguien capaz de quebrantar las reglas—. Me pregunto qué diría Tess sobre un hombre que utiliza la MasterCard para pagar charlas sexuales y comete una violación con asesinato.

—Ella no se dedica a esto, Ed.

—Sólo era una idea. —Percibió el tono de su compañero, así que no insistió, aunque su esposa ya había participado en investigaciones de asesinatos—. Es más probable que alguien entrase en la casa, la encontrase y perdiese los papeles.

—Pero no encaja.

—No —reconoció Ed mientras abría la puerta del coche—. No encaja.

—Tendremos que hablar con Grace otra vez.

—Lo sé.

Necesitaba escucharla de nuevo. Había pasado demasiado tiempo. En cuanto terminase la última clase, iría a casa y se encerraría en su habitación. Hubiera querido faltar al colegio, pero sabía que su padre se enteraría. Así que aguantó todas las clases cómo un chico callado, brillante y educado que hablaba con voz clara. Lo cierto era que se integraba tan bien que ninguno de sus profesores se habría fijado en él si no fuera el hijo de un posible presidente.

A Jerald no le gustaba llamar la atención. No le gustaba que la gente lo observase, porque podían descubrir sus secretos.

Era raro que llamase a Fantasy durante el día. Le gustaba más la noche, su imaginación funcionaba mejor en la oscuridad. Pero desde lo de Desirée, estaba obsesionado. Se puso los auriculares y encendió la terminal, se sentó y esperó encontrar la voz especial que anhelaba.

Conocía a Eilen, pero no le interesaba. Demasiado profesional. La otra, la que trabajaba de noche, tampoco le servía. Demasiado joven y gazmoña. Ninguna de ellas hacía promesas.

Cerró los ojos y esperó. Si de algo estaba seguro, totalmente seguro, era de que pronto encontraría a la adecuada.

La encontró, se llamaba Roxanne.

CAPITULO 7

Jacintos. Grace se sentó en los peldaños delante de la casa y contempló los jacintos blancos y rosas, agradecida de que su aroma fuese leve. Ya había tenido demasiada fragancia de flores aquel día. Los jacintos eran diferentes, crecían con fuerza junto al agrietado pavimento. No le recordaban ataúdes blancos y llantos.

No aguantaba a sus padres. Aunque se odiaba por ello, los había dejado con sus interminables tazas de té y se había escabullido. Necesitaba aire, sol, soledad. Tenía que dejar de llorar, aunque sólo fuera por una hora.

De vez en cuando pasaba un coche, y Grace lo miraba. Algunos niños del barrio aprovechaban el calor y los días más largos para ir en bicicleta o patinar por las desniveladas aceras. Sus voces eran las voces del inminente verano. A veces miraban la casa con ojos ávidos y curiosos. La tragedia ya era conocida en todo el barrio, pensó Grace, y los padres habían advertido a sus hijos que no se acercasen. Si la casa quedaba vacía, los pequeños se desafiarían a ver quién era suficientemente valiente ir hasta el porche y tocar lo prohibido. Los más osados incluso se acercarían a las ventanas e intentarían fisgonear en el interior.

La casa embrujada. La casa del asesinato. Y a los niños les sudarían las manos cuando corrieran con el corazón acelerado a contar sus hazañas a los más timoratos. Ella había hecho lo mismo cuando era niña.

El asesinato resultaba fascinante, irresistible.

Grace sabía que el asesinato de Kathleen era la comidilla de todos en las tranquilas casitas de la calle. Se instalarían cerraduras adicionales y las ventanas y puertas se revisarían. Y al cabo de unas semanas, la gente olvidaría. Al fin y al cabo, no les había ocurrido a ellos.

Pero ella no olvidaría. Se frotó los ojos con los dedos. Ella no podía olvidar.

Cuando reconoció el coche de Ed, dio un respingo. No era consciente de que lo esperaba, pero en aquel momento lo supo. Cruzó el césped presurosa y llegó al coche cuando Ed abría la puerta.

—Trabajas muchas horas, detective.

—Así es este negocio. —Agitó las llaves y abrió el maletero. Del maquillaje de Grace sólo quedaban restos de rimel—. ¿Te encuentras mejor?

—Más o menos. —Miró hacia la casa. Su madre había encendido la luz de la cocina—. Por la mañana tengo que llevar a mis padres al aeropuerto. No sirve de nada quedarnos aquí, así que los he convencido de que se vayan. Se apoyan mutuamente. —Deslizó las manos por las caderas y, sin saber qué hacer con ellas, las metió en los bolsillos—. Nunca me había fijado en lo unidos que están.

—En momentos así es bueno tener compañía.

—Creo que se recuperarán. Creo que han acabado... aceptando lo ocurrido.

—¿Y tú?

Grace lo miró brevemente. La respuesta estaba en sus ojos. Aún le quedaba mucho camino hasta la aceptación.

—Van a pasar unos días en su casa y después irán a la costa a ver a Kevin, el hijo de mi hermana.

—¿No irás con ellos?

—No. Lo pensé, pero... ahora no. No sé, parece que el funeral los ha serenado.

—¿Y a ti?

—Me resultó odioso. Lo primero que voy a hacer cuando regrese a Nueva York es informarme sobre las incineraciones. —Se mesó el cabello con ambas manos—. ¡Dios mío, qué mal suena eso!

—No, no suena mal. Los funerales te obligan a enfrentarte al hecho de la muerte. Ésa es su razón de ser, ¿no?

—Llevo todo el día pensando en cuál es su razón de ser. Creo que prefiero los funerales vikingos: ponían el cadáver en una balsa en medio del mar y le prendían fuego. Ahora se hace como una especie de envío. No me gusta imaginar a mi hermana en una caja. —Se contuvo y se volvió hacia él. Era mucho mejor pensar en los niños jugando en la calle y en las flores que comenzaban a brotar—. Lo siento. He salido de casa para no obsesionarme con eso. Les he dicho a mis padres que iba a dar un paseo.

—¿Quieres dar uno?

Grace negó con la cabeza y lo cogió del brazo. Decente. Había acertado cuando pensó en esa palabra para describirlo.

—Eres una buena persona. Quiero disculparme por desahogarme contigo anoche.

—No pasa nada.

Una madre llamó a sus hijos desde un porche al otro lado de la calle y, tras negociar, les concedió un cuarto de hora más.

—No lamento lo que dije, sino la forma en que lo hice. Paso largos períodos sin tener mucho contacto con la gente, y luego me vuelvo agresiva. —Volvió a mirar los niños. Recordaba haber jugado de aquella manera, corriendo hasta el atardecer, Kathleen y ella en una calle no muy diferente de aquélla—. Entonces, ¿seguimos siendo amigos?

—Claro. —Ed estrechó la mano que ella le tendió.

Era lo que Grace necesitaba. Hasta que se produjo el contacto, no se dio cuenta.

—¿Significa que cenaremos fuera o algo así antes de mi partida?

Ed no le soltó la mano, sino que la envolvió con sus dedos.

—¿Cuándo te marchas?

—No lo sé. Aún hay muchos cabos sueltos. Seguramente la semana que viene. —Sin pensar, Grace acercó las manos unidas a su mejilla. Le hacía bien el contacto. Lo necesitaba tanto como los largos períodos de tiempo que se reservaba para sí. En aquel momento no quería pensar en la soledad—. ¿Has ido alguna vez a Nueva York?

—Hasta el momento no. Te vas a resfriar —murmuró mientras sus nudillos le rozaban la mejilla—. No deberías haber salido sin chaqueta.

Grace sonrió y le soltó la mano, que se demoró unos segundos en la mejilla de ella. Siempre se movía por instinto, y aceptaba tanto los inconvenientes como las satisfacciones que ello deparaba. Antes de que él retirase la mano, lo rodeó con sus brazos.

—¿Te importa? Necesito algo que me demuestre que sigo viva.

Alzó la cara y lo besó en los labios.

Consistente. Ésa fue la primera palabra que surgió en su mente. Aquello era consistente, tangible. La boca de Ed resultaba cálida y generosa. Él no la atrajo ni intentó excitarla con caricias, se limitó a devolverle el beso. Su mullida barba la reconfortó. La repentina tensión de los dedos de Ed la excitó. Le parecía maravilloso descubrir que necesitaba aquello y que aún era capaz de apreciarlo. Estaba viva, sí. Y resultaba maravilloso.

Grace lo había pillado por sorpresa, pero él reaccionó enseguida. La abrazó y le acarició el cabello. El ocaso los envolvió con su frío manto y él la atrajo hacia sí para darle calor. El pulso se le aceleró mientras ella se pegaba a su cuerpo.

Al final, Grace se apartó lentamente, un poco sorprendida por su propio arrebato. Él la soltó, aunque la imagen romántica de cogerla en brazos y llevarla a su casa no desapareció.

—Gracias —dijo ella.

—A tus órdenes.

Grace rió, asombrada de su nerviosismo y encantada con la emoción que sentía.

—Será mejor que te vayas. Sé que trabajas por la noche. Las luces te delatan —explicó arqueando una ceja.

—He estado instalando el cuarto de baño. Casi he acabado con el empapelado.

Grace miró el maletero y vio cuatro cubos de cola de cinco litros.

—Debe ser un buen cuarto de baño.

—La cola estaba de oferta.

—Le encantarías a mi madre —comentó con una sonrisa—. Será mejor que vuelva. No quiero que se preocupen. Nos vemos.

—Mañana. Te recogeré para cenar.

—De acuerdo. —Empezó a alejarse, pero se detuvo y lo miró por encima del hombro—. No te olvides del zumo de zanahoria.

El verdadero nombre de Roxanne era Mary. Siempre había albergado cierto resentimiento hacia sus padres por su falta de imaginación. ¿No habría sido una persona diferente si le hubieran puesto un nombre más exótico, más sofisticado, más sugerente?

Mary Grice tenía veintiocho años, estaba soltera y pesaba treinta y cinco kilos de más. Había empezado a engordar en la adolescencia, cosa de la que también culpaba a sus padres. Genes de obesidad, decía su madre y en parte tenía razón. Lo cierto era que la familia Grice había mantenido una larga relación casi sagrada con la comida. Comer se convertía en una experiencia religiosa, y los Grice —mamá, papá y Mary— en una congregación devota.

Mary se había criado en una casa donde la despensa y el

frigorífico estaban llenos de patatas fritas, salsas y mermeladas. Con sándwiches de categoría arquitectónica, acompañándoles con un tazón de leche con cacao y aún le quedaba sitio para un paquete de rollitos de chocolate.

En la adolescencia, el acné le había roído la piel y se parecía a una de esas pizzas llenas de grumos que tanto le gustaban. A punto de cumplir los treinta, aún tenía cicatrices. Por eso había adoptado la costumbre de ponerse una espesa base de maquillaje, y cuando hacía calor su maquillaje se agrietaba y su cara parecía la de una muñeca derritiéndose.

En el instituto y la universidad, no había tenido ni una sola cita. Con su personalidad ni siquiera había conseguido convertirse en amiga o confidente de nadie. Pero la comida la había rescatado una y otra vez. Cuando sus sentimientos sufrían un revés o se agitaban sus apetitos sexuales, Mary devoraba una hamburguesa doble o una tanda de pastelitos de crema.

Dejó de verse el cuello a los veinte años, cuando desapareció bajo una cascada de pliegues fofos. Llevaba el pelo largo y liso, sujeto con un pasador. Había demasiados espejos en el salón de belleza. De vez en cuando, tenía un antojo y se teñía de pelirrojo sirena, negro azabache y, en una ocasión, de exuberante rubio platino. Los cambios le daban la impresión de ser una persona distinta. No le importaba quién, mientras no fuera ella misma.

Cuando el médico le advirtió que tenía la tensión alta y riesgo cardíaco, amañó la báscula para pesar cinco kilos menos. Se engañó a tal punto que no tardó en engordar otros cinco kilos y en considerar que había recuperado el peso normal.

Después inventó a Roxanne.

Roxanne era sensual. Roxanne era, gracias a Dios, una mujercita. Usaba la talla treinta y seis y podía derretir un iceberg, siempre que el iceberg fuese hombre. Sin inhibiciones, sin pretensiones, sin moral; así era Roxanne.

A Roxanne le gustaba el sexo en cualquier momento, en cualquier lugar y de cualquier forma. Si un hombre quería hablar de sexo en plan duro, rápido y sucio, Roxanne era su chica.

Mary había ido a Fantasy por puro capricho. No necesitaba el dinero. Había estudiado mucho en la universidad, aparte de comer platos de rosbif y queso fundido. Se había licenciado en Económicas y trabajaba para una de las principales agencias de Bolsa del país. Para la mayoría de los clientes de la agencia, sólo era una voz al teléfono. Y así había incubado la idea.

Tal vez fuese una broma de la naturaleza, pero tenía una voz preciosa, suave y dulce. Tendía a quedarse sin aliento cuando al teléfono daba la impresión de ser una mujer con clase, estilizada y delicada. La idea de utilizarla para algo más que para vender bonos desgravables y acciones de inversión mobiliaria había sido demasiado fuerte para resistirse.

Mary se consideraba una puta telefónica. Sabía que Eileen veía el negocio como un servicio social, pero a Mary le gustaba la idea de ser una puta. Se dedicaba al negocio del sexo por dinero y tenía las pistolas cargadas y humeantes. Todas las frustraciones, todos los deseos, todos los sueños sudorosos que tenía se aliviaban durante una conversación de siete minutos.

Se había acostado mentalmente con todos los hombres con los que había hablado. En realidad, nunca lo había hecho con nadie. Las conversaciones que mantenía con hombres sin rostro eran la válvula de escape de la olla a presión de sus propios deseos. Satisfacía las fantasías de los clientes por un dólar al minuto y obtenía mucho más que dinero.

Durante el día, vigilaba el índice de la Bolsa, vendía letras del tesoro y compraba futuros del mercado de materias primas. Por la noche cambiaba su traje de talla extragrande por el mejor modelo de la boutique Fredrick's de Hollywood y se convertía en Roxanne.

Y le encantaba.

Mary, o Roxanne, era una de las pocas empleadas de Fantasy Incorporated que aceptaba llamadas siete noches a la semana. Si alguna mujer se encontraba con un hombre demasiado agresivo o con tendencias extravagantes, Roxanne se hacía cargo de él con mucho gusto. Gastaba el dinero que ganaba en lencería de seda roja, incienso de vainilla y comida. Sobre todo en comida. Entre llamadas, Mary era capaz de devorar un paquete gigante de patatas fritas con salsa de ajo y mayonesa.

Conocía muy bien la voz de Lawrence y sus preferencias. Aunque no era uno de sus clientes más pervertidos, disfrutaba de vez en cuando con imágenes de cuero y esposas. Lawrence no la había engañado acerca de su aspecto. Nadie mentía diciendo que tenía los dientes torcidos y astigmatismo. Roxanne hablaba con él tres veces a la semana. Una llamada rápida de tres minutos y dos habituales de siete. Era contable, y además del sexo, ambos se compenetraban profesionalmente.

Roxanne tenía velas rojas encendidas en la habitación. Le gustaba preparar el ambiente antes de tenderse sobre la cama tamaño princesa con una botella de coca-cola de dos litros a mano. Se recostaba sobre almohadas de satén. Mientras hablaba, ensortijaba el cable del teléfono entre los dedos.

—Ya sabes que me encanta hablar contigo, Lawrence. Me excito sólo de pensar en tu voz. Llevo un camisón nuevo, rojo. Y trasluce todo. —Se rió y se hundió en las almohadas. En ese momento, era una supermodelo de cuarenta y siete kilos con piernas de vértigo—. ¡Qué malo eres, Lawrence! ¿De verdad quieres que haga eso? Está bien, lo haré... e imaginaré que me lo haces tú. Muy bien, escucha. Escucha y te lo contaré todo.

Desde luego se estaba precipitando, pero ansiaba saber

si volvería a ocurrir. Roxanne le parecía muy hermosa. Lo supo en cuanto oyó su voz. Se le había puesto piel de gallina y la tensión en la ingle había recrudecido.

Sí, ella sería la siguiente. Lo esperaba. Sin juegos ni promesas como Desirée. Se trataba de un nivel superior. Roxanne hablaba de cosas que ni siquiera había imaginado. Quería que él le hiciese daño. ¿Acaso podía resistirse a algo tan excitante?

Pero debía tener cuidado.

Aquel barrio no era tan tranquilo como el anterior. El tráfico fluía constantemente y los peatones llenaban las aceras. Tal vez fuese mejor así: cabía la posibilidad de que lo vieran e incluso lo reconocieran, y esto aumentaba la emoción.

El edificio de apartamentos daba a Wisconsin Avenue. Jerald aparcó a dos manzanas. Durante la caminata se obligó a ir despacio, no tanto por precaución como por el deseo de asimilar el ambiente nocturno. Había nubes y un ligero viento. Tenía la cara fría, pero sus manos estaban calientes y húmedas dentro de los bolsillos de la chaqueta del colegio. Sus dedos aferraban la cuerda que había cogido en la lavandería. Roxanne agradecería que se hubiese acordado de lo que le gustaba y cómo le gustaba.

En aquel momento, se suponía que estaba en la biblioteca consultando libros para hacer un trabajo sobre la Segunda Guerra Mundial. Había hecho el trabajo una semana antes, pero su madre no notaría la diferencia. Estaba en Michigan haciendo campaña con su marido.

Cuando acabase el curso, debía normalmente reunirse con ellos para pasar el cálido y frenético verano en medio de politicuchos No sabía cómo podía evitarlo, pero lo haría sin duda. Faltaban seis meses para la graduación.

Al infierno aquel pijo colegio preuniversitario, pensó. Cuando estuviera en la universidad, sería dueño de su propio tiempo. No tendría que buscar justificaciones —bibliotecas, reuniones de clubes o películas— para salir un par de horas por la noche.

Cuando su padre ganase las elecciones, Jerald se enfrentaría incluso al Servicio Secreto. Sonrió para si mismo. Estaba deseando burlar a aquel montón de robots con traje y corbata.

Se ocultó entre los arbustos y sacó un tubo de cocaína. Lo esnifó rápidamente y sintió cómo su mente se cristalizaba con precisión milimétrica.

Roxanne.

Sonriendo, rodeó la parte trasera del edificio y, sin molestarse en mirar alrededor, cortó con cuidado el cristal de la ventana de la sala. Ya nadie podía detenerlo. Y Roxanne estaba esperando.

Se cortó con el cristal cuando metió la mano para abrir la cerradura, pero se limitó a chuparse la herida mientras retiraba el trozo de vidrio. Dentro todo estaba oscuro y el corazón le palpitaba. Jerald se encaramó a la ventana y entró, sin cerrarla tras él.

Ella debía de estar esperándole, esperando a que él le hiciera daño, retorcerse y gritar. Esperando a que la transportase al clímax definitivo.

Ella no lo oyó. Acababa de llevar a Lawrence a la cumbre y estaba ella misma a punto de tener un orgasmo.

Jerald la vio, tendida sobre las almohadas de satén, con la piel húmeda y brillante a la luz de las velas. Cerró los ojos y oyó su voz. Cuando los abrió de nuevo, ya no era una mujer obesa y de carnes fláccidas, sino una pelirroja alta y de largas piernas. Se acercó al borde de la cama, sonriendo.

—Ha llegado el momento, Roxanne.

La mujer abrió los ojos, sorprendida, y lo miró ensimismada en las brumas de su propia fantasía. Sus pechos opulentos caían a los lados de su cuerpo.

—¿Quién eres?

—Me conoces. —Siguió sonriendo mientras se colocaba a horcajadas sobre ella.

—¿Qué quieres? ¿Qué haces aquí?

—He venido a darte todo lo que has estado pidiendo. Y más. —Adelantó las manos y desgarró el fino tejido que cubría los flácidos pechos.

Ella soltó un repentino chillido y lo empujó con todas sus fuerzas. El auricular cayó sobre el colchón mientras ella manoteaba para alcanzar el borde de la cama.

—¡Lawrence, Lawrence, hay un hombre en mi habitación! —gritó—. ¡Llama a la policía! ¡Llama a alguien!

—Te va a gustar, Roxanne.

Pesaba tres veces más que él pero era torpe. Sin dejar de chillar, se revolvió y le dio puñetazos en el pecho, pero Jerald ni siquiera los sintió. Mary gritaba con verdadero terror. Su corazón, medio ahogado por la grasa que lo rodeaba, empezó a latir irregularmente. Y su cara se puso roja como una berenjena cuando él la abofeteó.

—Te va a gustar —repitió Jerald viéndola caer sobre las almohadas. En un acto reflejo, ella alzó las manos para protegerse la cara—. Nunca volverás a experimentar nada parecido.

—No me hagas daño. —Las lágrimas brotaban de sus ojos y formaban surcos en el maquillaje. Jadeó cuando él le aplastó las manos sobre la colcha y las ató al cabezal de la cama con la cuerda.

—Así es como te gusta —siseó Jerald—. Sí, lo recuerdo muy bien. Te oí decirlo... —Y la penetró, sonriendo como un poseso—. Quiero que te guste, Roxanne. Quiero ser el mejor para ti.

Mary se sacudía entre sollozos estremecidos que a él le proporcionaban un placer embriagador mientras la embestía con frenesí. Sintió cómo el goce crecía, brincaba, volaba. Y supo que el momento culminante había llegado.

Sonriéndole con los ojos entornados, envolvió el cable del teléfono en torno al cuello de Roxanne y tiró.

Ed buscó a tientas el teléfono al primer timbrazo y un segundo después estaba completamente despierto. Ed flexionó el brazo medio dormido, miró la pantalla del televisor y se aclaró la garganta.

—Sí. Jackson.

—Vístete, colega. Tenemos un cadáver.

—¿Dónde?

—En Wisconsin Avenue. Paso a recogerte. —Ben escuchó un momento—. Tío, si estuvieras casado no te dormirías viendo a Letterman.

Ed colgó, fue al cuarto de baño y metió la cabeza bajo el grifo.

Un cuarto de hora después iba en el asiento del pasajero en el coche de Ben.

—Sabía que era demasiado bueno para ser cierto —dijo Ben y mordió una tableta de chocolate Hershey—. Hacía una semana que no recibíamos llamadas en mitad de la noche.

—¿Quién ha llamado?

—Un par de patrulleros. Recibieron una llamada diciendo que había follón en un piso bajo, una mujer que vivía sola. Lo comprobaron y vieron cristales rotos y una ventana abierta. Entraron y la encontraron. Ya no volverá a vivir sola.

—¿Robo?

—No lo sé. El poli que llamó era novato, y estaba en su hora del café. Por cierto, Tess dice que no te acuerdas de ella. ¿Por qué no te pasas un día a tomar una copa o algo? Lleva a la escritora.

Ed enarcó las cejas y lo miró.

—¿Tess quiere verme a mí o a la escritora?

—A los dos. —Ben sonrió y se acabó la barrita—. Ya sabes que está loca por ti. Si yo no fuera mucho más guapo que tú, te pegaría un tiro. Vaya. Parece que esos polis quieren que todo el barrio se entere de que hay un cadáver.

Frenó junto al bordillo, detrás de dos coches patrulla. Las luces de emergencia se reflejaban en los tejados y las radios crepitaban. Ben saludó al primer agente que vio.

—Apartamento 101, señor. Al parecer el intruso entró por la ventana de la sala. La víctima estaba en cama. Los primeros oficiales que llegaron están dentro.

—¿Y el forense?

—De camino, señor.

Ben calculó que el joven uniformado tendría unos veintidós años. Cada vez los admitían más jóvenes. Seguido por Ed, entró en el edificio y se dirigió al apartamento 101. Había dos policías en la sala, uno de ellos mascando chicle y el otro sudando.

—Detectives Jackson y Paris —dijo Ed en tono amable—. Id a tomar el aire.

—Sí, señor.

—¿Te acuerdas de tu primer caso? —le preguntó a Ed mientras iban al dormitorio.

—Sí, en cuanto acabé el turno me emborraché. —Ed no le devolvió la pregunta. Sabía que el primer cadáver al que Ben se enfrentó había sido el de su propio hermano.

Entraron en el dormitorio, miraron a Mary y luego se miraron el uno al otro.

—Mierda —fue lo único que dijo Ben.

—Parece que tenemos a otro asesino en serie. El capitán se va a cabrear.

Ed tenía razón.

A las ocho de la mañana, ambos detectives estaban en el despacho del capitán Harris. Éste estaba sentado a la mesa, estudiando los informes con unas gafas nuevas que detestaba. La dieta que seguía le había permitido perder más de dos kilos, pero le amargaba el carácter. Tamborileaba con una mano sobre la mesa.

Ben se apoyó contra la pared, lamentando no haber tenido tiempo ni energía para hacer el amor con su mujer esa mañana. Ed se sentó con las piernas estiradas y sumergió una bolsita de té en una taza de agua caliente.

—Falta el informe forense —dijo Harris por fin—. Pero no creo que tengamos sorpresas.

—El tipo se cortó al entrar por la ventana. —Ed bebió el té—. Creo que la sangre coincidirá con la que encontramos en el caso Breezewood.

—No comunicamos a la prensa la violación ni el arma —terció Ben—. Por tanto, el asesinato por imitación es una posibilidad remota. Esta vez no hubo apenas lucha. O él fue más listo, o ella estaba demasiado asustada para resistirse. No era una mujer menuda, pero él consiguió atarle las manos sin romper siquiera el cristal de la mesilla de noche.

—Por los papeles que encontramos, era agente de Bolsa. Vamos a comprobarlo esta mañana. —Mientras se acababa el té, Ed se fijó en que Ben encendía el tercer cigarrillo de la mañana—. Una mujer denunció el alboroto a la central. No dio su nombre.

—Lowenstein y Renockie pueden hablar con los vecinos. —Harris sacó dos tabletas de extracto pomelo, las miró con mala cara y las tragó con el vaso de agua que tenía sobre la mesa—. Mientras no se demuestre lo contrario, buscamos a un hombre. Tenemos que solucionar esto antes de que se nos escape de las manos. Paris, su esposa fue de gran ayuda el año pasado. ¿Tiene alguna idea al respecto?

—No. —Ben exhaló el humo del cigarrillo y no dijo más.

Harris bebió el resto del agua mientras su estómago crujía. La ansiedad lo reconcomía después de un mes sin tomar una comida decente.

—Quiero nuevos informes a las cuatro.

—A él le resulta muy fácil hablar —murmuró Ben tras

cerrar la puerta del despacho de Harris—. Ya era un coñazo antes de ponerse a dieta.

—A pesar de la creencia popular, estar gordo no te hace feliz. El exceso de peso supone tensión para el cuerpo, hace que la persona se sienta incómoda y altera su carácter. Las dietas pasajeras agravan la incomodidad. Una nutrición adecuada, ejercicio y dormir bien garantizan la felicidad.

—Mierda.

—Eso también ayuda.

—Invito yo, chicos. —La bella Lowenstein se coló entre ellos y los cogió por la cintura.

—Tuviste que esperar a que me casara para ser cariñosa —refunfuñó Ben.

—A mi marido le han subido el sueldo. Tres mil al año. Así que nos vamos a México en cuanto los chicos acaben el colegio.

—¿Me prestas algo hasta final de mes? —preguntó Ed.

—Ni de broma. Chicos, acaba de llegar el informe forense. Phil y yo lo estamos distribuyendo. Tal vez pueda escabullirme e ir de compras a la hora de comer. Hace tres años que no me compro un bikini.

—Por Dios, que me vas a excitar.

Ella le indicó a Ben el expediente que acababa de dejar sobre su mesa.

—La envidia te corroe, Ben Paris. Dentro de seis semanas estaré al sur de la frontera bebiendo margaritas y comiendo tortitas.

—No te olvides del bicarbonato —le dijo Ed, y se sentó en una esquina de la mesa de Ben.

—Tengo un estómago a prueba de bombas –repuso ella antes de marcharse.

Ben abrió el expediente.

—¿Cómo crees que estará Lowenstein en bikini?

—Buenísima. ¿Qué tenemos?

—La sangre del cristal roto era A positiva. Y fíjate en

esto: huellas en el marco de la ventana. —Cogió el expediente Breezewood—. ¿Qué te parece?

—Que debemos cotejarlas.

—Ya. —Ben puso los expedientes uno al lado del otro—. Bien, ahora sólo nos queda encontrarlo.

Grace arrojó el bolso sobre el sofá y se dejó caer a su lado. No recordaba haber estado tan cansada nunca, ni después de un maratón de catorce horas escribiendo, de una fiesta de una noche entera o de un viaje de promoción por doce ciudades.

Desde el momento en que había llamado a sus padres a Fénix hasta que los había dejado en el avión para que volviesen a casa, había dedicado todas sus energías a sostenerlos. Afortunadamente se tenían el uno al otro, porque a ella ya no le quedaba nada.

Anhelaba irse a su casa, regresar a Nueva York, al ruido y al ritmo frenético. Meter sus cosas en el baúl, cerrar la casa y coger un avión. Pero eso sería como cerrarle la puerta a Kathleen. Aún quedaban muchos detalles que atender: el seguro, el dueño de la casa, el banco y todos los efectos personales, además del papeleo.

La mayoría podría donarlos a la iglesia, pero seguro que había cosas que enviar a Kevin o a sus padres. Las cosas de Kathleen. No, aún no estaba preparada para ocuparse de la ropa y las alhajas de su hermana.

Se pondría con los papeles, empezando por los del funeral. Había un montón de tarjetas. A su madre le gustaría conservarlas en una cajita. Tal vez fuera lo más fácil para comenzar. La mayoría de los nombres serían desconocidos. Una vez roto el hielo, se enfrentaría a los asuntos más personales de su hermana.

Pero primero iba a alimentar su sistema con café.

Llevó una cafetera a su habitación y contempló el ordenador casi con nostalgia. Hacía días que no lo encendía. Si no cumplía los plazos, lo cual sería probable, su editor se mostraría comprensivo. Había recibido media docena de llamadas de Nueva York ofreciéndole ayuda y condolencias. Casi compensaban la foto de ella en el entierro que había aparecido en el periódico de la mañana, con este pie: "G. B. McCabe asiste al funeral de su hermana brutalmente asesinada."

No se había molestado en leer el artículo.

Los titulares no importaban, se recordó. Eran más que previsibles. El sensacionalismo formaba parte del juego, y para ella, en efecto, había sido un juego hasta unas noches antes.

Tomó una taza de café y se sirvió más antes de coger el sobre de papel Manila que contenía las tarjetas. Tenía ganas de enviarlo sin abrir a su madre. Luego se sentó en la cama y comenzó a mirarlas una por una. Algunas requerían una respuesta personal. Mejor hacerlo ella que encargárselo a su madre.

Había una de todos los alumnos de Kathleen. Mientras la observaba, Grace pensó en donar dinero para dotar una beca con el nombre de su hermana. Apartó la tarjeta para comentar la idea con su abogado.

Reconoció varios apellidos de California, las familias ricas y poderosas que Kathleen había conocido. Las apartó en un montón para que Jonathan se ocupara de ese aspecto.

La tarjeta de una antigua vecina la hizo sollozar. Habían vivido quince años al lado de la casa de la señora Bracklemen. Era mayor, o así se lo parecía a Grace, y siempre estaba horneando galletas o reuniendo trozos de tela para confeccionar muñecas. Grace separó su tarjeta.

Cogió la tarjeta siguiente. La miró, se frotó los ojos y volvió a mirarla, confundida. Era una tarjeta de florista con las palabras *«In memoriam»* impresas junto a un ramo de rosas rojas. En el centro había una frase manuscrita: «Desirée, nunca te olvidaré.» Mientras la releía, la tarjeta se deslizó entre sus dedos y cayó a sus pies.

Desirée. Le pareció que el nombre crecía y ocupaba toda la tarjeta. «Soy Desirée», había dicho Kathleen la primera noche. «Soy Desirée.»

—Oh, Dios... —Empezó a temblar sin apartar los ojos de la tarjeta—. Oh, Dios mío.

Jerald estaba en clase de literatura inglesa. El profesor no dejaba de hablar de las sutilezas y el simbolismo de *Macbeth*. A Jerald siempre le había gustado aquella obra. La había leído varias veces y no necesitaba que el señor Brenner se la explicase. Trataba del asesinato y la locura. Y, por supuesto, del poder.

Él había crecido en medio del poder. Su padre iba camino de convertirse en el hombre más poderoso del mundo. Y Jerald lo sabía todo sobre el asesinato y la locura.

Al señor Brenner le daría un infarto si Jerald se levantara y le explicase lo que se sentía al segar una vida, los sonidos que rodeaban al hecho o la expresión de un rostro cuando la vida se extinguía. Los ojos, eso era lo más increíble.

Así pues, decidió que le gustaba matar, igual que a George Lowell, que se sentaba a su lado, le gustaba el béisbol. En cierto modo, se trataba del deporte definitivo. Y de momento todo estaba saliendo a pedir de boca. Bueno, vale, Roxanne no había significado lo mismo que Desirée. Sí, había disfrutado del efímero destello en que el orgasmo y la muerte se habían mezclado, pero Desirée… ella había sido mucho más. Ojalá pudiera hacerla regresar. No sería justo que él, Jerald, no volviese a experimentar esta arrebatadora oleada de pasión y de desahogo.

Jerald pensó que era por la expectativa. Como Macbeth con Duncan, él se había encargado de la trama, el terror y el destino. Roxanne no había sido más que un experimento. Como cuando en química se hace una prueba para demostrar un principio.

Necesitaba volver a hacerlo. Otro experimento. Otra oportunidad de alcanzar la perfección. Su padre lo entendería. Su padre no se conformaba con nada que no fuese perfecto. Y al fin y al cabo, él era hijo de ese padre.

Jerald era proclive a las adicciones, y el asesinato era una más. Pero la próxima vez tendría que conocer a la mujer un poco mejor, para poder tener un vínculo con ella.

El señor Brenner hablaba de la locura de lady Macbeth. Jerald se frotó el pecho con la mano y se preguntó por qué le dolía.

CAPITULO 8

A Grace las comisarías siempre le habían parecido fascinantes. En los pueblos, en las grandes ciudades, en el Norte o en el Sur, todas tenían un cierto aire de caos controlado.

Aquélla no era diferente: suelo de anodino linóleo surcado de vetas y burbujas; paredes beiges o blancas; carteles por todas partes; fichas de busca y captura, con un número y un contacto para la colaboración ciudadana; teléfonos para problemas de drogas, tendencias suicidas y violencia doméstica. «¿Ha visto a este niño?», se leía en un cartel con foto. Las persianas venecianas rebosaban de polvo y en una máquina expendedora de chicle y golosinas había un letrero de "No funciona".

En el Departamento de homicidios, policías de paisano atendían el teléfonos o escribían a máquina. Uno buscaba algo en una nevera abollada. Grace percibió aroma a café y a una cosa que le pareció atún.

—¿Puedo ayudarla?

Dio un respingo al oír la voz y se dio cuenta de que tenía los nervios a flor de piel. El policía era joven, poco más de treinta años, moreno y con un hoyuelo en la barbilla. Grace trató de relajar la presión con que aferraba su bolso.

—Quisiera ver al detective Jackson.

—Ahora mismo no se encuentra aquí. —Tardó un momento en reconocerla. No era un gran lector, pero había visto la foto de Grace en el periódico—. ¿La señorita McCabe?

—Sí.

—Puede esperarle si quiere, o puedo ver si el capitán está disponible.

¿Capitán? No conocía al capitán ni a aquel joven policía del hoyuelo en la barbilla. Quería ver a Ed.

—Prefiero esperar.

Él, que llevaba dos refrescos y un grueso expediente, le indicó una silla en un rincón. Grace se sentó, volvió a aferrar el bolso y esperó.

Vio entrar a una mujer rubia y bien vestida con un vestido rosa. No parecía una persona relacionada con homicidios. Grace supuso que era una abogada o la joven esposa de un político, aunque no tenía fuerzas para ir más allá, como solía hacer, e inventarle una historia a aquel rostro desconocido. Desvió la vista hacia el vestíbulo.

—Hola, Tess —exclamó el policía joven desde su mesa—. Ya era hora de que hubiera algo de clase aquí.

La mujer sonrió y se acercó al joven.

—¿No está Ben?

—Está por ahí jugando a los detectives.

—Tengo una hora libre y me apetecía comer algo con él.

—¿Te sirvo yo?

—Lo siento. Mi marido es un poli celoso y lleva pistola. Dile que he venido.

—Vale. Por cierto, ¿vas a trazarnos un perfil psiquiátrico del asesino?

Ella dudó. Lo había pensado y se lo había comentado a Ben, pero la firme negativa de su marido y su propia carga de trabajo la hicieron desistir.

—No creo. Dile a Ben que compraré comida china y estaré en casa a las seis. Seis y media —corrigió.

—Hay tipos que lo tienen todo.

—Dile eso también.

Se dirigía a la salida cuando vio a Grace. Tess la reconoció por las fotos de los libros y la prensa. Reconoció asimismo la tensión y la pena que reflejaba su rostro. Como profesional le resultó casi imposible alejarse. Se acercó y esperó a que Grace levantase la vista.

—¿Señorita McCabe?

"Una fan no, por favor -suplicó Grace-. Aquí y en este momento no." Tess percibió el rechazo y extendió la mano.

—Soy Tess. Tess Paris, la mujer de Ben.

—Ah. Hola.

—¿Está esperando a Ed?

—Pues sí.

—Parece que ninguna de las dos hemos tenido suerte. ¿Le apetece un café?

Grace dudó y estaba a punto de rehusar cuando una mujer llorando entró en la oficina.

—Mi hijo es un buen chico. Sí, un buen chico. Sólo se estaba defendiendo. No pueden retenerlo.

Grace se fijó en que una agente invitaba a la mujer a sentarse y le hablaba con paciencia. Los dos tenían manchas de sangre en la ropa.

—Sí —se apresuró a decir Grace—. Me gustaría.

Tess se dirigió al vestíbulo. Sacó unas monedas de su cartera y las introdujo en una máquina.

—¿Con leche?

—No, solo.

—Buena elección. La leche suele desparramarse por el suelo. —Le ofreció el primer vaso a Grace. Hacer de caja de resonancia era parte de su profesión y también un rasgo de carácter. Tess observó el leve temblor de los dedos de Grace y comprendió que no podía dejarla sola—. ¿Quiere salir? Hace un día precioso.

—De acuerdo.

Tess abrió el camino, salió y se apoyó en el pasamanos de la escalinata. Le gustaba recordar que era allí donde había conocido a Ben, bajo la lluvia.

—Washington está en su plenitud en primavera. ¿Piensa quedarse mucho tiempo?

—No lo sé. —El sol lucía casi con demasiada fuerza. No lo había notado antes—. Me cuesta tomar decisiones.

—Es comprensible. Después de una pérdida, solemos flotar durante un tiempo. Cuando esté preparada, las cosas volverán a encajar.

—¿Es normal sentirse culpable?

—¿Por qué?

—Por no haberlo evitado.

Tess tomó un sorbo de café y percibió el aroma de los narcisos.

—¿Podría haberlo hecho?

—Pues... —Grace recordó la tarjeta que llevaba en el bolso—. La verdad es que no lo sé. —Se sentó en un peldaño y sonrió—. ¿Es una sesión? Sólo nos falta el diván.

—A veces ayuda hablar con alguien imparcial.

Grace se volvió hacia Tess, protegiéndose los ojos del sol con la mano.

—Ed me dijo que era usted hermosa.

Tess sonrió.

—Ed es un encanto.

—Sí, ¿verdad? —Bajó la vista y agarró el bolso—. Siempre he tomado las cosas como vienen. Se me da muy bien conseguir que sean como yo quiero. Por eso odio esta situación. Odio la confusión, ser incapaz de decidir si debo ir a la derecha o a la izquierda. Ni siquiera me siento yo misma.

—Las personas fuertes sufren más con el dolor y la pérdida. —Tess reconoció el chirrido de los frenos y miró hacia el aparcamiento, deduciendo que conducía Ed—. Si va a estar aquí una temporada y necesita hablar, llámeme.

—Gracias. —Grace dejó el vaso de café y se levantó lentamente. Se frotó las manos húmedas contra los vaqueros mientras observaba a Ed acercarse.

—Hola, Grace.

—Tengo que enseñarte algo.

Ben cogió a Tess de la mano para marcharse.

—No, por favor, esperad un minuto. —Grace soltó un suspiro y abrió el bolso—. Esta mañana encontré esto cuando revisaba los pésames y las tarjetas de las floristerías. —Sacó el sobre blanco en el que había introducido la tarjeta y se lo entregó a Ed.

Ed lo abrió y le mostró la tarjeta a Ben para que también pudiera leerla.

—¿Significa algo para ti, Grace?

—Sí. —Cerró el bolso, preguntándose por qué sentía náuseas. No había comido—. Ése era el nombre que Kathy utilizaba en Fantasy. Desirée. Era su apodo para que nadie supiese quién era ni dónde vivía. Pero alguien se enteró. Y la mató.

—Ven, Grace, vamos dentro.

—Tengo que sentarme.

Tess apartó a Ed y se acuclilló junto a Grace.

—Iremos dentro de un momento —dijo por encima del hombro.

—Vamos. —Ben abrió la puerta y urgió a Ed poniéndole una mano en el hombro—. Será mejor que se lo enseñemos al capitán. Tess se ocupará de ella —añadió al ver que su compañero no se movía.

—Respira hondo —murmuró Tess mientras masajeaba los hombros de Grace.

—Maldita sea, estoy harta de esto. —Intentaba recomponerse.

—Entonces será mejor que empieces por comer en vez de vivir a base de café, y también será mejor que descanses. De lo contrario seguirás así e incluso empeorarás.

Grace mantuvo la cabeza baja, pero miró a Tess. Percibió comprensión y solidaridad en sus ojos, mezcladas con un sólido sentido común. La combinación exacta que necesitaba.

—De acuerdo. —Seguía pálida cuando se incorporó, pero tenía el pulso más fuerte—. Ese bastardo mató a mi hermana. Y ahora, no importa lo que tarde pero quiero verlo pagar por ello. —Se apartó el pelo con las manos y respiró hondo—. Creo que las cosas encajarán.

—¿Preparada para entrar?

Grace asintió.

—Preparada.

Muy pronto se encontró sentada en el despacho del capitán Harris. Despacio y con la lucidez que acababa de recuperar, relató la historia de Kathleen y el teléfono erótico.

—Al principio me preocupó que algún pervertido pudiese crearle problemas. Pero me explicó el sistema: nadie, salvo la oficina principal, tenía su número, y tampoco daba su verdadero nombre. Utilizaba el de Desirée. No lo recordé hasta que vi esa tarjeta. Nadie, salvo los de Fantasy y los clientes, la conocía por ese nombre.

Ben sacó el paquete de cigarrillos y lo ofreció a los demás. No le había gustado la forma en que Tess lo había mirado antes de entrar en el despacho. Le daría la lata con eso.

—¿No cabe la posibilidad de que su hermana le hablara a alguien de su pluriempleo y de ese nombre?

—Rotundamente no. —Aceptó un cigarrillo del paquete de Ben—. Kathy era muy reservada. Si hubiera tenido una amiga íntima, tal vez. Pero no la tenía. —Respiró hondo y exhaló lentamente.

—Pero a ti te lo contó —observó Ed.

—Sí, a mí sí. —Hizo una pausa. Tenía que mantener la cabeza despejada—. Cuando lo pienso, creo que lo hizo sólo porque se sentía insegura. Fue probablemente un impulso, y sé que luego lo lamentó. Insistí en que me diese detalles un par de veces, pero se cerró en banda. Era cosa suya y de nadie más. Kath se mostraba muy reservada con sus cosas. —Su mente funcionaba otra vez. Cerró los ojos y se concentró—. Jonathan. Tal vez él lo supiese.

—¿El ex marido? —preguntó Harris.

—Sí, en el funeral reconoció que sabía que Kathy había contratado un abogado y un detective. Si sabía eso, es posible que supiera el resto. Le pregunté que haría para evitar que Kathy obtuviese la custodia de Kevin, y contestó que todo lo que fuera necesario.

—Grace. —Ed le ofreció una taza de té—. Breezewood estaba en California la noche que murió tu hermana.

—Los hombres como Jonathan no matan. Contratan a otros para que lo hagan. La odiaba y tenía un motivo.

—Ya hemos hablado con él. —repuso Ed, y le quitó la colilla, que ya le estaba quemando los dedos—. Se mostró muy dispuesto a colaborar.

—No lo dudo.

—Admitió que había contratado a una agencia para seguir a tu hermana. —Ed reparó en que los ojos de Grace se ensombrecían y siguió—: Para vigilarla. Sabía que ella quería interponer una demanda de custodia.

—¿Por qué lo dejasteis regresar a California?

—No teníamos ningún motivo para retenerlo.

—Mi hermana está muerta. ¡Maldita sea, mi hermana está muerta!

—No tenemos pruebas de que su ex cuñado estuviese involucrado. —Harris, con las manos entrelazadas, se inclinó sobre la mesa—. Y tampoco hay nada que lo vincule al segundo asesinato.

—¿Segundo asesinato? —Se obligó a respirar despacio y miró a Ed—. ¿Ha habido otro?

—Anoche.

Esta vez no iba a permitirse desfallecer. Bebió lentamente un sorbo de té. Era importante que su voz sonase serena y razonable. El momento de la histeria había pasado.

—¿Igual? ¿Igual que el de Kathy?

—Sí. Necesitamos un vínculo, Grace. ¿Conocía a una tal Mary Grice?

Ella hizo una pausa. Tenía una memoria excelente.

—No. ¿Creen que Kath la conocía?

—El nombre no estaba en la agenda de tu hermana —respondió Ben.

—Entonces no es probable. Kathy era muy organizada con esas cosas, con todo.

—Capitán. —El policía joven se asomó a la puerta—. Tenemos información fiscal sobre Mary Grice. -Miró a Grace antes de entregar el papel a Harris—. Las personas para las que trabajó el último año.

Harris repasó el informe y se fijó en un nombre. Grace cogió otro cigarrillo y reflexionó.

—También trabajaba para Fantasy, ¿verdad? –dijo-. Ése es el vínculo. —Encendió el cigarrillo y se sintió más fuerte que durante los días anteriores—. Es lo único que tiene sentido.

Harris la observó con los ojos entornados.

—Esta investigación es confidencial, señorita McCabe.

—¿Cree que iré a hablar con la prensa? —Exhaló el humo mientras se levantaba—. Se equivoca, capitán. Lo único que me interesa es que el asesino de mi hermana pague por lo que hizo.

Ed la alcanzó en el vestíbulo.

—¿Adónde vas?

—A hablar con el dueño de Fantasy.

—De eso nada.

Ella se detuvo y le lanzó una dura mirada.

—No me digas lo que debo hacer. —Iba a alejarse cuando se vio obligada a dar la vuelta y entrar en un despacho vacío—. Apuesto a que puedes desbrozar un terreno con una sola mano.

—Siéntate, Grace.

No lo hizo, pero apagó el cigarrillo en una taza vacía.

—¿Sabes en qué me he fijado? Acabo de darme cuenta, aunque no es nuevo. Das órdenes, Jackson. Y yo no las acepto. —Estaba tranquila, casi demasiado, y se sentía bien—. Eres más fuerte que yo, pero te juro que si no te quitas de en medio, te aplastaré.

Ed no lo dudaba, pero no era el momento de comprobarlo.

—Esto es cosa de la policía.

—Esto es cosa mía. Mía y de mi hermana. Y por fin he comprendido que puedo hacer algo, aparte de mirar el techo y preguntarme por qué. Le temblaba la voz, pero recuperó la firmeza. Ed estaba seguro de que si le ofrecía consuelo, lo apartaría de una bofetada.

—Hay normas, Grace. Puede que no te gusten, pero están ahí.

—Al diablo con las normas.

—Vale, tal vez hoy encontremos a otra mujer muerta y mañana a otra más. —Notó que la había impresionado e insistió—. Escribes unas novelas de detectives fabulosas, pero esto es real. Ben y yo vamos a hacer nuestro trabajo y tú te marcharás a casa. Puedo conseguir una orden de restricción contra ti. —Se calló mientras los ojos de ella lo desafiaban, en parte divertidos y en parte furiosos—. O puedo ponerte bajo custodia protectora. ¿Te gustaría?

—Bastardo.

La palabra sonó llena de odio, pero Ed supo que había ganado.

—Vuelve a casa y duerme un poco. Mejor aún, ve a mi casa. —Buscó en el bolsillo y le dio sus llaves—. Si no te cuidas, te derrumbarás. Y eso no le servirá a nadie.

—No pienso quedarme sentada sin hacer nada.

—No; vas a comer, a dormir y esperar a que yo vuelva. Si hay algo nuevo que contar, te lo contaré.

Cogió al vuelo las llaves que él le lanzó.

—¿Y si mata a alguien más?

Era una pregunta que Ed llevaba haciéndose desde las dos de la madrugada.

—Lo encontraremos.

Grace asintió porque siempre había creído que el bien vencía al mal.

—Cuando lo hagáis, quiero ver a ese cabrón. Cara a cara.

—Ya hablaremos de eso. ¿Quieres que te lleve alguien a casa?

—Aún puedo conducir un coche. —Abrió el bolso y guardó las llaves de Ed—. Esperaré, Ed Jackson, pero no soy una mujer paciente.

Mientras caminaban, él le acarició la barbilla. Grace había recuperado el color, era el primer color de verdad que Ed veía en su cara. Pero no lo reconfortó.

—Duerme un poco —murmuró antes de abrir la puerta del coche.

Cuando entraron en la minúscula oficina de Fantasy, Eileen estaba al teléfono. Alzó la vista sin dar muestras de sorpresa y siguió hablando. Ni siquiera se alteró cuando Ben arrojó una orden de registro sobre la mesa. Finalizada la llamada, cogió el documento y lo leyó de cabo a rabo.

—Parece correcto.

—Anoche perdió a otra empleada, señora Cawfield.

Ella lo miró y luego clavó los ojos en la orden de registro.

—Lo sé.

—Entonces también sabrá que el vínculo es usted. Su negocio es la única relación entre Mary y Kathleen.

—Sé que da esa impresión. —Cogió el documento y lo dobló cuidadosamente—. Pero no creo que sea así. Ya se lo expliqué, éste no es un negocio de porno en directo. Mi empresa es limpia y está bien organizada. —Había un brillo de pánico en sus ojos. Ed lo percibió, aunque su voz sonaba tranquila y razonable—. Me especialicé en gestión de empresas en Smith y mi marido es abogado. No somos delincuentes. Proporcionamos un servicio: conversación. Si yo me considerara responsable, mínimamente responsable de las muertes de esas dos mujeres…

—Señora Cawfield, sólo hay un responsable: el hombre que las mató. —Eileen miró a Ed con gratitud, y él aprovechó la ventaja—. Una mujer llamó para denunciar un alboroto en casa de Mary Grice anoche. No era una vecina, señora Cawfield.

—No, no lo era. ¿Me invita? —pidió al ver que Ben sacaba un cigarrillo—. Lo dejé hace dos años. —Sonrió mientras él le daba fuego—. Al menos eso cree mi marido. Es partidario de la vida sana, ¿saben? Prologar la vida, mejorar los hábitos. No puedo decirles lo mucho que he llegado a detestar los brotes de alfalfa.

—La llamada, Eileen —insistió Ben.

Ella dio una calada al cigarrillo y exhaló el humo en una nube precipitada y nerviosa.

—Había un cliente hablando con Mary cuando… cuando fue atacada. La oyó gritar y ruidos de lucha, y llamó aquí. Mi cuñada no sabía qué hacer, así que me llamó. En cuanto me lo explicó, telefoneé a la policía. —El teléfono sonó a su lado, pero no le hizo caso—. El cliente no podía haberlo hecho. No sabía adónde dirigirse ni quién tenía problemas. Forma parte de la protección.

—Necesitamos el nombre del cliente, señora Cawfield.

Hizo un gesto de asentimiento y apagó el cigarrillo.

—Debo rogarles que sean discretos. No se trata sólo de que pierda mi negocio, lo cual seguramente ocurrirá, sino de que no quiero traicionar la confidencialidad.

Ben miró el teléfono cuando empezó a sonar otra vez.

—Las cosas se van al diablo cuando hay un asesinato de por medio.

Eileen se puso al ordenador sin decir palabra.

—Es de última generación —explicó cuando la impresora empezó a zumbar—. Quería el mejor equipo. —Cogió el teléfono y atendió la llamada.

Cuando colgó, movió la silla, sacó los papeles y se los entregó a Ed.

—El caballero que hablaba con Mary anoche era Lawrence Markowitz. Naturalmente, no tengo su dirección; sólo su número de teléfono y el de su American Express.

—Ya nos ocuparemos nosotros —dijo Ed.

—Eso espero. Y hacedlo pronto.

Cuando salían, volvió a sonar el teléfono.

No tardaron mucho en encontrar a Lawrence K. Markowitz. Era un contable de treinta y siete años, divorciado y autónomo. Trabajaba en su casa de Potomac, Maryland.

—¡Joder, fíjate en esas casas! —Ben aminoró la marcha y asomó la cabeza por la ventanilla—. ¿Sabes lo que valen las casas por aquí? Rondan el medio millón de pavos. Los jardineros de esa gente ganan más que nosotros.

Ed mordió una pipa de girasol.

—Prefiero mi casa. Tiene más carácter.

—¿Más carácter? —bufó Ben metiendo la cabeza dentro del coche—. Los impuestos que pagan aquí son más altos que tu hipoteca.

—El valor monetario de una casa no la convierte en un hogar.

—Sí, claro, sólo te falta bordar un cojín. Fíjate en ésa. Debe de tener cuatro mil metros.

Ed se fijó, pero no le impresionó el tamaño de la casa; la arquitectura era demasiado moderna para su gusto.

—No creí que te interesara tanto la propiedad inmobiliaria.

—No me interesa. Bueno, antes no me interesaba. —Ben se acercó a un macizo de polvorientas azaleas rosa pálido—. Supongo que la doctora y yo querremos tener una casa tarde o temprano. Ella podría acostumbrarse —murmuró—. Yo no. Seguramente hay una ordenanza sobre la coordinación

de los colores de la basura. Médicos, abogados y contables.
—E hijas de senadores, pensó, con la mente puesta en la sobria elegancia de su esposa.

—Y nada de hierbajos –lo pinchó Ed.

—Me gustan los hierbajos. Ya llegamos. —Detuvo el coche ante una casa de dos pisos en forma de H con puertas francesas—. La desgravación de impuestos debe de resultar muy beneficiosa.

—Los contables son como los policías —dijo Ed mientras guardaba su bolsa de pipas—. Siempre se necesitan.

El camino era de subida y Ben puso el freno de mano. Habría preferido encajar un par de piedras en las ruedas traseras, por si acaso, pero no vio ninguna por allí. Había tres puertas, y se decidieron por la del medio. Les abrió una mujer de mediana edad con un vestido gris y un delantal blanco.

—Nos gustaría ver al señor Markowitz, por favor. —Ed mostró su placa.

—El señor Markowitz está en su despacho. Les mostraré el camino.

El vestíbulo daba a una amplia sala decorada en blanco y negro. A Ed le resultó demasiado cruda, pero le gustaron las claraboyas. Tendría que poner alguna en su casa. Conducía a uno de los brazos de la H en el que había lámparas de globo, tumbonas de piel y una mujer sentada a una mesa de ébano.

—Señorita Bass, estos caballeros quieren ver al señor Markowitz.

—¿Tienen cita? —La mujer parecía agobiada. Tenía los pelos alborotados como si se los hubiera revuelto y estirado con los dedos. Se colocó el bolígrafo detrás de la oreja y empezó a buscar la agenda entre los papeles que cubrían la mesa. El teléfono no dejaba de sonar—. Lo siento, el señor Markowitz está muy ocupado. No puede atender a nuevos clientes.

Ben sacó la placa y se la puso delante de las narices.

—Oh. —Se aclaró la garganta y desenterró el intercomunicador—. Veré si está disponible. Señor Markowitz... —Ben y Ed oyeron extrañas interferencias—. Lo siento, señor Markowitz. Sí, señor, pero están aquí dos hombres. No, señor, aún no he pasado la cuenta Berlin. Señor Markowitz... señor Markowitz, son policías —explicó en voz muy baja, como si fuera un secreto—. Sí, señor, estoy segura. No, señor. De acuerdo.

Se apartó el flequillo de los ojos con un resoplido.

—El señor Markowitz los recibirá ahora. Es esa puerta. —Una vez cumplido su deber, se dedicó al teléfono—. Lawrence Markowitz y Asociados. ¿Sí?

Tal vez hubiera asociados, pero ellos no los vieron. Markowitz estaba solo en su despacho. Era un hombre flaco y calvo con dientes grandes y gafas gruesas. Su escritorio era negro, como la mesa de su secretaria, pero el doble de grande. Sobre ella se amontonaban expedientes, dos teléfonos, al menos una docena de lápices afilados y un par de calculadoras. Las cintas de papel se arrastraban por el suelo. Había un dispensador de agua en un rincón y delante de la ventana algo curioso: una gran jaula con un loro verde.

—Señor Markowitz. —Los dos detectives enseñaron su identificación.

—Sí, ¿qué puedo hacer por ustedes? —Se mesó el escaso pelo y se humedeció los labios. No le había mentido a Roxanne al hablarle de los dientes salidos—. Me temo que estoy abrumado de trabajo. Saben qué día es hoy, ¿verdad? Catorce de abril. Todo el mundo espera hasta el último minuto y luego quieren un milagro. Lo único que pido es un poco de consideración, un poco de organización. No puedo presentar las declaraciones de todos a la vez. ¡Conejos! ¡Pretenden que saque conejos del sombrero!

—Entiendo —afirmó Ben y preguntó—: ¿Catorce de abril?

—Yo la presenté el mes pasado —dijo Ed.

—Hiciste bien.

—Lo siento, caballeros, pero las nuevas leyes fiscales traen a todo el mundo de cabeza. Si trabajo las próximas veinticuatro horas sin parar, tal vez consiga acabar dentro del plazo. —Los dedos de Markowitz se movieron con nerviosismo sobre una calculadora.

—¡A la mierda los impuestos! —graznó el loro desde su jaula.

—Sí. —Ben se mesó los cabellos, procurando no arrancárselos—. Señor Markowitz, no hemos venido por cuestiones de impuestos. A propósito, ¿cuánto cobra por hacer una declaración?

—Hemos venido por Mary Grice —intervino Ed—. Usted la conocía por el nombre de Roxanne.

Markowitz pulsó la tecla de borrado en un movimiento reflejo y cogió un lápiz.

—Me temo que no sé de qué me hablan.

—Señor Markowitz, Mary Grice fue asesinada anoche. —Ed esperaba un sobresalto, pero el contable había tenido tiempo de leer el periódico—. Tenemos motivos para creer que estaba usted hablando con ella por teléfono en el momento del ataque.

—No conozco a nadie que se llame así.

—Usted conocía a Roxanne —afirmó Ben.

La palidez de Markowitz adquirió un matiz verdoso.

—No entiendo qué tiene que ver Roxanne con Mary Grice.

—Eran la misma mujer —explicó Ben, y se fijó en que Markowitz tragaba saliva.

Lo sabía. Se había dado cuenta al leer los titulares, pero no le había parecido real. Dos policías en su despacho a pleno día sí que convertían el asunto en real. Y muy personal.

—Llevo algunas de las mayores cuentas del área metropolitana. Varios de mis clientes están en el Congreso. No puedo permitirme un escándalo.

—Podemos citarlo oficialmente para que comparezca —amenazó Ed—. Si colabora, seremos discretos.

—Todo es por culpa de la presión a la que estoy sometido. —Markowitz se sacó las gafas y se frotó los ojos. Sin ellas parecía ciego e indefenso—. Durante meses la vida gira en torno al formulario 1099 y los planes de pensiones individuales. ¡Imagínenlo! Nadie quiere pagar. Tampoco es tan raro. La mayoría de mis clientes tienen ingresos de más de seis cifras. No quieren regalar el treinta y cinco por ciento o más al gobierno. Y pretenden que yo encuentre una solución.

—Un trabajo duro —admitió Ed y decidió probar una de las butacas—. No nos interesan sus motivos para recurrir a los servicios de Fantasy, señor Markowitz. Nos gustaría que nos contase qué ocurrió anoche mientras hablaba con Mary.

—Roxanne —corrigió Markowitz—. Prefiero pensar en ella como Roxanne. Tenía una voz preciosa y era muy... atrevida. No tengo mucho tiempo para las mujeres desde mi divorcio. Pero eso es una vieja historia. Entablé una excitante comunicación con Roxanne. Tres veces por semana. Hablaba con ella y luego me enfrentaba a los formularios de Hacienda.

—Anoche, señor Markowitz —le recordó Ed.

—Sí, anoche. No hablamos mucho. Estaba empezando a relajarme, ya me entienden. —Cogió un pañuelo y se enjugó la cara—. De repente se puso a hablar con otra persona, como si hubiera alguien en su habitación. Creo que dijo: «¿Quién eres?» o «¿Qué haces aquí?». Al principio creí que seguía hablando conmigo, así que respondí con un chiste o algo así. Luego pegó un chillido tremendo que casi me hizo soltar el auricular. Dijo: «Lawrence, Lawrence, ayúdame. Llama a la policía, llama a alguien.» —Tosió, como si repetir las palabras le irritase la garganta—. Todo fue muy desconcertante, pero le respondí que se tranquilizase. Entonces oí otra voz.

—¿Una voz de hombre? —Ed escribía en su libreta.

—Creo que sí. Era otra voz. Creo que dijo: «Esto te va a gustar.» La llamó por su nombre.

—¿Roxanne? —preguntó Ben.

—Sí. Oí que la llamaba Roxanne y oí… —Se cubrió la cara con el pañuelo—. Tienen que entenderlo. Soy una persona corriente. Las emociones y complicaciones de mi vida son mínimas. Tengo problemas de glucosa.

Ed le dedicó una mirada comprensiva.

—Cuéntenos qué oyó.

—Unos ruidos horribles. Resoplidos y golpetazos. Roxanne ya no gritaba, sólo resollaba y jadeaba. Así que colgué. No sabía qué hacer y colgué.

Se quitó el pañuelo de la cara, que estaba empapado de sudor.

—Pensé que a lo mejor era un montaje. Intenté convencerme de que se trataba de un montaje, pero no dejaban de producirse ruidos horribles. Seguía oyendo a Roxanne gritar y pedir que no le hicieran daño. Y la otra voz le respondía que ella quería que le hiciese daño, que nunca volvería a experimentar nada parecido. Creo, creo que él comentó que ella había dicho que quería sufrir. No estoy muy seguro. Disculpen.

Se levantó, se acercó al dispensador de agua y llenó un vaso de plástico haciendo burbujear el nivel de líquido. Lo bebió de un trago y lo llenó de nuevo.

—No sabía qué hacer. Me quedé pensando. Intenté ponerme a trabajar y olvidarlo. Como les he dicho, quería creer que era una broma. Pero no lo parecía. —Bebió el segundo vaso de agua—. Cuanto más tiempo pasaba ahí sentado, más me costaba creer que fuese una broma. Así que llamé a Fantasy. Le dije a la chica que me atendió que Roxanne tenía problemas, que me parecía que alguien la estaba matando. Colgué y… me puse a trabajar. ¿Qué otra cosa podía hacer? —Su mirada se movió entre Ed y Ben, sin posarse en ninguno—. Pensaba que Roxanne me llamaría más tarde para decirme que no había pasado nada, que sólo era una broma. Pero no llamó.

—¿La voz, la otra voz que oyó, tenía alguna peculiaridad? —Mientras tomaba notas, Ed advirtió que Markowitz estaba sudando—. ¿Un acento, un tono, una forma de hablar particular?

—No; sólo era una voz. Los gritos de Roxanne casi la tapaban. Si ni siquiera sé qué aspecto tenía ella, y tampoco quiero saberlo. Para ser sinceros, para mí no significaba más que… una cajera de supermercado. No era más que alguien a quien llamaba tres veces por semana para olvidarme del trabajo. —Evadirse de su mundo de papeles lo aliviaba. Se consideraba un hombre corriente y honesto. Hasta cierto punto lo era. Nadie pretende que su contable considere la honestidad un principio religioso—. A lo mejor tenía un novio celoso. Supongo que fue eso.

—¿Usted utilizaba algún nombre falso con ella? —preguntó Ben.

—No, sólo el mío. Me llamaba por mi nombre. No puedo contarles nada más. Hice todo lo que pude. No tenía obligación de avisar a Fantasy, ya lo saben —añadió con la voz alterada por las pretensiones de moralidad-. No estaba obligado a comprometerme.

—Agradecemos su colaboración. —Ben se levantó de la silla—. Tendrá que firmar una declaración en comisaría.

—Detective, si abandono esta silla antes de la medianoche de mañana, seré responsable de una docena de sanciones fiscales.

—¡Hazlo pronto! —advirtió el loro—. ¡Cúbrete el culo!

—Vaya el día dieciséis por la mañana. Pregunte por mí o por el detective Paris. Haremos todo lo posible por mantener su nombre al margen.

—Gracias. Pueden utilizar esa puerta. —Señaló una puerta lateral y cogió la calculadora. Pensaba haber cumplido con su deber de sobras.

—¿Es demasiado tarde para hacer una declaración de la renta complementaria? —preguntó Ben antes de salir.

—Nunca es demasiado tarde —respondió Markowitz y empezó a pulsar teclas.

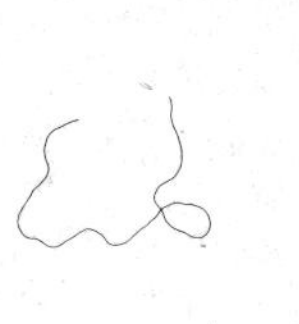

CAPITULO 9

Grace no sabía muy bien por qué había seguido el consejo de Ed y lo esperaba en su casa, en la de él. Tal vez le resultase más fácil pensar allí, sin las cosas de su hermana alrededor. Necesitaba mantenerse ocupada. Así se sentiría cómoda mientras repasaba sus opciones.

Estaba decidida a hablar personalmente con la dirección de Fantasy. A Grace se le daban muy bien las entrevistas. Con unas cuantas artimañas y florituras lograría hacerse con la lista de clientes. Y luego iría nombre por nombre. Si el asesino de su hermana era uno de ellos, lo encontraría.

¿Y después qué?

Después se guiaría por el instinto. Así era cómo escribía y cómo vivía. Y hasta el momento le había ido bien en todo.

La venganza formaba parte de sus motivaciones actuales. Nunca lo había sentido antes, y le pareció satisfactorio. Fortalecía su determinación. Pero seguir ese camino significaba quedarse en Washington. Podía trabajar allí, como en cualquier otro sitio, y Nueva York estaría a un tiro de piedra.

Si en cambio se marchaba, sería como entregar un libro inacabado a un editor. Nadie que no fuera G. B. McCabe iba a escribir el último capítulo. Por lo demás, no sería tan difícil. Sabía que el trabajo policial requería un buen cálculo del tiempo, tenacidad y meticulosidad. Y una pizca de suerte. Como escribir. Alguien como ella, que había tramado y resuelto tantos asesinatos, tenía que ser capaz de arrinconar a un asesino real.

Necesitaba la lista de clientes, los informes de la policía y tiempo para pensar. Aparte de eso, lo único que tenía que hacer era no alejarse de la consistente figura del detective Ed Jackson.

Seguía cavilando en su estrategia cuando oyó abrirse la puerta principal. No sería fácil convencerlo, pensó mientras se miraba en el espejo del cuarto de baño. Y le costaría más porque le gustaba. Se limpió la nariz y bajó las escaleras.

—Ya estás en casa. —Se detuvo al pie de la escalera y le sonrió—. ¿Qué tal el día?

—Normal. —Cambió de brazo una bolsa de comestibles. Grace llevaba los mismos vaqueros ceñidos y el jersey holgado de la mañana, pero ahora con manchas blancas—. ¿Qué diablos has estado haciendo?

—Empapelando tu cuarto de baño. —Se acercó a él y cogió la bolsa—. Queda fenomenal. Tienes mucho ojo para los colores.

—¿Has empapelado mi cuarto de baño?

—No te quejes. No he hecho nada malo, sólo empapelar. Eso sí, todo ha quedado patas arriba. Me parece justo que lo ordenes tú. —Le sonrió—. Ha sobrado medio rollo.

—Ya. Grace, te lo agradezco, pero empapelar requiere cierta habilidad. —Él lo sabía, se había pasado una semana leyendo cosas sobre el particular.

—Trazas una línea, mides, untas la cola y pegas. Tenías un par de libros de bricolaje por allí. —Miró el contenido de la bolsa, nada interesante—. Sube y echa un vistazo. Por cierto, me he comido las fresas.

—Muy bien. —Estaba calculando cuánto le habían costado el papel y la cola.

—Oh, el agua mineral está bien, pero podrías tener también refrescos.

Ed miró hacia arriba con miedo.

—No bebo refrescos.

—Yo sí, pero me tomé una cerveza. Ah, casi se me olvida, ha llamado tu madre.

Él se detuvo en mitad de la escalera.

—¿Sí?

—Sí. Es muy simpática. Y estaba encantada de conocerme. Espero que no te importe, pero no quería decepcionarla, así que le dije que éramos amantes y que estábamos pensando en hacerlo oficial antes de tener el niño.

Como Grace le sonreía con expresión maliciosa, Ed no supo si le tomaba el pelo y se limitó a sacudir la cabeza.

—Gracias. Te lo agradezco, Grace.

—De nada. Por cierto, tu hermana tiene novio nuevo. Abogado de empresa, con casa propia y una propiedad compartida en un sitio llamado Ocean City. Parece prometedor, ¿no?

—¡Caramba! —No se le ocurrió otra cosa.

—Y tu madre tiene doce ocho de tensión. ¿Quieres que te prepare algo de beber?

—Sí, por favor.

Grace fue a la cocina canturreando. Ed era adorable. Sacó una botella de vino blanco de la bolsa. También tenía buen gusto, pensó mientras leía la etiqueta. Luego cogió lo que parecía un manojo de espárragos; los olió y arrugó la nariz. Buen gusto, sí, pero no sabía muy bien de qué clase.

Encontró coliflor y cebolletas. Lo único que la convenció fue una bolsa de uvas sin pepitas. No dudó en abrirla.

—Ha quedado muy bien.

Grace tragó una uva y se volvió. Ed estaba en el umbral.

—El cuarto de baño. Ha quedado muy bien.

—Soy muy mañosa. —Cogió los espárragos—. ¿Qué haces con esto?

—Los cocino.

Grace se sentó.

—Me lo temía. No te he preguntado qué querías beber.

—Ya lo cojo yo. ¿Has descansado?

—Me encuentro bien. —Se fijó en que cogía una botella de zumo de manzana del frigorífico y apretó los labios—. He pensado mucho mientras empapelaba el cuarto de baño y charlaba con tu madre.

—¿Y qué has pensado? —Sirvió zumo en un vaso largo. Luego buscó en el armario, sacó una botella de vodka y añadió dos chorros.

—Ésa es una manera genial de tomar vitamina A.

—¿Te preparo uno?

—Mejor no. He estado pensando en quedarme en casa de Kathy una temporada para no perder el rastro.

Ed dejó el vaso. Quería que Grace se quedase, pero el policía que llevaba dentro sabía que era mejor que se fuese.

—¿Por qué?

—Tengo todavía que hablar con los abogados y el seguro. —Cosa que podía hacer fácilmente desde Nueva York, y él lo sabía. Grace se dio cuenta por su expresión; a aquel hombre no se le escapaba nada. Había sido una estupidez tratar de despistarlo, y además no le resultaba cómodo intentar engañarlo, lo cual era extraño: a ella nunca le había importado disfrazar la verdad—. De acuerdo, no es eso. El hecho es que no puedo irme sin saberlo todo. Kathy y yo no estábamos muy unidas. Siempre me ha costado admitirlo, pero es cierto. Quedarme aquí y encontrar a su asesino es algo que debo hacer por las dos. No puedo darle la espalda, no hasta que tenga todas las respuestas.

Él deseó no haberla entendido bien, por el bien de ambos.

—Encontrar al asesino de tu hermana no es tu trabajo, sino el mío.

—Para ti es un trabajo, sí, pero para mí una necesidad. ¿Comprendes?

—No se trata de lo que comprenda, sino de lo que sé.

Grace estrujó la bolsa de la compra vacía antes de que él pudiera quitársela para guardarla.

—¿Qué sabes?

—Los civiles no se pueden inmiscuir en las investigaciones, Grace. Complican las cosas y salen mal parados.

Grace rozo su labio superior con su lengua mientras se acercaba a él.

—¿Y qué te molesta más?

Tenía unos ojos asombrosos, de esos que un hombre puede contemplar durante horas. En aquel momento lo miraban con expresión expectante e inquisitiva. Oscilando entre la fascinación y la cautela, él le acarició la mejilla con un dedo.

—No lo sé. -Y atraído por aquellos labios, que se habían entreabierto, posó su boca sobre la de ella.

Fue exactamente la clase de beso que él esperaba que fuera. Y al extender los dedos por su cara, el tacto de su piel fue exactamente como él esperaba que fuese. Resultaba absurdo, Ed lo sabía. Grace pertenecía a Nueva York, a las luces rutilantes y las fiestas vertiginosas; él, a una ciudad pequeña donde se las veía con el delito y el crimen. Pero aun así, le parecía la mujer ideal.

Grace abrió los ojos lentamente cuando sus labios se separaron. Soltó un profundo suspiro y luego sonrió.

—Realmente me has impresionado. Podría convertirse en una costumbre. —Se apretó contra él y se acercó a su boca. Ed le puso las manos en las caderas y ella suspiró. Hacía mucho, muchísimo tiempo que no se abandonaba. Le rodeó el cuello con los brazos y notó, con gran satisfacción, cómo el corazón de Ed latía al compás del suyo—. ¿No vas a llevarme a la cama? —susurró.

Él empezó a besarle el cuello, buscando más. Sería muy fácil cogerla en brazos, llevarla a la cama y dejar que ocurriese, tal como había ocurrido con otras mujeres. Pero algo le dijo que con Grace no resultaría tan fácil. Con ella, no sería un revolcón casual entre las sábanas sin pensar en el día siguiente. La besó en la frente antes de soltarla.

—Voy a alimentarte.

—Oh. —Grace retrocedió. No solía ofrecerse a los hombres pues, aparte de la atracción sexual, pedía afecto y una confianza mutua. Pero por lo que recordaba, nunca nadie la había rechazado—. ¿Estás seguro?

—Sí.

—Muy bien. —Dio la vuelta y cogió la coliflor. Tal vez le produjera una satisfacción momentánea arrojársela a la cabeza, pero decidió abstenerse—. Si no te gusto, entonces no…

Ed la hizo girar en redondo y Grace pudo comprobar que chocar contra su pecho era como empotrarse contra una pared. Lo habría maldecido si él no hubiera estado besándola.

En esta ocasión no se mostró tierno y ella sintió las oleadas de la pasión y el abultado ardor subyacente. Grace se abandonó, dichosa y colmada. Al cabo de unos segundos sólo sentía la boca, las manos y el cuerpo de Ed restregándose contra el suyo, y su propia encendida respuesta.

Él la deseaba tanto que la hubiera tomado allí mismo, en la cocina. Pero quería algo más que excitación física, algo más que los fulgores del momento. Y necesitaba tiempo para adivinar qué era eso que quería.

—¿Crees que no me atraes? —susurró interrumpiendo el beso.

Grace, que estaba de puntillas, afirmó los pies respirando con dificultad.

—A lo mejor me equivoqué. —Se aclaró la garganta y se frotó los labios, calientes tras el vibrante beso—. ¿Sigo de pie?

—Eso parece.

—Vale. Estupendo. Deberíamos abrir la ventana para que salga el calor acumulado aquí dentro, ¿con qué piensas alimentarme?

Ed sonrió y le acarició el pelo.

—Con corazones de alcachofa rellenos a la bordelesa.

—¡Caramba! —exclamó ella tras una incrédula pausa—. No te lo has inventado, ¿verdad?

—Sólo tardaré media hora.

—No sé si podré esperar. —Mientras él reunía los ingredientes, Grace se sentó—. ¿Ed?

—Sí.

—¿Estás pensando en una relación duradera?

La miró por encima del hombro mientras lavaba las verduras bajo el grifo.

—Lo he pensado, sí.

—Bueno, si funciona me gustaría hacer un trato. Si una noche comemos alcachofas, a la siguiente quiero pizza.

—De masa integral.

Grace se levantó para coger un sacacorchos.

—Ya hablaremos de eso.

Ben se removió en el asiento del pasajero y esperó a que cambiase el semáforo. A su lado, Tess tamborileaba sobre el volante. Ella sabía que tenía razón, pero el problema era que no podía tener en cuenta únicamente sus sentimientos.

—Podría haber ido sola —dijo—. No vas a tener coche para volver.

—Ed me llevará.

El semáforo se puso en verde. Tess avanzó en medio del tráfico lento de la mañana.

—Siento que te disgustes. Procura entenderlo, no lo hago por impulso.

Ben, fastidiado, buscó otra emisora de radio.

—No me diste opción de opinar cuando te involucraste en el otro caso. Y al parecer, tampoco ahora tengo mucho que decir.

—Sabes que no es cierto. Lo que tú pienses es muy importante para mí.

—Entonces llévame al trabajo y vete a tu consulta. Olvídate de esto.

Tess permaneció medio minuto callada.

—De acuerdo.

—¿De acuerdo? —Ben se detuvo a punto de encender el mechero del coche—. ¿Así de fácil?

—Sí. —Se ajustó una horquilla que se le había aflojado en el pelo y giró en dirección a la comisaría.

Tras unos minutos en silencio, Ben preguntó:

—¿Sin discusiones?

—Ya discutimos anoche. No hay necesidad de repetirlo. —Tess entró en el aparcamiento y frenó—. Te veo esta noche. —Se inclinó y le dio un beso.

Ben le cogió la barbilla con la mano antes de que se apartase.

—Estás utilizando esa mierda de psicología inversa conmigo, ¿verdad?

Los ojos de Tess, violeta claro, lo miraron con dulzura.

—Claro que no.

—Detesto que lo hagas. —Se hundió en el asiento y se frotó la cara con las manos—. ¿Sabes cuánto me duele que te metas en esta parcela de mi vida?

—Y tú deberías saber cuánto me duele que me excluyas de una parcela de tu vida. Oh, Ben…

Tess le acarició la cabeza. Un año antes ni siquiera lo conocía, y ahora era el eje central de su vida. Su marido y el padre del hijo que iba a tener, pues le parecía que estaba embarazada. Pero seguía siendo psiquiatra. Había hecho un juramento, y no podía olvidar el temblor de los dedos de Grace en torno a la taza de café.

—A lo mejor puedo ayudarte a comprender la mente del asesino. Ya lo hice una vez.

—Y estuve a punto de perderte.

—Esto no es igual. No me involucro tanto. Ben, ¿crees que volverá a hacerlo? —Le cogió la mano antes de que él pudiese retirarla—. ¿Crees que volverá a matar?

—Sí. Todo lo indica.

—Pues salvar vidas es el trabajo de los dos, ¿no?

Ben contempló las paredes de ladrillo de la comisaría. Había tradición en ellas. Su tradición. No tenía nada que ver con ella.

—Prefiero que lo hagas en tu acogedora consulta del centro.

—Y yo prefiero que estés sentado a una mesa quejándote del papeleo, pero no puede ser así siempre. Ni para ti ni para mí. Ayudé una vez, y tengo la sensación de que también puedo hacerlo ahora. No se trata de un psicópata corriente. Lo sé a pesar de lo poco que me has contado. Está muy enfermo.

Ben se enfureció.

—No vas a dejarte la piel en esto.

—Voy a ayudarte a encontrarle. Después ya veremos.

—No puedo impedírtelo. —No soltaba la mano de Tess y sí, podía impedírselo—. No te lo impediré —corrigió—, pero quiero que pienses en tus propios casos, en la clínica y en tus pacientes privados.

—Conozco mi capacidad.

—Ya. —Aquello se le estaba haciendo interminable—. Si empiezas a retrasarte en tus cosas, se lo diré a tu abuelo y él te dará unos buenos azotes en el trasero.

—Estoy avisada. —Lo atrajo hacia sí—. Te quiero, Ben.

—¿De veras? ¿Por qué no me lo demuestras?

Los labios de Tess se posaron en los de su marido. En ese momento, Ed se acercó a la ventanilla.

—¿Acaso no conocéis los callejones de por aquí?

—Vete al diablo, Jackson.

Tess acarició la mejilla de Ben.

—Buenos días, Ed.

—Hola, Tess. No es habitual verte por aquí dos veces en la misma semana.

—Seguramente la verás aún más. —Ben se apeó—. La doctora nos va a ayudar en esto.

—¿De verdad? —No le costó percibir la tensión. Los conocía demasiado bien—. Bienvenida a bordo.

—Siempre estoy dispuesta a echar una mano a un par de funcionarios. —Bajó y le dio el brazo a Ed mientras caminaban hacia la comisaría—. ¿Cómo está Grace?

—Resistiendo. Se ha empeñado en quedarse aquí hasta que se resuelva el caso.

—Entiendo. Eso es bueno.

—¿Tú crees?

—Me parece que no tiene perfil de espectadora. Prefiere participar. Uno de los peores aspectos del dolor es la impotencia. Si puedes superarla, sales adelante; de lo contrario… —Esperó a que Ed le abriese la puerta—. Además, si regresa a Nueva York ¿cómo ibas a conquistarla?

Ben entró detrás de su esposa.

—La doctora te ha calado, Jackson. ¿No es una mujer estupenda? —añadió mientras jugueteaba con las monedas que llevaba en el bolsillo—. Tiene inteligencia, belleza y dinero. —Rodeó los hombros de Tess—. Me alegra ver que sigues mi ejemplo.

—Tess se fijó en ti porque tiene debilidad por las mentes perturbadas. —Entró en homicidios, aliviado de que el trabajo le sirviera para cambiar de tema.

Se sentaron en la sala de reuniones. Tess puso ante sí los expedientes de las dos víctimas. Había fotos, informes forenses y policiales. Aquel caso era más violento que el anterior en que había colaborado con el departamento, si es que podían establecerse grados de violencia en el asesinato. Veía el punto común tan claro como los oficiales a cargo de la investigación, pero también veía algo más, algo oscuro.

Leyó pacientemente la declaración de Eileen Cawfield y las notas del interrogatorio de Markowitz. Estudió el informe redactado por Ed la noche de la muerte de Kathleen Breezewood.

A Ben no le gustaba verla en aquel papel, enfrentada a los fragmentos y retazos de la parte más sucia del mundo. Le había costado aceptar su colaboración. Lógicamente no podía prohibírselo, pero lo ponía nervioso verla en el departamento.

Tess recorrió con un bonito y cuidado dedo el informe forense y a Ben se le encogió el estómago.

—Resulta significativo que los dos asesinatos se produjeran a la misma hora de la noche.

Harris se frotó el estómago. Le parecía más vacío cada día.

—Podemos aceptar que se trate de una pauta —dijo, y troceó un bollo de pasas; se ponían rancios enseguida. Se había convencido de que las calorías ingeridas en pequeñas dosis no contaban—. No he tenido ocasión de decirle lo mucho que el departamento agradece su colaboración, doctora Court.

—Estoy segura de que el departamento lo agradecerá aún más si logro ayudar en algo concreto. —Tess se quitó las gafas de lectura y se frotó los ojos—. Creo que en este punto de la investigación hemos de admitir que nos enfrentamos a alguien con capacidad para la violencia explosiva, una violencia de orientación sexual.

—La violación suele ser eso —observó Ben.

—La violación no es sólo un delito sexual, sino principalmente violento. El hecho de que las víctimas fueran asesinadas después del asalto no es raro. Un violador actúa por diferentes motivos: frustración, baja autoestima, odio a las mujeres, furia. La furia siempre es un factor. En los casos en que el violador conoce a la víctima, también existe una necesidad de dominio, de expresar la superioridad y la fuerza masculinas, de conseguir lo que cree que merece y se le está ofreciendo. Muchas veces, el violador piensa que la víctima se resiste o lo rechaza sólo para añadir emoción y que en el fondo quiere que la tomen violentamente.

Se puso las gafas otra vez y se reclinó en la silla.

—En ambos casos la violencia se limitó a una habitación en la que se encontraba la víctima. Y se utilizó la misma arma, el cable del teléfono. Seguramente el teléfono es su vínculo con las mujeres. Le prometieron algo a través del teléfono y acudió a buscarlo, no llamando al timbre sino irrumpiendo por la fuerza. Tal vez para sorprenderlas y aumentar la excitación. Creo que el primer asesinato fue un impulso, un acto reflejo. Kathleen Breezewood se resistió y le hizo daño física y mentalmente. No era la mujer que él había imaginado, o la mujer que había prometido ser. Tenía una relación con ella. Envió flores a su funeral, al de Desirée. Resulta esencial recordar que nunca conoció a Kathleen Breezewood, sino a Desirée. Nunca la vio, ni siquiera muerta, como la persona que era, sino como la imagen que se había creado de ella.

—Entonces ¿cómo diablos la encontró? —preguntó Ben a nadie en particular—. ¿Cómo oyó su voz al teléfono y fue directamente a su casa, a la mujer indicada?

—Ojalá lo supiera. —No cogió la mano de su marido, como habría hecho si hubiesen estado solos. Allí siempre habría cierta distancia entre ellos—. Sólo puedo decir que, en mi opinión, se trata de un hombre muy inteligente. En cierto modo es una persona lógica. Sigue una pauta, paso a paso.

—Y su primer paso es elegir una voz —murmuró Ed— y crear a su propietaria.

—Yo diría que eso es más bien el objetivo. Tiene una fantasía muy fértil. Y cree lo que se imagina. Dejó huellas en las escenas del crimen, pero no por descuido, sino porque se considera muy listo e invulnerable a la realidad, ya que vive en un mundo creado por él mismo. Vive de fantasías y seguramente cree que sus víctimas también.

—¿Significa eso que viola y mata a mujeres porque piensa que les gusta? —Ben sacó un cigarrillo. Tess percibió irritación en la voz de su marido y lo observó encender el pitillo.

—Simplificando, sí. Según lo que Markowitz declaró haber oído por teléfono, el hombre dijo: «Quieres que te haga daño.» Los violadores suelen racionalizar de esa forma. Un detalle importante: maniató a Mary, pero no a Kathleen. Los informes indican que Kathleen Breezewood ofrecía una fantasía sexual más normal que la de Mary Grice. En el discurso de Mary abundaban las ataduras y el sadismo. El asesino creyó darle lo que a ella le gustaba. Y seguramente la mató porque en el primer crimen descubrió un placer oscuro y psicótico en el vínculo entre sexo y muerte. Es muy probable que crea que sus víctimas obtuvieron el mismo placer. Kathleen fue un impulso, Mary una reconstrucción. —Miró a Ben. Tal vez no estuviese contento, pero la escuchaba—. ¿Qué te sugiere la hora de los asesinatos?

—¿Debería sugerirme algo?

Tess sonrió. ¡Y era él quien la acusaba de responder a una pregunta con otra!

—Los dos se produjeron a primera hora de la noche, una especie de pauta. Me pregunto si está casado o si vive con alguien que lo espera en casa a una hora determinada.

Ben contempló el ascua de su cigarrillo.

—A lo mejor le gusta acabar pronto.

—Sí, puede ser.

—Tess. —Ed sumergió una bolsita de té en una taza de agua caliente—. Se da por sentado que un voyeur o un pervertido no van más allá de sus manías. ¿Qué tiene este tipo de diferente?

—Que no es un mero observador, sino que participa. Esas mujeres habían hablado con él. En su caso no existe la misma distancia, real o emocional, que en el caso de alguien que utiliza prismáticos para espiar el apartamento de enfrente. Tampoco existe el anonimato de una llamada hecha al azar. Él conocía a esas mujeres. No a Kathleen y a Mary, sino a Desirée y a Roxanne. Sólo he tenido un paciente relacionado con un caso de violación.

—Por desgracia, el punto de vista de la víctima no interesa, doctora Court —señaló Harris.

—Traté al violador, no a la víctima. —Tess se quitó las gafas y jugueteó con ellas—. No forzó sexualmente a la chica sólo por su propia satisfacción, sino porque creía que era lo que ella esperaba de él. Estaba convencido de que la mujer quería que él tomase la iniciativa, y de que si no lo hacía, ella lo consideraría menos hombre. Al violarla, no sólo obtuvo placer sexual, sino también una sensación de poder. En mi opinión, el hombre que buscan disfruta de la misma sensación. Mata a esas mujeres no sólo para que no puedan identificarlo, sino porque el asesinato es el poder definitivo. Seguramente procede de un ambiente en el que no ha podido ejercer el poder, en el que las figuras de autoridad de su vida eran, o son, muy fuertes. Ha estado reprimido sexualmente y ahora se dedica a experimentar.

Tess abrió otra vez las carpetas.

—Sus víctimas son tipos de mujer muy diferentes, tanto en personalidad como físicamente. Podría tratarse de una coincidencia, pero es más probable que sea algo buscado de antemano. Lo único que esas mujeres tenían en común era el sexo y el teléfono. Utilizó ambas cosas contra ellas de la forma más violenta y terminante. Su próxima elección será seguramente muy distinta.

—Preferiría que no tuviésemos ocasión de comprobar esa hipótesis. —Harris partió otro trocito del bollo de pasas—. ¿No cabe esperar que se detenga, que abandone de repente?

—No lo creo. —Tess cerró las carpetas y las dejó sobre la mesa de Harris—. Aquí no hay remordimiento ni angustia.

La tarjeta de pésame no ponía «Lo siento» o «Perdóname», sino «Nunca te olvidaré». Planea cuidadosamente sus movimientos. No asalta a una mujer cualquiera en la calle y la arrastra a un callejón o un coche. Tened muy claro que las conoce o cree conocerlas, y se apropia de algo que considera suyo. Es un producto de la sociedad actual, en la que coges el teléfono y pides cualquier cosa, desde pizza a pornografía. Con sólo apretar un botón lo consigues, es algo a lo que tienes derecho. Es una curiosa mezcla de tecnología y tendencias sociópatas. A él le parece muy lógico.

—Disculpen. —Lowenstein se asomó por la puerta—. Hemos hecho las comprobaciones de las tarjetas de crédito. —Ante un gesto de Harris, entregó los papeles a Ed—. No hay coincidencias.

—¿Ninguna? —Ben se levantó y miró por encima del hombro de Ed.

—Cero. Buscamos coincidencias en los números, nombres, direcciones, posibles alias o trucos. Nada.

—Estilos diferentes —murmuró Ed, pensativo.

—Entonces, estamos como al principio —suspiró Ben.

—Tal vez no. Tenemos el rastro de las flores. Fue un pedido telefónico a la floristería Bloom Town. El número de la MasterCard pertenece a un tal Patrick R. Morgan. Aquí está la dirección.

—¿Aparece en estas listas? —preguntó Ed, consultando las hojas.

—No, pero aún estamos comprobando otras listas.

—Vamos a hacerle una visita. —Ben consultó su reloj—. ¿Tienes su dirección?

—Sí, el Capitolio. Morgan es congresista.

El representante político se encontraba ese día en su renovada casa de Georgetown. La mujer que abrió la puerta parecía enfadada e impaciente y llevaba un montón de carpetas.

—¿Sí? —fue lo único que dijo.

—Nos gustaría ver al congresista Morgan. —Ed atisbó el interior de la casa y reparó en el revestimiento de caoba del vestíbulo. Caoba de verdad.

—Lo siento, el congresista no puede atenderlos. Si desean una cita, llamen a su oficina.

Ben sacó su placa.

—Asunto oficial, señora.

—Como si fuera el mismo Dios —repuso ella sin mirar apenas la identificación—. No puede atenderlos. Inténtenlo en su oficina la semana que viene.

Para evitar que les cerrara la puerta en las narices, Ed adelantó un hombro.

—Me temo que debemos insistir. Podemos hablar con él aquí o en la comisaría. —A pesar de la corpulencia de Ed, la mujer pretendió empujarlo.

—Margaret, ¿qué diablos ocurre? —A la pregunta siguió un par de estornudos, y el congresista Morgan apareció en el vestíbulo. Era un hombre bajo y moreno, de unos cincuenta años. Se le veía pálido, tenía los ojos enrojecidos y llevaba una bata.

—Estos hombres insisten en verle, señor, y ya les he dicho…

—Muy bien, Margaret. —A pesar de todo, Morgan esbozó una ancha sonrisa de político—. Lo siento, caballeros, pero como pueden ver no estoy en plena forma.

—Lo sentimos, congresista. —Ben mostró su placa de nuevo—. Pero es importante.

—Entiendo. Pasen, pero les recomiendo que se mantengan a distancia. Seguro que les contagio.

Los condujo hasta un salón decorado en azul y gris adornado con dibujos de la ciudad enmarcados.

—Margaret, deja de vigilar a estos oficiales de policía y despacha esos expedientes.

—Tendrá una recaída —predijo ella, pero se retiró con aire obediente.

—Las secretarias son peores que las esposas. Siéntense, caballeros. Disculpen que me siente aquí. —Se acomodó en un sillón con un chal de angora sobre las rodillas—. Gripe —explicó mientras cogía un pañuelo de papel—. Fuerte como un toro todo el invierno y cuando las flores empiezan a asomar, caigo con gripe.

Ed ocupó con cautela una butaca a un metro de distancia.

—La gente se cuida más en invierno. —Se fijó en la tetera y la jarra de zumo. Al menos estaba tomando líquidos—. Intentaremos no robarle demasiado tiempo.

—Siempre tengo a gala colaborar con la policía. Al fin y al cabo estamos en el mismo bando. —Estornudó ruidosamente en un pañuelo.

—Salud —dijo Ed.

—Gracias. ¿Qué puedo hacer por ustedes?

—¿Tiene alguna relación con un negocio que se llama Fantasy Incorporated? —Ben hizo la pregunta con tono indiferente, pero atento a la reacción de Morgan.

—¿Fantasy? No —respondió tras pensar un momento—. No me suena de nada —añadió con aparente inocencia mientras arreglaba un cojín—. ¿Debería sonarme?

—Sexo telefónico. —Ed pensó un instante en los gérmenes desperdigados por el aire. Ser policía tenía sus riesgos.

—Ah. —Morgan se quedo parado, pero reaccionó enseguida—. Sin duda es un tema de debate. No obstante, el asunto atañe más a la Comisión Federal de Comunicaciones y a los tribunales que a un congresista. Al menos de momento.

—¿Conoce a Kathleen Breezewood, congresista Morgan?

—Breezewood, Breezewood. —Morgan estiró el labio mientras miraba a Ben—. El nombre no me resulta familiar.

—¿Desirée?

—No. —Sonrió de nuevo—. Un hombre no olvida un nombre como ése.

Ed sacó su libreta y la abrió como si fuera a comprobar algo.

—Si no conocía a la señora Breezewood, ¿por qué envió flores a su funeral?

—¿Se las envié? —Morgan pareció desconcertado—. Sin duda no se trataba de una amistad íntima, pero se envían flores por diversas razones, en su mayoría políticas. Mi secretaria se encarga de esas cosas. ¡Margaret! —llamó a gritos, y a continuación sufrió un acceso de tos.

—Exagerado —murmuró Margaret al entrar en el salón—. Bébase el té y deje de gritar.

Él la obedeció con gesto sumiso, según le pareció a Ed.

—Margaret, ¿conoce a Kathleen Breezewood?

—¿Se refiere a la mujer asesinada hace unos días?

El acaloramiento que le había producido la tos desapareció del rostro de Morgan, que miró a Ed.

—¿Es ella?

—Sí, señor.

—¿Le enviamos flores, Margaret?

—¿Por qué? —Jugueteó con su falda—. Usted no la conocía.

—La floristería Bloom Towers recibió un pedido de flores para su funeral que se pagaron con su número de tarjeta MasterCard. —Ed consultó su libreta y recitó el número.

—¿Ése es mi número? —preguntó Morgan a su secretaria.

—Sí, pero yo no pedí flores. Además, tenemos cuenta con la floristería Lorimar. No trabajamos con Bloom Town. Hace dos semanas que no encargo flores. Las últimas fueron para la mujer de Parson cuando tuvo el niño. —Miró a Ben con gesto tozudo—. Está en el diario.

—Kathleen Breezewood fue asesinada la noche del diez de abril. —Ed esperó a que Morgan estornudase en otro pañuelo—. ¿Puede decirnos dónde estaba ese día entre las ocho y las once?

—El diez de abril. —Morgan se frotó los ojos con los dedos—. Creo que fue la noche de la cena para recaudar fondos en el Shoreham. Estamos en año electoral, como saben. Acababa de pillar esta horrible gripe y recuerdo que fui arrastrándome. Me acompañó mi esposa. Estuvimos allí desde las siete hasta... pasadas las diez, creo. Volvimos a casa directamente. Por la mañana tenía un desayuno de trabajo.

—En el diario no hay ningún envío de flores desde lo del hijo de los Parson. —Margaret entró con aires de suficiencia y entregó el voluminoso libro a Ben—. Me corresponde a mí saber dónde y cuándo hay que enviar flores.

—Congresista Morgan —dijo Ed—, ¿quién más tiene acceso a su tarjeta de crédito?

—Margaret, naturalmente. Y mi esposa, aunque tiene la suya.

—¿Sus hijos?

Morgan se puso rígido, pero respondió:

—Mis hijos no necesitan tarjetas de crédito. Mi hija sólo tiene quince años y mi hijo cursa el último año en la academia preuniversitaria St. James. Los dos reciben una asignación y han de contar con nuestra aprobación para las compras importantes. Evidentemente, el empleado de la floristería se equivocó al anotar el número.

—Es posible —murmuró Ed, pero dudaba que el empleado se hubiese equivocado también con el nombre—. Nos sería de gran ayuda que nos dijera dónde estaba su hijo la noche del diez.

—Esto no lo tolero. —Morgan se incorporó, olvidándose de la gripe.

—Congresista, tenemos dos asesinatos. —Ben cerró el diario—. No estamos en situación de andarnos con delicadezas.

—Comprenderán que no tengo por qué responder. Sin embargo, para acabar con esto, colaboraré.

—Se lo agradecemos —dijo Ben.

—Esa noche mi hijo tenía una cita. —Morgan cogió la jarra de zumo y se sirvió un vaso—. Sale con la hija del senador Fielding, Julia. Creo que esa noche fueron al Kennedy Center. Michael estaba en casa a las once. Tenía clase.

—¿Y anoche? —preguntó Ben.

—Anoche Michael estuvo en casa todo el tiempo. Jugamos al ajedrez hasta pasadas las diez.

Ed anotó las dos coartadas.

—¿Alguien más de su personal tiene acceso al número de su tarjeta?

—No. —Tanto su paciencia como sus ganas de colaborar se habían agotado—. Sencillamente, alguien cometió un error. Y ahora, si me disculpan, no puedo decirles nada más.

—Gracias por recibirnos. —Ed se levantó y guardó su libreta. Cuando llegase a comisaría tomaría una dosis extra de vitamina C—. Si se le ocurre algún motivo para que cargasen las flores en su cuenta, comuníquenoslo.

Margaret los despidió, encantada de que se fueran. Cuando la puerta se cerró tras ellos con un sonoro golpe, Ben metió las manos en los bolsillos.

—Mi instinto me dice que el tipo está limpio.

—Sí. Será fácil comprobar la cena de recaudación de fondos, pero primero voto por la hija del senador.

—Estoy de acuerdo.

Se dirigieron al coche. A pesar de las protestas de Ben, Ed ocupó el asiento del conductor.

—Me preocupa una cosa que dijo Tess.

—¿Qué?

—Que puedes coger el teléfono y pedir lo que sea. Yo lo hago continuamente.

—¿Pizza o pornografía? —preguntó Ben, pensativo.

—Placas de escayola. El mes pasado pedí unas cuantas y tuve que dar mi número de tarjeta antes de que me las enviasen. ¿Cuántas veces le has dado a alguien tu número de tarjeta por teléfono? Lo único que necesitas es el número y el nombre, no la tarjeta en sí, ni una identificación, ni ninguna firma.

—Ya. —Ben ocupó su asiento resoplando—. Supongo que eso estrecha el campo a unos doscientos mil tipos.

Ed arrancó el coche.

—Siempre nos queda la esperanza de la hija del senador.

CAPITULO 10

Mary Beth Morrison había nacido para ser madre. A los seis años tenía una colección de muñecas a las que daba de comer, cambiaba y mimaba. Algunas andaban y otras hablaban, pero su corazón pertenecía a una muñeca de trapo con ojos de botones y un brazo roto.

A diferencia de otras niñas, nunca evitaba las tareas domésticas que sus padres le imponían. Le encantaba lavar y abrillantar el suelo. Tenía una tabla de planchar pequeñita, una cocina en miniatura y su propio juego de té. A los diez años amasaba mejor que su madre.

Su única ambición consistía en tener un hogar y una familia propia a la que cuidar. En los sueños de Mary Beth no había lugar para las salas de juntas y los maletines. Quería una cerca blanca delante de su casa y un cochecito de bebé.

Mary Beth creía firmemente que las personas deberían hacer lo que mejor supiesen hacer. Su hermana había estudiado Derecho y trabajaba en un prestigioso despacho de abogados de Chicago. Mary Beth estaba orgullosa de ella y admiraba su vestuario, su franca defensa de la ley y los hombres que giraban en torno a su vida. Beth no era envidiosa. Recortaba vales de descuento, hacía galletas con el fin de recaudar fondos para la Asociación de Padres y Maestros y participaba activamente en las campañas a favor de la igualdad de salarios, aunque nunca había formado parte de lo que se considera propiamente mano de obra.

A los diecinueve años se casó con su amor de toda la vida, un chico al que había elegido cuando ambos iban a la escuela elemental. Él no tuvo alternativa. Mary Beth fue atenta, paciente, comprensiva y siempre lo apoyó. No con astucia, sino con sinceridad. Se enamoró de John Morrison cuando dos bravucones le pegaron en el patio y le rompieron un diente. Tras veinticinco años de amistad, doce de matrimonio y cuatro hijos, seguía adorándolo.

El mundo de Mary Beth giraba en torno a su hogar y su familia, a tal punto que incluso sus intereses externos tenían que ver con aquello. Muchas personas, entre ellas su hermana, creían que su mundo era muy pequeño. Mary Beth se limitaba a sonreír y preparar otro bizcocho. Era feliz y lo hacía todo muy bien. Tenía lo que consideraba la mayor recompensa: el amor de su marido y sus hijos. No necesitaba la aprobación de su hermana ni de nadie más.

Se mantenía en forma más para agradar a su marido que por sí misma. A punto de cumplir treinta y dos años, era una mujer esbelta y encantadora, sin una arruga en la piel y de ojos castaño claro. Comprendía y simpatizaba con las mujeres que se sentían atrapadas en el papel de amas de casa. A ella, le habría pasado lo mismo en una oficina. Cuando tenía tiempo colaboraba con la Asociación de Padres y Maestros y con la Sociedad Americana para la Erradicación de la Crueldad contra los Animales. Aparte de su familia, su pasión eran los animales. También ellos necesitaban cuidados.

Era una criadora nata y estaba considerando la posibilidad de tener otro hijo antes de dar ese aspecto por concluido.

Su marido la adoraba. Aunque Mary Beth dejaba la mayor parte de las decisiones en sus manos, o eso parecía, no era una mosquita muerta. Habían tenido sus discusiones, y cuando se trataba de un asunto importante, ella se obstinaba hasta salirse con la suya. El asunto de Fantasy Incorporated había sido muy importante.

John sostenía sin problemas a la familia, pero de vez en cuando Mary Beth trabajaba a tiempo parcial para complementar y reforzar los ingresos. Había obtenido un permiso para cuidar niños durante el día y, con el dinero obtenido, la familia pudo disfrutar de diez días de vacaciones en Florida y Disneylandia. Las fotos del viaje se guardaban en un álbum azul con la etiqueta «Las vacaciones de nuestra familia».

Mary Beth había vendido revistas por teléfono. Aunque su relajante voz le había permitido vender bastantes, no quedó satisfecha. Se había criado en un ambiente en el que se sabía apreciar el valor del tiempo y el dinero, y le pareció que la recompensa económica no compensaba el tiempo empleado.

Quería tener otro hijo y establecer un fondo para los estudios de los cuatro hijos con que Dios la había bendecido. El sueldo de su marido como capataz en una empresa de construcción estaba bien, pero no permitía muchos extras. Tropezó con Fantasy en una de las revistas de su marido. La idea de que le pagasen por hablar la fascinaba.

Tardó tres semanas en lograr que la oposición terminante de John se convirtiese en una postura escéptica. Una semana después, el escepticismo se convirtió en aceptación a regañadientes. Mary Beth era hábil con las palabras e iba a obtener ingresos de ese talento.

John y ella acordaron dedicar un año a Fantasy. En ese tiempo Mary Beth pensaba ganar diez mil dólares, suficientes para unos ahorrillos destinados al fondo de estudios y, si la suerte los acompañaba, para pagar los honorarios del ginecólogo.

Mary Beth llevaba cuatro meses trabajando para Fantasy y casi había alcanzado la mitad de su objetivo. Era una de las chicas más solicitadas.

No le importaba hablar de sexo. Al fin y al cabo, como le había explicado a su marido, no se podía ser una mojigata después de doce años de matrimonio y cuatro hijos. John había llegado al extremo de divertirse con el nuevo trabajo de su mujer. De vez en cuando él mismo llamaba, para darle a Mary Beth ocasión de practicar. Se hacía pasar por Stud Brewster y la hacía reír.

Tal vez por su instinto maternal o por su visión realista de los hombres y sus problemas, la mayoría de sus llamadas tenían menos relación con el sexo que con la comprensión. Sus clientes habituales solían hablarle de sus frustraciones laborales o del agobio de la vida familiar, y recibían consuelo. Ella nunca parecía aburrida, como las esposas o las amantes, nunca criticaba, y cuando la ocasión lo requería, ofrecía un consejo de sentido común como los que ofrecen los consultorios sentimentales de la tele, con el extra del incentivo sexual.

Mary Beth se convertía en hermana, madre o amante, lo que el cliente quisiese. Ellos quedaban satisfechos, y Mary Beth pensaba que ya iba siendo hora de abandonar los anticonceptivos y quedarse en estado.

Voluntariosa y sencilla, creía que la mayoría de los problemas se podían solucionar con tiempo, buenas intenciones y galletas de chocolate caseras. Pero nunca había conocido a nadie como Jerald.

Y él la escuchaba. Noche tras noche oía su voz, y encontraba en ella una ternura sosegante. Estaba a punto de enamorarse y casi tan obsesionado como con Desirée. A Roxanne la había olvidado, para él sólo había sido una especie de cobaya. En cambio, en la voz de Mary Beth había bondad genuina, así como anticuada solidez en su nombre, que ella conservaba porque le resultaba más fácil que jugar a cambiarlo. Los hombres creían en lo que Mary Beth decía. Sus promesas eran firmes.

Además, Mary Beth tenía un estilo completamente diferente. Jerald creía en ella. Y, por supuesto, quería conocerla personalmente para demostrarle su agradecimiento.

La escuchaba cada día. Y urdía planes.

Grace estaba cansada de callejones sin salida y de tener paciencia. Había pasado más de una semana desde el segundo asesinato, y si había progresos en la investigación, Ed no los compartía con ella. En cierto modo lo entendía. Era un hombre generoso y compasivo, pero no dejaba de ser un policía que se regía por las reglas del departamento y por las propias. Grace respetaba su disciplina, aunque la frustraba su discreción. Cuando estaba con él se sentía tranquila, pero cuando se quedaba sola no hacía más que pensar. Y también empezó a urdir planes.

Concertó citas. Sus breves reuniones con el abogado de Kathleen y con el detective que había contratado no arrojaron ninguna luz, ni le dijeron nada que ella no supiera. Esperaba encontrar información que apuntase a Jonathan, pues en el fondo seguía considerándolo culpable, aunque reconocía que sólo era una corazonada. Era una mujer obstinada y le costaba ceder, pero al final admitió que tal vez Jonathan fuese responsable del estado mental de Kathleen, pero no la había matado.

Su hermana estaba muerta y ella debía seguir otras pistas si quería desenmascarar al culpable. La más obvia la condujo a Fantasy Incorporated.

Grace encontró a Eileen en su puesto habitual. Cuando entró, Eileen cerró el talonario que estaba examinando y sonrió. Un cigarrillo se consumía en un cenicero junto a su codo. En los últimos días, Eileen había dejado de fingir que no fumaba.

—Buenas tardes. ¿En qué puedo ayudarla?

—Soy Grace McCabe.

Eileen tardó un momento en atar cabos. Grace llevaba un holgado jersey rojo, pantalones negros ceñidos y botas de piel de serpiente. No se parecía a la hermana apenada que aparecía en las fotografías de los periódicos.

—Sí, señorita McCabe. Sentimos mucho lo de Kathleen.

—Gracias. —Vio que Eileen contraía los dedos, como preparándose para repeler una agresión. Tal vez fuera mejor ponerla nerviosa y en guardia. Grace no tenía escrúpulos a la hora de suscitar culpabilidad—. Parece que su empresa sirvió de catalizador para el ataque contra mi hermana.

—Señorita McCabe. —Eileen cogió el cigarrillo y le dio una calada rápida y nerviosa—. Me siento muy mal, fatal, por lo ocurrido, pero no soy responsable.

—¿No? —Grace sonrió y se sentó—. Entonces tampoco es responsable de lo que le pasó a Mary Grice. ¿Podría tomar un café?

—Sí, por supuesto.

Eileen se levantó y entró en una minúscula trastienda. No se sentía nada bien y en aquel momento deseó haber aceptado la sugerencia de su marido de tomarse unas breves vacaciones en las Bermudas.

—Seguro que sabe que estamos colaborando con la policía. Todo el mundo quiere atrapar a ese malnacido.

—Sí, y yo por motivos obvios. Sin leche —añadió y esperó a que Eileen le sirviese un tazón rebosante—. Ya se da cuenta de que esto me afecta más a mí que a usted o la policía. Necesito respuestas.

—No sé qué puedo decirle. —Eileen ocupó su sitio detrás de la mesa y cogió el cigarrillo—. Le he contado absolutamente todo a la policía. No conocía bien a su hermana. Sólo la vi cuando vino aquí a hacer la entrevista. El resto se hacía por teléfono.

No, desde luego que no conocía a Kathleen, pensó Grace. Tal vez nadie la había conocido.

—El teléfono —repitió Grace, reclinándose en la silla—. Supongo que se puede decir que el teléfono es el alma de este asunto. Sé cómo funciona su negocio. Kathleen me lo explicó, así que no hay necesidad de entrar en detalles. Dígame, ¿alguno clientes suelen pasarse por aquí?

—Por supuesto que no. —A Eileen le dolía la cabeza desde que había leído lo de Mary Grice en los periódicos—. No damos nuestra dirección a ningún cliente. Naturalmente, podrían encontrarnos, pero no hay motivos para que lo hagan. Y las candidatas a un puesto de trabajo son sometidas a un filtro antes de realizarles la entrevista personal. Somos muy cuidadosos, señorita McCabe. Quiero que eso quede claro.

—¿Llamó alguien para preguntar cosas sobre Kathy... sobre Desirée?

—No. Y si hubieran llamado, no habríamos respondido a ninguna pregunta. Perdón —se apresuró a decir cuando sonó el teléfono.

Grace tomó un sorbo de café y escuchó a medias la conversación. ¿Por qué había ido allí? Debería haber sabido que se enteraría de muy poco, en caso de que se enterase de algo, que no supiese ya la policía. Algún detalle pasado por alto, alguna nimiedad. Se movía a ciegas. Pero la clave estaba allí, en aquella oficina diminuta y sin pretensiones. Y ella tenía que encontrarla.

—Lo siento, señor Peterson, Jezebel no atiende llamadas hoy. ¿Le gustaría hablar con otra persona? —Mientras hablaba, Eileen pulsó unas cuantas teclas y miró la pantalla—. Si ha pensando en algo concreto... Entiendo. Creo que le gustará hablar con Magda. Sí, estará encantada de ayudarlo. Me encargaré.

Cuando colgó, Eileen miró a Grace con nerviosismo.

—Lo siento, esto me va a llevar unos minutos. Ojalá pudiese ayudarla, pero...

—No se preocupe. Esperaré a que termine. —Grace bebió otro sorbo de café. Acababa de ocurrirle una idea. Sonrió a Eileen cuando finalizó la gestión y preguntó—. Dígame, ¿qué hay que hacer para trabajar con ustedes?

Ed no estaba del mejor humor cuando llegó a su casa. Había pasado horas pateándose los juzgados y esperando para testificar sobre un crimen que había investigado dos años antes. Ed nunca había dudado de la culpabilidad del acusado. Había pruebas, un móvil y la oportunidad de cometer el delito. Ben y él habían cerrado el caso y se lo habían pasado al fiscal del distrito.

Aunque la prensa se había ocupado mucho del asunto en su momento, había sido una investigación muy sencilla. Un hombre había matado a su esposa, a su esposa rica ya entrada en años, y lo había revuelto todo para simular un robo. El primer jurado había deliberado menos de seis horas antes de pronunciar un veredicto de culpabilidad. La ley decía que el acusado tenía derecho a apelar, y la justicia dio largas al asunto. Dos años después, el hombre que había segado la vida de su mujer a la que había prometido amar, respetar y cuidar, aparecía como víctima de las circunstancias.

Ed sabía que aquel tipo tenía muchas posibilidades de salvarse. En días como ése se preguntaba por qué se molestaba en coger su placa cada mañana. Soportaba el papeleo burocrático sin apenas una queja, arriesgaba su vida para proteger a la gente, se pasaba horas y horas de vigilancia en lo más crudo del invierno o en pleno verano. Todo eso formaba parte de su trabajo, de acuerdo, pero cada vez le costaba más aceptar las trampas y triquiñuelas que se urdían en los tribunales.

Iba a pasar el resto de la tarde aplicando escayola, midiendo, cortando y dando martillazos para olvidar que, por mucho que se esmerase en su trabajo, casi siempre perdía todo lo que lograba.

Afortunadamente, unos nubarrones cercanos anunciaban una tarde lluviosa. Sus plantas necesitaban la lluvia, tanto en casa como en la pequeña parcela que cultivaba en un jardín comunal a tres kilómetros de allí. El fin de semana esperaba tener tiempo para echar un vistazo a sus calabacines. Al salir del coche, oyó el zumbido de un cortacésped. Aguzó la vista y vio a Grace haciendo un surco delante de la casa de su hermana.

Era preciosa. Cada vez que la veía, se alegraba con sólo mirarla. La leve brisa que empujaba las nubes agitaba su cabello, que ondeaba erráticamente en torno a su cara.

Llevaba unos auriculares conectados a un *walkman* cogido en la cintura de sus vaqueros.

Ed había pensado ocuparse del césped de Grace, pero en aquel momento se alegró de no haber tenido ocasión. Así podía contemplarla mientras se distraía trabajando. Imaginaba cómo sería llegar a casa todos los días y encontrarla esperándolo.

El nudo de ira y frustración que lo había atenazado todo el día se aflojó. Se acercó a ella.

Grace, en cuyos oídos resonaban los viejos éxitos de Chuck Berry, dio un sobre salto cuando Ed le tocó el hombro. Al verlo sonrió, sosteniendo el cortacésped con una mano y llevándose la otra al corazón. Los labios de Ed se movieron mientras *Maybelline* resonaba en la cabeza de Grace. Su sonrisa se tornó burlona. La impresionaba mirarlo, hallarse ante aquellos ojos benévolos y tiernos que iluminaban un rostro fuerte. Grace pensó que habría sido un perfecto montañés solitario, viviendo de la tierra. Y los indios confiarían en él porque sus ojos no mentían.

Tal vez debiera atreverse con una novela histórica, algo del Oeste con una partida de hombres duros y un sheriff de barba pelirroja apegado a su caballo y su infalible rifle.

Tras unos momentos, Ed le quitó los auriculares y los dejó colgando de su cuello. Grace le acarició la barba.

—¡Hola! ¡No me he enterado de nada de lo que has dicho!

—¡Ya me he dado cuenta! ¡No deberías poner esa cosa a semejante volumen! ¡Es malo para los oídos!

—¡El rock no suena bien si se pone bajo! -Buscó el aparato sobre su cadera y lo apagó—. ¡Llegas pronto a casa!

—¡Qué va!

Ambos estaban gritando para hacerse oír por encima del rugido del cortacésped. Ed se dio cuenta y paro la maquina.

—No conseguirás acabar antes de que llueva.

—¿Lluvia? —Grace miró el cielo, sorprendida—. ¿Cuándo?

Ed rió y las horas que había pasado en los tribunales se borraron en un santiamén.

—¿Te abstraes siempre de lo que ocurre a tu alrededor?

—Lo más posible. —Miró el cielo otra vez y el césped aún sin cortar—. Bueno, lo acabaré mañana.

—Puedo encargarme yo.

—Gracias, pero tú ya tienes bastante que hacer. Será mejor que guarde esto.

—Te ayudo.

Como parecía muy dispuesto, Grace le cedió el cortacésped.

—Hoy he conocido a la señora Ida —comentó mientras llevaban la achacosa máquina a la parte de atrás de la casa.

—¿La vecina de la segunda puerta más allá?

—Supongo. Debió de verme y se presentó. Olía a gato.

—No me sorprende.

—Quería decirme que tiene muy buenas vibraciones con respecto a mí. —Grace cogió una lona para cubrir el cortacésped, que Ed dejó junto a la esquina de la casa—. Se preguntaba si yo había estado en la batalla de Shilob.

—¿Y qué le dijiste?

—No quise decepcionarla. —Tras colocar la lona, flexionó los hombros—. Le conté que una bala yanqui me había herido en una pierna y que aún hoy cojeo de vez en cuando. Quedó satisfecha. ¿Tienes planes para esta noche?

Ed estaba aprendiendo a coordinar sus pensamientos con los de ella.

—Escayola.

—¿Escayola? Oh, esa cosa asquerosa, ¿no? ¿Puedo echarte una mano?

—Si quieres.

—¿Tienes comida de verdad?

—Seguramente desenterraré algo.

Grace, al acordarse de los espárragos, lo interpretó al pie de la letra.

—Espera un minuto. —Entró en la casa cuando empezaban a caer las primeras gotas y salió con una bolsa de patatas fritas—. Raciones de emergencia. ¡Corre!

Sin darle tiempo a reaccionar, Grace empezó a correr y saltó la valla ágilmente. Él la alcanzó a menos de tres metros de la puerta trasera de su casa y la cogió en brazos. Sin dejar de reír, Grace le dio un beso rápido—. Tienes pies veloces, Ed Jackson.

—Practico persiguiendo a los malos.

Bajo la lluvia, la besó en la boca. Fue algo dulce, y mucho más dulce aún cuando la oyó suspirar. Grace tenía el rostro mojado. Frío y mojado. Le parecía que no pesaba nada, y podría haberla tenido horas en brazos. Ella se estremeció cuando Ed la apretó contra su cuerpo.

—Nos estamos mojando. —Corrió hacia la puerta y la dejó en el suelo para sacar las llaves.

Grace entró, sacudiéndose como el perro de la casa.

—Está cálida. Me gusta la lluvia cálida. —Se mesó el pelo con las dos manos, pero no logró arreglar el salvaje desorden que tan bien le sentaba—. Sé que te vas a enfadar, pero esperaba que trajeras noticias.

No se enfadó porque lo esperaba.

—Avanzamos lentamente, Grace. La única pista que teníamos acabó en un callejón sin salida.

—¿Estás seguro de que la coartada del chico del congresista se sostiene?

—Como una roca. —Puso la tetera al fuego—. La noche que mataron a tu hermana estaba en medio de la primera fila del Kennedy Center. Tenía el resguardo de las entradas, la palabra de su novia y una docena de testigos que lo vieron allí.

—A lo mejor se escabulló.

—No tuvo tiempo. Hubo un intermedio a las nueve y cuarto y el chico fue al vestíbulo a tomar una limonada. Lo siento.

Grace sacudió la cabeza, se apoyó en la encimera y sacó un cigarrillo.

—¿Sabes qué es lo más horrible? Que deseo que el chico sea culpable, que su coartada se derrumba y lo detengan. Y ni siquiera lo conozco.

—Es humano. Sólo quieres que la pesadilla acabe de una vez.

—No sé lo que quiero. —Suspiró, incómoda con el aire de lamento y fragilidad que transmitía—. También quería culpar a Jonathan porque lo conozco, porque él... no importa. —Encendió el mechero—. Así pues, no fue ninguno de ellos.

—Lo encontraremos, Grace.

Ella lo miró mientras la tetera silbaba.

—Lo sé. No creo que pudiera seguir adelante con las cosas cotidianas si no supiera que al final lo atraparéis. —Dio una larga calada al cigarrillo. Estaba pensando en algo más, algo que no se podía soslayar—. Aún no se ha acabado, ¿verdad?

Ed cogió dos tazas.

—Es difícil saberlo.

—No, no lo es. Sé franco conmigo, Ed. No me gusta que me protejan.

Él quería protegerla, no sólo porque era su vocación, sino porque se trataba de ella. Pero como se trataba de ella, no había protección posible.

—No creo que se haya acabado —admitió

Grace asintió y señaló la tetera.

—Será mejor que la saques antes de que el agua desborda.

Mientras él se ocupaba de servir el té, Grace pensó en lo que había hecho ese día. Debería contárselo. El aguijón de su conciencia se mostraba implacable y no la dejaba ignorarlo. Decidió que se lo contaría, pero cuando fuera demasiado tarde para que él hiciese algo al respecto.

Se acercó al frigorífico para husmear un poco.

—Supongo que no tienes perritos calientes.

Ed la miró con tanta preocupación que Grace se mordió el labio.

—No querrás comer esas cosas, ¿verdad?

—Qué va. —Cerró el frigorífico y buscó mantequilla de cacahuete.

Trabajaban bien juntos. Grace se acabó casi todas las patatas mientras probaba su habilidad con un martillo. Antes había discutido con Ed, cuya idea de que ella ayudase consistía en sentarla en una silla de espectadora. Al final había cedido, pero sin dejar de vigilarla. No tanto porque temiese que fuera a hacerlo mal, aunque en parte lo pensaba, sino porque le preocupaba que pudiese lastimarse. Al cabo de una hora se dio cuenta de que, cuando Grace se metía en serio en algo, lo hacía como una profesional. Había sido un poco descuidada con el pegamento de las juntas, pero ya lo lijaría él. No le importaba el tiempo extra que tuviese que dedicar a eso. Tal vez fuese una tontería, pero estar con ella lo hacía trabajar más rápido.

—Esta habitación va a quedar fenomenal. —Grace se frotó la barbilla con el dorso de la mano—. Me gusta la forma de L que le has dado. Todos los dormitorios civilizados deberían tener una salita.

Ed quería que le gustase. Mentalmente veía la habitación terminada, con las cortinas en las ventanas. Visillos azules retirados para que entrase el sol. Veía la estancia sin dificultad, igual que veía a Grace en ella.

—Estoy pensando en poner un par de claraboyas.

—No me digas. —Se acercó a la cama, se sentó y miró hacia arriba—. Tumbado aquí verías las estrellas, o la lluvia en una noche como ésta. —Sería precioso, pensó contemplando el techo sin rematar. Resultaría maravilloso dormir, hacer el amor bajo una claraboya—. Si alguna vez decides trasladarte a Nueva York, ganarías una fortuna reformando *lofts*.

—¿Lo echas de menos? —Para no embobarse mirándola, Ed se dedicó a pegar una juntura.

—¿Nueva York? A veces. —Menos de lo que había pensado, en realidad—. ¿Sabes lo que quedaría bien? Un asiento bajo una ventana. —Desde la cama señaló la ventana oeste—. Cuando era pequeña siempre pensaba en lo fabuloso que sería tener un asiento así para acurrucarme y soñar. -Se levantó y flexionó los brazos. Resultaba curioso lo rápido que se resentían los músculos que no se utilizaban—. Pasaba casi todo el tiempo escondida en la buhardilla, soñando.

—¿Siempre quisiste escribir?

Grace volvió al cubo del pegamento.

—Me gustaba mentir. —Se rió y extendió la pastosa mezcla sobre un clavo—. No grandes mentiras, sino mentiras inteligentes. Evitaba problemas inventando historias, y los adultos se divertían tanto que solían perdonarme. A Kathleen la ponía furiosa. —Hizo una pausa. No quería recordar los viejos tiempos—. ¿Qué canción es ésa?

—Es Patsy Cline.

Grace escuchó un instante. No era la música que ella habría elegido, pero sonaba agradable.

—¿No hicieron una película sobre ella? –preguntó-. Creo que sí. Murió en un accidente de aviación en los años sesenta. —Escuchó de nuevo. La canción sonaba llena de energía, vital. Grace no supo si le daba ganas de sonreír o de llorar—. Supongo que también quería escribir por otra razón. Para dejar algo detrás. Una historia es como una canción. Perdura. Creo que he pensando más en eso últimamente. ¿Piensas alguna vez en eso, en dejar algo detrás?

—Claro. —También él lo había pensado últimamente, pero de otra manera—. Tataranietos.

Grace soltó una carcajada y el pegamento se derramó sobre los puños de su jersey, pero no se molestó en limpiarlo.

—Qué bonito. Supongo que piensas así porque tienes una familia grande.

—¿Cómo sabes que tengo una familia grande?

—Tu madre lo comentó. Dos hermanos y una hermana. Tus dos hermanos están casados, aunque Tom y... —tuvo que hacer memoria— y Scott son más jóvenes que tú. Tienes tres sobrinos. Eso me recuerda al pato Donald y sus sobrinos, sin ánimo de ofender.

Ed sacudió la cabeza.

—¿No se te olvida nada?

—Nada. Tu madre quiere tener una nieta, pero nadie se anima. Sigue esperando que abandones la policía para trabajar en la empresa de construcción de tu tío.

Ed, de pronto incómodo, empezó a dar martillazos en el remate de una esquina.

—Por lo visto hablasteis de todo.

—Me estaba poniendo a prueba, ¿recuerdas? —Ed se ruborizó un poco y a Grace le dieron ganas de abrazarlo—. A la gente le encanta contarme los detalles íntimos de su vida. No sé por qué.

—Porque sabes escuchar.

Grace sonrió, aceptando el cumplido.

—¿Por qué no te dedicas a hacer apartamentos con tu tío? Te gusta la construcción.

—Me relaja. —Como lo relajaba la canción de Merle Haggard que sonaba en la radio—. Si lo hiciera todo el día y todos los días, me aburriría.

Grace se mordió la lengua mientras vertía pegamento en una junta.

—Hablas con una escritora que sabe lo aburrido que puede ser el trabajo policial –dijo.

—Es un puzzle. ¿De niña no hacías esos rompecabezas grandes de veinticinco mil piezas?

—Sí, claro. Y al cabo de dos horas hacía trampas. Todos se ponían como locos cuando veían que había roto una pieza para que encajase.

—Yo dedicaba días a completarlos, sin perder el interés. Empezaba de fuera adentro. Cuantas más piezas colocas, más detalles ves; y cuantos más detalles, más te acercas al cuadro completo.

Grace reflexionó un momento.

—¿Nunca quisiste ir directo al centro del asunto y mandar los detalles al cuerno?

—No. Si lo haces, siempre te quedan cabos sueltos, la pieza difícil de encajar que cierra el conjunto y le da sentido. —Martilló el último clavo y retrocedió para ver si había quedado bien—. Produce una tremenda satisfacción colocar la última pieza y ver el cuadro completo. Respecto al tipo que perseguimos... aún no tenemos todas las piezas, pero las tendremos. Cuando eso ocurra, las barajaremos hasta que todo encaje.

—¿Y siempre encaja?

Ed la miró. Ella tenía la cara manchada de pegamento y una expresión muy seria. Él le limpió la mejilla con la mano.

—Tarde o temprano. —Dejó las herramientas y cogió la cara de Grace—. Confía en mí.

—Ya lo hago. —Ojos amables, manos fuertes. Se acercó. Necesitaba algo más que consuelo—. Ed... —Cerró los ojos con gesto de frustración al oír que llamaban a la puerta—. Parece que tenemos compañía.

—Sí. Con un poco de suerte me libraré de ellos en cinco minutos.

Grace arqueó las cejas, halagada por el tono de Ed.

—Detective, podría ser su día de suerte. —Lo cogió de la mano y bajaron la escalera juntos.

En cuanto Ed abrió la puerta, Ben empujó a Tess para que entrase.

—¡Por Dios, Ed! Podríamos habernos ahogado. ¿Qué estabas...? —Reparó en Grace—. Ah, hola.

—Hola. Tranquilo, estábamos colocando escayola. Tess, me alegro de verte. No tuve ocasión de darte las gracias.

—De nada. —Tess se puso de puntillas y le dio un beso a Ed—. Lo siento, Ed. Le advertí a Ben que debíamos llamar primero.

—No hay problema. Sentaos.

—Claro, saca un cajón. —Ben sentó a su esposa en un cajón de embalaje y alzó una botella de vino—. Tienes copas, ¿verdad?

Ed cogió la botella y arqueó las cejas.

—¿Qué se celebra? Generalmente traes un lote de cerveza o directamente coges las mías.

—Es un detalle de nuestra parte, ya que te vamos a convertir en padrino. —Ben cogió la mano de Tess—. Dentro de siete meses, una semana y tres días. Más o menos.

—¿Un hijo¿ ¿Vais a tener un hijo? —Ed rodeó a Ben con un brazo y lo estrechó—. ¡Estupendo! compañero. —Tomó la mano libre de Tess como si fuera a controlarle el pulso—. ¿Te encuentras bien?

—De maravilla. Ben casi se desmaya, pero yo estoy de maravilla.

—No me desmayé. A lo mejor me quedé mudo un par de minutos, pero no me desmayé. Voy por las copas. Vigila que siga sentada, ¿quieres? —le dijo a Ed.

—Te ayudo. —Grace cogió la botella que llevaba Ed y siguió a Ben a la cocina—. Debes de estar en la gloria.

—Creo que aún no lo he asimilado. Una familia. —Empezó a rebuscar en los armarios mientras Grace se ocupaba del sacacorchos—. Nunca pensé en tener una familia. Pero de pronto apareció Tess y todo cambió.

Grace contempló la botella mientras la descorchaba.

—Es curioso cómo la familia lo centra todo.

—Ya. —Tras sacar las copas, apoyó una mano en el hombro de Grace—. ¿Cómo lo llevas?

—Mejor, mejor en líneas generales. Lo más duro es asimilar que nunca volveré a verla.

—Sé cómo te sientes. De verdad —dijo al percibir su reticencia—. Perdí a mi hermano.

Ella sacó el corcho y miró a Ben. También en sus ojos había bondad. Era más vehemente que Ed, más impaciente y espinoso, pero transmitía bondad.

—¿Cómo lo sobrellevaste?

—Mal. Lo tenía todo, y yo lo admiraba. No coincidíamos siempre, pero estábamos muy unidos. Lo enviaron a Vietnam apenas salir del instituto.

—Lo siento. Debe de ser horrible perder a un ser querido en la guerra.

—No murió en Vietnam; allí sólo quedó lo mejor de él. —Ben cogió la botella y empezó a servir el vino. Curiosamente, después de tantos años, lo recordaba muy bien—. Cuando volvió parecía otro; retraído, amargado, a la deriva. Se volcó en las drogas para olvidar, para engañarse, pero no lo consiguió. —Ben se dio cuenta de que Grace pensaba en su hermana y en el surtido de bebidas alcohólicas que ésta tenía en la casa—. Cuesta mucho no culparlos por elegir el camino fácil.

—Sí, es cierto. ¿Qué le ocurrió?

—Al final no lo soportó y se suicidó.

—Lo siento mucho. —Las lágrimas afloraron a sus ojos, las primeras que derramaba en varios días—. No quiero llorar.

—Ya. —La entendía muy bien—. Pero a veces te sientes mejor después.

—Todos dicen que lo comprenden, pero no es verdad —musitó ella. Ben la abrazó—. No sabes lo que es perder una parte de ti hasta que ocurre. No puedes hacer nada para prepararte, y tampoco después, cuando ya te has ocupado de los pormenores. Eso es lo peor, no poder hacer nada. ¿Cuánto… cuánto tardaste en superarlo?

—Te lo diré cuando lo consiga.

Grace asintió y apoyó la cabeza en su hombro.

—¿La única salida es seguir adelante?

—Sí. Después de un tiempo ya no piensas en ello todos los días. Luego suele ocurrir algo, como cuando Tess apareció en mi vida. Y entonces sigues adelante. No olvidas, pero sigues adelante.

Ella se enjugó las lágrimas de las mejillas.

—Gracias.

—¿Crees que volverás a ser la de antes?

—Tarde o temprano. —Respiró hondo y se obligó a sonreír—. Más bien temprano, supongo. Volvamos a la sala. Esta noche tenemos que celebrar la vida.

CAPITULO 11

Mary Beth Morrison estudiaba el presupuesto mensual mientras oía a sus dos hijos mayores discutir por un juego de mesa. Eran puro nervio, pensó, mientras trataba de averiguar en qué se había excedido con los gastos de comida.

—Jonas, si te vas a poner así cada vez que Lori ocupe tu país, no deberías jugar.

—Hace trampas —se quejó Jonas—. Siempre hace trampas.

—No es cierto.

—Sí es cierto.

Si Mary Beth no hubiera estado empeñada en ver cómo ahorrar cien dólares más al mes, habría dejado que la discusión siguiese.

—Será mejor que os olvidéis del juego y vayáis a vuestras habitaciones. —El suave comentario tuvo el efecto deseado: los dos niños se calmaron y siguieron discutiendo entre susurros.

La pequeña de la familia, Pat *la Repipi*, como la llamaban los otros niños, se acercó para que su madre le colocase el lazo en el pelo. Con sólo cinco años, Patricia era toda una señorita. Mary Beth dejó a un lado las cuentas y se ocupó del lazo. Su hijo de seis años estaba haciendo todo lo posible por provocar otra batalla entre sus hijos mayores, que se disputaban el control del mundo. Al poco rato Jonas y Lori lo echaron. La televisión sonaba a todo volumen y el nuevo gatito estaba muy ocupado metiéndose con *Binky*, el cocker spaniel de la familia. En resumen, una típica noche de viernes en casa de los Morrison.

—Creo que he arreglado el Chevrolet. Sólo necesitaba una puesta a punto. —John entró en la sala limpiándose las manos con un paño de cocina.

Mary Beth recordó que le había advertido que no desperdigase los paños de cocina por toda la casa y alzó la cara para que la besase. En las mejillas de John se percibía el aroma de la loción para el afeitado que le había regalado por su cumpleaños.

—Eres mi héroe. Temía que, el coche, nos dejara tirados el domingo, de camino a la feria del pan.

—Ahora no lo hará. Cállate, Jonas. —Sin dejar de hablar, cogió a Pat en brazos—. ¿Por qué no lo probamos en la carretera?

A Mary Beth le resultó tentadora la idea de salir de casa una hora y tal vez parar a tomar un helado o hacer un recorrido con los niños por un campo de golf. Pero volvió a mirar las cuentas.

—Tengo que resolver esto para hacer un depósito en el cajero automático a primera hora de la mañana.

—Pareces cansada. —John besó a Pat en la mejilla y la dejó en el suelo.

—Sólo un poco.

Él miró las facturas y los números.

—Puedo echarte una mano.

Ella siguió haciendo cuentas sin alzar la vista.

—Gracias, pero la última vez que me ayudaste tardé seis meses en deshacer el entuerto.

—Pero bueno. —La despeinó—. Me ofendería si no fuera verdad. Jonas, estás tentando la suerte.

—Se toma los juegos demasiado en serio —murmuró Mary Beth—. Como su padre.

—Los juegos son serios. —Se inclinó y le susurró al oído—: ¿Quieres jugar?

Mary Beth soltó una risita. Hacía veinte años que lo conocía y aún se le aceleraba el pulso.

—A este paso acabaré a medianoche.

—¿Ayudaría si me llevo los niños un rato?

Ella sonrió.

—Me lees el pensamiento. Si tuviera una hora de paz y silencio, vería de dónde sacar el dinero para los neumáticos nuevos.

—Hecho —repuso John, y se inclinó para besarla. Jonas puso los ojos en blanco. Sus padres siempre se estaban haciendo carantoñas—. Hazte un favor y sácate las lentillas. Las has tenido puestas demasiado tiempo.

—Tienes razón. Gracias por velar por mi cordura.

—Me gustas loca. —La besó otra vez y levantó las manos—. A los que les apetezca una vuelta en coche y un helado con caramelo, que se presenten en el garaje dentro de dos minutos.

De inmediato se produjo una estampida. Piezas de juego dispersas, zapatos que no aparecían, *Binky* ladrando hasta que el gato lo echó de la sala. Mary Beth le recordó a Jonas que se peinase. Él no lo hizo, pero lo que contaba era la intención.

Al cabo de diez minutos la casa quedó vacía. Mary Beth se sentó de nuevo a la mesa y disfrutó del silencio unos instantes. La casa necesitaba una limpieza general, pero de momento no pensaba mirar el lío que los niños habían dejado detrás.

Tenía todo lo que deseaba: un marido cariñoso, unos hijos que la hacían rabiar y reír, una casa con personalidad y, al parecer, un Chevrolet que no fallaba. Se inclinó sobre el libro de cuentas y se puso a trabajar.

Media hora después recordó el consejo de John sobre las lentillas. Habían sido un capricho personal. Odiaba las gafas, siempre las había odiado desde las primeras que tuvo a los ocho años. En el instituto ya necesitaba unas de culo de botella y acabó por quitárselas y caminar a ciegas por los pasillos. Siempre había sabido lo que quería y cómo conseguirlo, así que en el verano de su primer curso en la universidad consiguió un trabajo y logró comprarse unas lentillas. Desde entonces se había acostumbrado a ponerlas al levantarse y a quitarlas al acostarse.

Al cabo de unas horas de leer o estudiar le dolían los ojos, por eso solía quitarse las lentillas y acabar el trabajo con la nariz pegada a la página. Subió al piso de arriba quejándose y se las sacó.

Mary Beth era muy concienzuda en todo. Limpió las lentillas y las dejó en su solución líquida. A Pat le gustaba revolver los cajones del tocador en busca de pintalabios, así que colocó el estuche de las lentillas en el estante superior del botiquín. Se acercó al espejo del baño y pensó en retocarse el maquillaje. John y ella no habían tenido tiempo de hacer el amor en los últimos días. Pero esa noche, si conseguían acostar todos los niños a la vez…

Cogió el pintalabios con una sonrisa. El perro empezó a ladrar, pero no le hizo caso. Si tenía una urgencia, sería mejor que controlase la vejiga un minuto.

Jerald abrió la puerta del garaje que daba a la cocina. Hacía días que no se sentía tan bien. Aquella sensación de tener un pie sobre el abismo era lo que daba sentido a su vida. Debería haberlo comprendido antes. Se sentía como un semidiós griego, con un padre inmortal y una madre mortal. Heroico, implacable y bienaventurado. Así era él. Su padre era poderoso, omnisciente, intocable. Su madre, hermosa e imperfecta. Por eso, como hijo suyo, tenía tanto poder y tanto miedo al mismo tiempo. Una combinación increíble. Y por eso sentía tanta pena y tanto desprecio por los mortales corrientes. Caminaban ciegos por la vida, sin darse cuenta de lo cerca que estaba la muerte o de lo fácil que a él le resultaba precipitarla.

Pensó que cada día se parecía más a su padre: omnisciente, omnipotente. Pronto dejaría de depender del ordenador para encontrar el camino: lo sabría sin más.

Se relamió los labios y miró a través de la puerta entreabierta. No había contado con un perro. Lo vio en un rincón de la cocina, gruñendo. Naturalmente, tendría que matarlo. Sus ojos destellaron en la penumbra mientras lo pensaba. Le pareció una lástima no aprovechar al máximo el tiempo que tenía para experimentar. Abrió la puerta un poco más e iba a salir cuando la oyó.

—¡Por Dios bendito, *Binky*, ya basta! Por tu culpa se volverá a quejar el señor Carlyse. —Mary Beth avanzó más bien de memoria, pues no veía mucho, y se dirigió a la puerta de atrás—. Vamos, fuera.

Binky siguió en su rincón, mirando la puerta del garaje y ladrando.

—No tengo tiempo para majaderías. Tengo que cuadrar las cuentas. —Cogió al perro por el collar—. Fuera, *Binky*. Es increíble que te pongas así por un estúpido gatito. Tienes que acostumbrarte. —Arrastró al perro hasta la puerta y le dio un empujón. Luego se volvió, sonriendo.

Era tal como Jerald la había imaginado. Tierna, cálida, comprensiva. Y lo estaba esperando, incluso había echado al perro para que no los molestase. Estaba muy guapa con sus grandes ojos asustados y sus pechos redondos. Olía a madreselva. Jerald recordó cómo hablaba de hacer el amor lentamente en un prado. Al mirarla, casi vio los tréboles.

Quería abrazarla, hacerle todas las cosas dulces y maravillosas que ella le había prometido. Y después ofrecerle lo mejor, lo definitivo.

—¿Qué quiere? —Mary Beth apenas distinguió una sombra, pero bastó para encogerle el corazón.

—Todo lo que me has prometido, Mary Beth.

—No le conozco.

Tranquila, se ordenó a sí misma. Si era un ladrón, podía llevarse lo que le diera la gana. Le entregaría personalmente las copas de cristal de su abuela. Agradeció que los niños no estuviesen en casa. El año anterior habían robado a los Feldspar, y tardaron meses en resolver las cosas con el seguro. ¿Cuánto hacía que se había marchado John? Sus pensamientos se arremolinaban mientras intentaba dominarse.

—Sí que me conoces. Me has hablado, me has susurrado todas las noches. Lo entendías todo. Ahora estamos juntos por fin. —Se dirigió hacia ella. Mary Beth retrocedió hasta chocar con la encimera—. Voy a darte más de lo que nunca has imaginado. Sé cómo hacerlo.

—Mi marido está a punto de llegar.

Él siguió sonriendo, con ojos inexpresivos.

—Quiero que me desnudes como decías. —La cogió por el pelo, no para hacerle daño sino para mostrarse firme. A las mujeres les gustaba que los hombres fuesen firmes, sobre todo a las mujeres delicadas con voces suaves—. Y ahora, Mary Beth, quítate la ropa lentamente. Luego quiero que me toques, que me acaricies todo el cuerpo. Que me hagas esas cosas tan dulces, Mary Beth. Todas esas cosas dulces y agradables que sugerías.

Era sólo un niño, ¿o no? Mary Beth intentó enfocar su rostro, pero la habitación estaba a oscuras y su visión era borrosa.

—No puedo. No quiero hacerlo. Vete y... ¡Ay!

Jerald le tiró bruscamente del pelo y le puso la mano libre en la garganta. Mary Beth se encogió.

—Quieres que te convenza, ¿verdad? Muy bien. —Hablaba sin alterarse, pero estaba cada vez más excitado; la emoción crecía, se expandía, le atenazaba el corazón y oprimía sus pulmones—. Desirée también quería que la convenciera, y no me importó. Yo la amaba. Era perfecta. Creo que tú también lo eres, pero debo asegurarme. Te desnudaré y te tocaré. —Deslizó la mano de la garganta al pecho y Mary Beth lanzó un gritó—. ¡No! —Sus dedos la apretaron con crueldad y le cambió la voz, con un matiz quejumbroso más aterrador que si daba órdenes—. No quiero que grites, y te haré daño si lo haces. Me gustó oír gritar a Roxanne, pero a ti no. Ella era una fulana, ¿entiendes?

—Sí. —Habría dicho cualquier cosa que él quisiera oír—. Sí, lo entiendo.

—Pero tú no eres una fulana. Desirée y tú sois diferentes. Lo supe en cuanto te oí. —Se tranquilizó, aunque tenía una turgente erección y quería quitarse los pantalones—. Y ahora quiero que me hables mientras lo hago. Háblame, como hacías al teléfono.

—No sé a qué te refieres. —Mary Beth sintió náuseas cuando él se restregó contra ella. Dios, no podía ser. Aquello no estaba ocurriendo. Quería a John. Quería a sus hijos. Quería que aquello acabara—. No te conozco. Te equivocas de persona.

Él le metió la mano entre los muslos y disfrutó con su resistencia y sus gemidos. Estaba preparada, tierna, húmeda y preparada.

—Esta vez será diferente, sin prisas. Quiero que me enseñes cosas, que me hagas cosas, para que el momento culminante sea aún mejor que con las otras. Tócame, Mary Beth. Las otras no me tocaron.

Ella estaba llorando y se detestó por ello. Esta era su casa, su hogar, no permitiría que la violasen allí. Fingió ceder y dejó que aquel loco empezara a sobarla. Haciendo de tripas corazón, esperó su momento y cuando lo oyó gemir, en plena desesperación, le dio un rodillazo en el estómago y se escabulló. Pero él logró alcanzarla y retenerla con un horrible tirón de pelo justo cuando la mano de ella aferraba el picaporte. En ese momento fue consciente de que iba a matarla.

—¡Mentiste! ¡Eres una mentirosa y una puta como las otras! Así que te trataré como a ellas. —Casi sollozando, Jerald le dio una violenta bofetada y le partió el labio.

La conmocionó el sabor de su propia sangre.

No iba a morir de aquella forma, en su cocina. No iba a dejar solos a su marido y sus hijos. Se puso a gritar como una posesa y le arañó el rostro y, cuando él retrocedió sorprendido, consiguió abrir la puerta. Ella quería salvar la vida, y *Binky* quería ser un héroe.

El pequeño perro no vaciló e hincó los dientes en la pantorrilla del agresor de su ama. Aullando de rabia y dolor, Jerald lo apartó de una patada, pero al volverse se encontró ante la punta de un cuchillo de carnicero.

Binky se levantó y, empezó a gruñir.

—¡Puta! —le espetó Jerald retrocediendo hacia la puerta. Ninguna le había hecho daño antes, pero ahora le habían lastimado la cara y la pierna... La sangre caliente le empapaba la pierna. Lo pagaría. Todas lo pagarían—. ¡Putas mentirosas, no sois más que eso!... Sólo quería darte lo que pedías. Y sé que ibas a disfrutarlo... –En su voz había un dolor profundo que la hizo estremecerse. Parecía un niño malo a quien acababan de romperle su juguete favorito—. Iba a darte lo mejor, Mary Beth... pero tú no lo has querido. La próxima vez todas vais a sufrir mucho.

Cuando John regresó con los niños veinte minutos después, Mary Beth estaba sentada ante la mesa de la cocina con el cuchillo de carnicero en la mano, mirando la puerta de atrás.

—Vino para todos, menos para la futura madre. —Grace pasó las copas para que Ben los llenase—. Toma un poco de zumo, Tess. Dios sabe de qué será; Ed es impredecible.

—Papaya —murmuró el aludido mientras Tess olisqueaba su vaso con gesto dudoso.

—Brindemos. —Grace alzó su copa—. Por la renovación y la continuidad.

Entrechocaron las copas.

—¿Cuándo piensas amueblar la casa? —Ben se sentó en el borde de un cajón, al lado de Tess—. No puedes vivir eternamente en medio de una obra.

—Es cuestión de prioridades. Durante el fin de semana acabaré de aplicar escayola en el dormitorio. —Ed bebió un sorbo de vino mientras miraba a su compañero—. ¿Qué tienes que hacer mañana?

—Un montón de cosas —se apresuró a decir Ben—. Tengo que... limpiar el compartimiento de las verduras del frigorífico. No puedo dejar que Tess cargue con todo el trabajo de la casa en su estado.

—Te tomo la palabra —dijo Tess, y bebió un tímido sorbo de zumo—. Por cierto, mañana tengo que ir a la clínica un par de horas. Podría acercarte a la comisaría.

Ben la miró con ceño.

—Gracias. Ed, ¿no crees que Tess debería echar el freno, tomarse un tiempo, poner las piernas en alto?

—La verdad... —Se apoyó cómodamente en un caballete—. Una mente y un cuerpo activos contribuyen a la salud de la madre y el bebé. Estudios realizados por ginecólogos en los últimos diez años indican que...

—Joder, tío —interrumpió Ben—. Sólo era una pregunta. ¿Tú qué opinas, Grace? Como mujer, ¿no crees que una embarazada debe cuidarse?

Grace se sentó en el suelo, al estilo indio, sin importarle el serrín.

—Depende.

—¿De qué?

—De si se muere de aburrimiento. Yo me moriría. Claro que si está pensando participar en el maratón de Boston, habría que discutirlo. ¿Estás pensando en eso, Tess?

—Pensaba primero en algo más local.

—Muy sensata —afirmó Grace—. Una mujer sensata. En cuanto a ti, eres muy típico —le dijo a Ben.

—¿Típico de qué?

—El típico macho. Lo cual te convierte, en estas circunstancias, en un angustiado sobreprotector. Y me parece perfecto. Una monada. Estoy segura de que Tess, que es mujer y además psiquiatra, sabrá explotarlo bien en los próximos siete meses, una semana y tres días. —Cogió la botella de vino y rellenó la copa de Ben.

—Gracias. Ya entiendo.

Grace le dedicó una sonrisa sobre el borde de su copa.

—Me caes bien, detective Paris.

Ben sonrió e, inclinándose, entrechocó su copa con la de ella.

—Tú también me caes bien, Gracie. —Alzó la vista cuando sonó el teléfono—. Mientras Ed responde, voy a ver si encuentro comida de verdad en la cocina.

—Dios te ayude —murmuró Grace. Miró por encima del hombro y comentó—: No vais a creer lo que cené anoche. Corazones de alcachofa.

—Caray. —Ben se estremeció—. ¡Qué putada!

—En realidad no saben tan mal. ¿Siempre ha sido así, de comer raíces y cosas de ésas?

—Hace años que no prueba una hamburguesa. Da miedo.

—Pero es un encanto —repuso Grace y sonrió de una forma que dio qué pensar a Tess.

—Siento aguar la fiesta —dijo Ed al regresar—. Tenemos una llamada.

—¡Vaya por Dios! ¿Acaso un hombre no puede celebrar el nacimiento de su hijo?

—Es en el condado de Montgomery.

—¿Al otro lado de la raya? ¿Por qué nos llaman a nosotros?

Ed miró a Grace.

—Intento de violación. Parece nuestro hombre.

—¡Dios mío! —Grace se levantó de un brinco y se derramó vino sobre la mano.

—Ed, ¿la víctima...? —preguntó Tess.

—Conmocionada pero viva. Se defendió con un cuchillo de carnicero y el perro de la familia también colaboró. El muy cabrón logró huir.

—Dame la dirección. Voy a llevar a Tess y me reúno contigo allí.

—Te acompaño —replicó con tono inapelable, y agarró a su marido por el brazo, sin darle ocasión de protestar—. Os puedo ayudar, y también a la víctima. Sé cómo manejar estas cosas, y seguro que se sentirá más cómoda hablando con una mujer.

—Tess tiene razón. —Ed fue al armario de la entrada y cogió su pistola. Era la primera vez que Grace lo veía empuñarla. Intentó identificar al hombre que se ceñía el arma con el que la había llevado en brazos bajo la lluvia—. Que sepamos, es la primera mujer que ha tenido contacto con él y ha sobrevivido. Tess puede conseguir que le resulte más fácil hablar. —Se puso una chaqueta sobre la pistolera. La larga y calculadora mirada de Grace al arma no le había pasado inadvertida—. Lo siento, Grace. No sé cuánto tardaremos.

—Yo también iré. Quiero hablar con ella.

—Ni hablar —repuso él y la sujetó por los hombros—. A ti no te serviría de nada y para ella resultaría más duro. Grace… —Ella tenía expresión obstinada. Ed le levantó la barbilla para que lo mirase—. Ha pasado mucho miedo. Piénsalo. No le conviene que haya mucha gente, especialmente alguien que le recuerde lo que podía haber ocurrido. No serviría de nada que fueses.

Grace admitió que tenía razón. Detestaba que tuviese razón.

—De acuerdo, pero no pienso irme a casa hasta que vuelvas y me lo cuentes todo. Quiero saber cómo es ese hombre. Quiero conocerlo mentalmente.

A Ed no le gustó la vehemencia de la última frase. La venganza casi siempre mordía a quien más la anhelaba.

—Te contaré lo que pueda. A lo mejor tardo bastante.

—Esperaré. —Cruzó los brazos sobre el pecho—. Aquí mismo.

Ed la besó, demorándose un momento.

—Cierra bien la puerta —le aconsejó.

Mary Beth rehusó los tranquilizantes que le ofrecieron. Siempre le había tenido un miedo morboso a las pastillas, sólo tomaba aspirinas. En cambio, estaba tomando una copa del coñac que John y ella reservaban para los invitados especiales.

John había enviado los niños a casa de un vecino. En aquel momento estaba sentado junto a su mujer, a la que tenía cogida por la cintura sin dejar de acariciarla en todo momento. Siempre había sabido que la amaba, pero hasta aquella noche no se había dado cuenta de que ella era el principio y el fin de su mundo.

—Ya hemos hablado con la policía —le dijo John a Ed cuando le mostró su identificación—. ¿Cuántas veces tiene que responder a las mismas preguntas? ¿No ha sufrido bastante?

—Lo siento, señor Morrison. Haremos todo lo que podamos por facilitar las cosas.

—Lo único que tienen que hacer es atrapar a ese bastardo. Para eso está la policía. Para eso les pagamos.

—John, por favor.

—Lo siento, cariño. —Su tono cambió al dirigirse a su esposa. Le dolía más ver el moretón que tenía en la cara que pensar en lo que podría haber pasado. El moretón era tangible; lo que podría haber pasado, algo irreal, una pesadilla—. No tienes por qué contestar si no quieres.

—Sólo son unas preguntas. —Ed se sentó, esperando así intimidarlos menos—. Créame, señor Morrison, nuestra mayor prioridad es detenerlo. Pero necesitamos su ayuda.

—¿Cómo diablos se sentiría si le hubiera ocurrido a su mujer? —replicó John—. Si supiese por donde empezar, yo mismo iría tras él.

—Ésta es mi esposa —dijo Ben en tono amable, señalando a Tess—. Y sé muy bien cómo se siente usted.

—Señora Morrison. —En lugar de sentarse, Tess se agachó junto al sofá—. Tal vez se encuentre más cómoda hablando conmigo. Soy médico.

—No necesito un médico. —Mary Beth contempló la copa de coñac como si le sorprendiera tenerla en la mano—. Él no… Iba a hacerlo, pero no lo hizo.

—No la violó —precisó Tess—. Pero eso no significa que no fuese forzada y que no esté aterrorizada. Reprimir la ira, el miedo, la vergüenza… —Reparó en que la última palabra daba en el clavo y esperó un momento—. Reprimirlo todo hace más daño. Hay sitios a los que puede acudir, gente con la que puede hablar, que ha pasado por lo mismo. Saben cómo se sienten usted y su marido.

—Fue en mi casa. —Mary Beth rompió a llorar por primera vez. Lágrimas finas y calientes se deslizaron por su cara—. Parece mucho peor porque fue en mi casa. No dejaba de pensar qué haría si entraban mis hijos, qué le haría él a mis pequeños. Y entonces… —Tess le quitó la copa al ver que le temblaban las manos—. Rezaba para que todo fuera un sueño, algo que no estaba ocurriendo en realidad. Yo no sabía quién era e iba a violarme. Él… me tocó. —Ocultó la cara en el hombro de su marido y sollozó—. Oh, John...

—Cariño, no volverá a hacerte daño. —Le acarició el pelo con ternura, pero en sus ojos había una expresión que hablaba de asesinato, lisa y llanamente—. Ahora estás a salvo. Nadie va a hacerte daño. Maldita sea, ¿no se da cuenta de lo que esto supone para ella?

—Señor Morrison. —Ed no sabía por dónde empezar. La ira estaba justificada. También él la sentía, pero como policía no debía cegarse. Decidió ser directo—. Tenemos motivos para creer que su esposa ha tenido mucha suerte esta noche. Ese hombre ha atacado dos veces anteriormente, y las otras dos mujeres no tuvieron tanta suerte.

—¿Lo ha hecho antes? —Mary Beth seguía llorando, pero miró a Ed—. ¿Están seguros?

—Lo sabremos cuando responda a nuestras preguntas.

Ella respiraba con dificultad, pero Ed observó que se esforzaba por dominarse.

—De acuerdo, pero ya les he contado a los otros oficiales lo que ocurrió. No quiero repetirlo.

—No tendrá que hacerlo —le aseguró Ben—. ¿Colaboraría con un artista de la policía para hacer un retrato robot?

—No lo vi muy bien. —Cogió la copa que Tess le devolvió con un gesto de agradecimiento—. La cocina estaba a oscuras y me había quitado las lentillas. Veo muy mal. No era más que un borrón.

—Le sorprenderá todo lo que vio cuando empiece a reunir detalles sueltos. —Ed sacó su libreta. Quería tratarla amablemente. Con su acogedora casita y la cara agraciada, le recordaba a su hermana—. Señora Morrison, ha declarado que la llamó por su nombre.

—Sí, me llamó Mary Beth varias veces. Se me hizo raro oírlo. Dijo algo de que yo le había sugerido cosas. Que quería... —No podía mirar a Ed ni siquiera con los ojos nublados. Tragó saliva y miró a Tess—. Dijo que quería que le hiciera cosas, cosas dulces y agradables. Lo recuerdo porque estaba muy asustada y me pareció una locura oír eso.

Ben esperó a que bebiese un sorbo de coñac.

—Señora Morrison, ¿conoce una empresa que se llama Fantasy Incorporated?

Cuando se ruborizó, el moretón de la cara destacó más. Pero no podía mentir ni aunque le cortasen la lengua.

—Sí.

—Eso no es de su incumbencia —terció su marido.

—Las otras dos víctimas trabajaban para Fantasy —afirmó Ed.

—Dios mío. —Mary Beth cerró los ojos. Ya no había lágrimas en ellos, sino un miedo oscuro y seco—. Oh, Dios mío.

—No debí permitirte que lo hicieras. —John se frotó la cara con las manos—. Debí de estar loco.

—Su voz, señora Morrison —intervino Ben—. ¿Reconoció su voz? ¿Había hablado antes con él?

—No, no, seguro que no. Era poco más que un niño. No aceptamos llamadas de menores.

—¿Por qué le parece que era casi un niño? —se apresuró a preguntar Ed.

—Porque lo era. Tendría diecisiete o dieciocho años. Sí. —El rubor se convirtió en palidez mientras pensaba—. No sé cómo, pero estoy segura de que era joven. No muy alto, sólo unos centímetros más que yo. Mido uno sesenta y cinco. Y no era gordo. No dejaba de pensar en que se trataba de un niño y que no podía ser real. Sé que nunca había oído su voz; no la habría olvidado. -Incluso en aquel momento, rodeada por el brazo de su marido, la oía—. Y dijo… —Sin pensar, cogió la mano de Tess—. Oh Dios, recuerdo que dijo que iba a ser diferente esta vez. No iba a darse prisa. Hablaba de una tal Desirée y de cuánto la amaba; la mencionó varias veces. También dijo algo de una Roxanne y que era una fulana. ¿Tiene sentido?

—Sí, señora. —Ed tomó nota. Una pieza más, pensó. Una pieza más del rompecabezas.

—Señora Morrison. —Tess le acarició la mano—. ¿Le pareció que la confundía con Desirée?

—No —respondió Mary Beth tras pensarlo un momento—. No; parecía más bien una comparación. Pronunciaba ese nombre con una especie de respeto. Suena estúpido pero así fue.

—No. —Tess miró a su marido—. No, no suena estúpido.

—Parecía casi amable pero de un modo horrible. No sé explicarlo. Creo que esperaba que yo me alegrase de verlo. Sólo se enfadó cuando me resistí. Entonces se puso furioso, como un niño al que le quitan su juguete. Había dolor en su voz. Me llamó puta… Dijo que todas éramos unas putas, unas putas mentirosas, y que la próxima vez nos haría sufrir a todas.

El cocker spaniel entró y olisqueó a Tess.

—Éste es *Binky* —dijo Mary Beth—. Si no hubiera sido por él…

—Comerá filetes el resto de su vida. —John besó la mano de su mujer mientras ella sonreía.

—Saqué fuera a *Binky* porque creí que le ladraba al gato, pero en realidad el pobre… —Se le quebró la voz y sacudió la cabeza—. Sé que esto va a salir en los periódicos, pero agradecería que lo minimizasen. Por los niños. —Miró a Tess, pensando que una mujer lo comprendería—. No quiero que tengan que enfrentarse a todo esto. Y respecto al asunto de Fantasy… no me da vergüenza, la verdad. Es una forma como otra de ganar dinero para que mis hijos tengan fondos de estudios, pero entiendo que a las demás mujeres les parezca mal que la jefa de las exploradoras se dedique a algo así.

—Haremos lo que podamos —prometió Ed—. Si acepta un consejo, le diría que lo dejase.

—Ya lo ha hecho —anunció John.

—Sería mejor que no estuviesen solos durante unos días.

Mary Beth palideció. Su acopio de valor se estaba agotando.

—¿Creen que volverá?

—No hay forma de saberlo. —Ed no quería asustarla, pero debía decirle la verdad—. Se trata de un hombre muy peligroso, señora Morrison. No queremos que se arriesgue usted sin necesidad, así que vamos a darle protección. Mientras tanto, nos gustaría que se acerque a la comisaría para ver fotos y colaborar con el dibujante de la policía.

—Haré lo que pueda. Quiero que lo capturen enseguida. ¡Enseguida!

—Lo haremos con su ayuda. —Ben se levantó—. Agradecemos su colaboración.

—Yo… aún no les he ofrecido café. —A Mary Beth le aterrorizaba que se fuesen. Quería tenerlos alrededor y sentirse a salvo. Ellos eran policías, y los policías sabían qué hacer—. No sé en qué estaba pensando.

—No pasa nada. —Tess le dio la mano y se levantaron a la vez—. Ahora debe descansar. Que su marido la acueste. Él la acompañará. Cuando vayan mañana a la comisaría, les darán números a los que llamar, organizaciones que pueden ayudarlos a superar esto. También puede llamarme a mí para hablar.

—No estoy acostumbrada a vivir con miedo. —En los ojos de Tess vio compasión, compasión femenina, y se dio cuenta de que la necesitaba más que a la policía—. Ocurrió en mi propia cocina. Ahora tengo miedo de ir allí.

—Venga, la acompañaré a su dormitorio? —susurró Tess, cogiéndola por la cintura—. Es mejor que se acueste. —Ambas abandonaron la sala.

El marido las miró irse, frustrado e impotente.

—Si yo hubiera estado en casa…

—Él habría esperado —lo interrumpió Ed—. Además de peligroso y decidido, es un hombre muy astuto e inteligente, señor Morrison.

—Mary Beth nunca le hizo daño a nadie. Es la mujer más generosa que conozco. Ese malnacido no tenía derecho a hacerle eso, a meterle en el cuerpo ese miedo tan horrible. —John cogió la copa de coñac y se la acabó de un trago—. Tal vez sea un tipo peligroso, pero si lo encuentro antes que ustedes lo convertiré en eunuco.

CAPITULO 12

Grace había dejado una luz encendida. Ed se alegró de que se hubiera ido a su casa a dormir, porque de esta manera no le haría preguntas que él tendría que responder. Pero le conmovió el detalle de la luz encendida.

Estaba cansado, cansadísimo, pero demasiado nervioso para dormir. En la cocina buscó el zumo y bebió directamente de la jarra. Grace había recogido el vino y lavado las copas. Esos pequeños detalles resultaban enternecedores para un hombre que había pasado años teniendo que hacerlo todo.

Tenía que admitir que estaba enamorado de ella. Las primeras fantasías románticas se habían confirmado. El problema era que no sabía qué hacer al respecto. En anteriores ocasiones se había enamoriscado y nunca le había resultado difícil llevar esos sentimientos a su desenlace lógico. Pero el amor era diferente.

Siempre había sido un hombre tradicional. Había aprendido que a las mujeres hay que cuidarlas, apreciarlas y protegerlas. Y a la mujer amada, aparte de todo eso, respetarla y venerarla. A Grace quería ponerla en un pedestal, pero estaba seguro de que ella se escabulliría y bajaría de él.

De acuerdo, tendría paciencia. Era una de las mejores virtudes de un policía, y él había tenido la suerte de nacer con ella. El paso lógico consistía en darle tiempo y espacio hasta que él pudiese llevarla a donde quería. O sea, con él.

Dejó zumo para el desayuno y subió la escalera. Se quitó la chaqueta en el descansillo. Solía dejarla junto con el arma en el armario de la entrada, pero estaba demasiado cansado para bajar otra vez. Se frotó la nuca para aliviar la tensión, abrió la puerta del dormitorio con el pie y encendió la luz.

—Oh, Dios, ¿ya ha amanecido?

Ed se llevó la mano a la pistola instintivamente, pero sus dedos se paralizaron: Grace estaba acostada en su cama. Ella se removió, se tapó los ojos con una mano y bostezó. Él tardó un minuto en darse cuenta de que sólo llevaba puesta una de sus camisas.

—Hola. —Grace parpadeó y sonrió—. ¿Qué hora es?

—Tarde.

—Umm. —Se incorporó y movió los hombros—. Sólo quería descansar un momento. Este cuerpo mío no está acostumbrado al trabajo manual. Tomé una ducha. Espero que no te importe.

—Claro que no. —Le pareció prudente mirarla a la cara, sólo a la cara, pero no lo consiguió. La boca se le secó.

—Guardé esa porquería que le pusiste a las paredes y limpié las herramientas. Después me dediqué a contar ovejas. —Se había despertado del todo, con los ojos bien abiertos. Ladeó la cabeza y lo observó. Ed tenía aspecto de haber recibido un mazazo en el plexo solar—. ¿Te encuentras bien?

—Sí, claro... No sabía que estabas aquí.

—No podía irme hasta que volvieras. ¿Me cuentas qué ha pasado?

Ed se quitó la pistolera y la dejó sobre una desvencijada silla de respaldo escalonado que pensaba restaurar.

—La mujer tuvo suerte. Le hizo frente y el perro le dio un buen mordisco.

—Supongo que el perro no le hizo una foto. ¿Se trataba del mismo hombre, Ed? Necesito saberlo.

—¿Quieres la respuesta oficial o la mía?

—La tuya.

—Era el mismo. Y ahora está furioso. —Se frotó la cara con las manos y se sentó en el borde de la cama—. Tess cree que esto lo volverá más impulsivo e impredecible. Se siente amenazado y su pauta ha sido destruida. Tess piensa que se lamerá las heridas y, cuando esté listo, saldrá de caza.

Grace asintió. No era el momento de contarle el riesgo que ella había asumido.

—La mujer... ¿lo vio?

—No había mucha luz. Y además no ve tres en un burro. —Tuvo ganas de soltar un juramento. Si hubiesen obtenido una buena descripción lo atraparían, fuera rico o pobre, lo encerrarían y tirarían la llave—. Retuvo algunas impresiones. A ver qué podemos hacer con ellas.

—¿Más piezas de tu rompecabezas?

Ed movió los hombros, pero la tensión no lo abandonó.

—Cruzaremos los datos con la lista de clientes de Fantasy y hablaremos con los vecinos. A veces hay suerte.

—Estás harto de esto, ¿verdad? —murmuró Grace y empezó a frotarle los hombros—. No me había dado cuenta antes. Supongo que creí que lo tomarías con naturalidad, como mera rutina.

Ed la miró por encima del hombro con ojos fríos y duros.

—Nunca es una rutina.

No, claro, no para un hombre como aquél. Se implicaba en todo. Grace procuró disimular y echó un vistazo al arma. Esa vez Ed no había cambiado al quitársela, seguía en su papel de policía. Era algo que debía recordar.

—¿Cómo lo llevas? ¿Cómo logras presenciar lo que presencias, hacer lo que haces y seguir adelante al día siguiente?

—Con unas copas. Muchos bebemos. —Rió a medias. La crispación de sus hombros se estaba aflojando gracias a las manos de Grace. Cuánto deseaba abandonarse a aquellas manos—. Hay vías de escape. Todo el mundo tiene una.

—¿Cuál es la tuya?

—Hacer tareas manuales, leer libros. —Se encogió de hombros—. Y beber.

Grace apoyó la barbilla en el hombro de Ed, fuerte y ancho. Se sentía como en casa.

—Sabes, desde lo de Kathleen no he dejado de autocompadecerme. Pensaba que no era justo, ¿qué había hecho para merecerlo? Me cuesta mucho asumir la pérdida de mi hermana y ver el conjunto. —Cerró los ojos un momento. Ed olía bien: hogareño, acogedor, como un fuego en la chimenea—. Los dos últimos días he intentado hacerlo. Y cuando lo consigo, soy consciente de lo mucho que me has ayudado. No sé si habría aguantado estas dos semanas sin ti. Te has comportado como un buen amigo, Ed.

—Me alegro de haberte ayudado.

Ella sonrió.

—Tal vez habías pensado en algo más, ¿no? ¿Me equivoco? Me dio la impresión, y corrígeme si me equivoco, de que antes de que nos interrumpiesen esta noche estábamos a punto de pasar al siguiente nivel.

Ed le cogió la mano. Si seguía tocándolo, no podría darle el tiempo y el espacio que sin duda ella necesitaba.

—Quizá es mejor que te acompañe a tu casa.

Grace no era de las que renuncian fácilmente, pero tampoco de las que se empeñan en golpearse la cabeza contra la pared. Lanzó un hondo suspiro y se sentó.

—¿Sabes una cosa, Ed Jackson? Si no te conociera bien, juraría que me tienes miedo.

—En realidad me aterrorizas.

A la sorpresa siguió una sonrisa morosa y suave.

—¿De verdad?... —Y empezó a desabrocharle la camisa—. Tendré mucho cuidado.

—Grace... —Ed le cogió las manos—. Te advierto que una vez no será suficiente.

Ella entrelazó los dedos con los suyos. No se comprometía fácilmente, pero cuando lo hacía, era en serio.

—De acuerdo. ¿Por qué no dejas que acabe de seducirte?

Ed sonrió y le acarició los brazos.

—Ya lo hiciste el día que levanté la vista y te vi en la ventana.

Le acarició la mejilla y se inclinó para besarla tiernamente. Quería recordar aquel sabor. Era más dulce de lo que solía probar. Grace le rodeó el cuello con los brazos y él sintió cómo ella se entregaba. Generosidad. ¿Acaso no era eso lo que un hombre le pedía a una mujer? Grace nunca había sido mezquina con sus emociones, y en aquel preciso momento él necesitaba todo lo que ella pudiera ofrecerle. Con cuidado, la tendió de espaldas sobre la cama.

La luz era intensa y la habitación olía a polvo. Ed había imaginado algo muy distinto. Velas, música, el brillo de las copas de vino. Quería ofrecerle todos los detalles bonitos de un encuentro romántico. Pero ella sí era como la había imaginado, exactamente lo que deseaba.

Grace murmuró algo contra su boca y a Ed se le aceleró el pulso. Ella le desabotonó la camisa y él sintió el aleteo fresco de los dedos sobre su pecho. Se besaron en los labios y se separaron, ella suspiro.

No quería apremiarla. Casi le daba miedo tocarla, pues temía perder el control. Pero Grace se apretó contra él, y Ed se perdió.

Ella nunca había conocido a un hombre tan amable, dulce y considerado. Eso ya resultaba excitante. Nadie la había tratado como a una mujer frágil, tal vez porque no lo era. Pero en aquel momento, entre tanto cuidado y tanta ternura, se sentía frágil. Su piel parecía más suave, su corazón latía más rápido y las manos le temblaban ligeramente mientras lo acariciaba. Sabía que quería aquello, que lo quería a él, pero no se había dado cuenta de lo importante que era.

Grace comprendió que no sólo se trataba del nivel siguiente, sino de algo distinto a todo lo que había experimentado antes. Por un momento creyó entender a lo que se refería Ed al decir que estaba aterrorizado.

Posó la boca sobre la de él y sintió cómo el deseo se adhería a sus nervios y se convertía en dolor. Le temblaban los dedos sobre el botón de los vaqueros de Ed. La mano de él cubrió las suyas.

—Te deseo —murmuró Grace—. No sabía hasta qué punto.

Él la besó en la cara y se dejó inundar por la emoción. No quería olvidar su expresión en ese instante, con los ojos nublados y la piel encendida por la pasión.

—Tenemos tiempo –susurró-. Tenemos mucho tiempo.

Sin dejar de mirarla, Ed le desabrochó la camisa y la abrió para admirarla.

—Eres preciosa.

El ansia cedió un poco y Grace sonrió.

—Tú también eres maravilloso. —Se estiró y le quitó la camisa por los hombros. Poseía una complexión fuerte, casi recia, pero Grace no tenía miedo. Lo invitó a tumbarse sobre ella.

Un cuerpo calentó al otro, y ardieron. Aunque las manos de Ed eran suaves, había acero en ellas. El tiempo se ralentizó. Él la tocó. Ella lo acarició. Él la saboreó. Ella lo paladeó. La intimidad tiene grados, y Grace creía conocerlos todos, pero hasta entonces ignoraba lo intensos que podían ser. Se trataba de un sentimiento primario, como el calor repentino de un árbol abatido por un rayo. Mientras deslizaba las manos sobre la espalda de Ed, palpando los músculos que se crispaban y se distendían, percibió la fuerza y el control.

Los ardientes labios de Ed le recorrieron la piel húmeda. Ya no había rayos, sólo un fuego que se consumía lentamente. Se arqueó contra él, confiada y entregada al deseo. Cuando por fin él la arrastró al primer clímax, gimieron al unísono.

Grace se esforzó por respirar hondo para pronunciar su nombre, para decirle cosas íntimas o lo que se le ocurriera en el momento. Pero sólo podía estremecerse y aferrarse a él.

Su pulso se había desbocado y el nudo que atenazaba el pecho de Ed se aflojó. Grace le estaba quitando el resto de ropa, haciendo gala de una fuerza repentina, de una desesperada determinación. Se colocó encima de él, cubriendo su piel de besos frenéticos y riendo de alegría cuando al fin lo desnudó del todo.

Tenía un cuerpo de guerrero, fuerte, disciplinado y surcado de cicatrices. Mientras lo acariciaba, Grace pensó que al fin y al cabo existían los héroes de verdad. Eran de carne y hueso pero muy, muy escasos.

Ed debería haber esperado, al menos haberlo intentado, para tensar aún más las cuerdas de la pasión. Pero ella se deslizó sobre él, se puso a horcajadas y lo tomó, llenándose de él, sintiéndose a sí misma a través de él. Ed se limitó a sujetarla por las caderas y a dejarse llevar.

Grace echó la cabeza atrás y alcanzó el clímax tan rápidamente que casi se encogió. Luego entrelazaron los dedos y a poco el deseo resurgió, de forma increíble, y se apoderó de ambos con el mismo frenesí.

Grace oyó el largo y apremiante gemido de Ed y su propio cuerpo se arqueó cuando el orgasmo la inundó. Y su mente se vació cuando se colocó debajo de él.

Ed extendió la colcha sobre ambos, pero no apagó la luz. Grace estaba acurrucada contra su pecho, dormitando, según le pareció. El no iba a dormir, desde luego. Le encantaba la forma en que ella había enlazado una pierna con la suya y el modo en que lo abrazaba, como deseosa de seguir pegada a él. Ed le acariciaba el pelo porque no podía dejar de tocarla.

—¿Sabes una cosa? —dijo Grace con voz gutural, acercándose aún más.

—¿Qué?

—Me siento como si hubiera escalado el Everest y luego me hubiera lanzado en paracaídas. Nunca había experimentado nada tan maravilloso. —Volvió la cabeza y le sonrió—. Y tenías razón: una vez no hubiera sido suficiente. Lo comprendí cuando me puse esa camisa tuya. Ed Jackson, poli duro, ex defensa de fútbol americano...

—Placador defensivo —corrigió él.

—Como quieras. El detective Jackson usa talco de bebé, de Johnson y Johnson, ¿verdad?

—Es posible.

—Doy fe de ello. —Grace le olisqueó el cuello y los hombros, como un cachorrillo—. Me da que, en adelante, cuando huela un bebé me voy a excitar.

—Estoy pensando seriamente en enmarcar esa camisa.

Ella le mordisqueó una oreja.

—¿Fue lo que te decidió?

—No, pero tampoco me desalentó. Siempre me han chiflado las piernas.

—Sí, ya. —Se restregó contra él, sonriendo—. ¿Y qué más?

—Tú. Desde el principio. —La cogió por el pelo para mirarla. Adiós a las etapas calculadas, la precaución y los planes razonables—. Grace, quiero que te cases conmigo.

Ella se quedó boquiabierta y no pudo evitar un suspiro, en parte de sorpresa y en parte de alarma. Intentó hablar, pero por primera vez, se quedó en blanco. Sólo era capaz de mirarlo, pero entendió que él no había hablado por mero impulso, sino que eran palabras bien meditadas.

—Uau –exclamó por fin.

—Te amo, Grace. —Ed reparó en que sus ojos cambiaban y se enternecían, pero seguían empañados por algo parecido al miedo—. Eres todo lo que siempre deseé. Quiero pasar el resto de mi vida contigo y cuidarte. Sé que no es fácil estar casada con un policía, pero prometo que haré todo lo posible para que funcione.

Grace se apartó lentamente.

—He de reconocer que, una vez te pones en marcha, avanzas rápido.

—No sabía qué estaba esperando, pero sabía que lo reconocería. Y lo he reconocido en ti, Grace.

—Dios. —Se llevó una mano al corazón. Si no tenía cuidado, acabaría dándole un ataque de ansiedad—. No suelo llevarme este tipo de sorpresas. Ed, sólo hace unas semanas que nos conocemos y... —Se le quebró la voz al ver cómo la miraba—. Hablas en serio...

—Nunca se lo había pedido a nadie por temor a equivocarme. Ahora no me equivoco.

—Pero tú... tú no me conoces bien. No soy ninguna maravilla. Me pongo de muy mal humor cuando las cosas no salen como quiero. Y tengo mucho genio, y un carácter que hasta mis amigos más íntimos temen y... Oh, Dios, esto no puede estar pasando.

—Te amo.

—Oh, Ed. —Le cogió las manos—. No sé qué decirte.

Al menos no iba a decir lo que él quería oír, Ed ya se había dado cuenta.

—Dime cómo te sientes.

—No lo sé. No lo he pensado. Esta noche yo... Nunca me había sentido tan cerca de alguien. Nunca había experimentado algo tan intenso por alguien. Pero el matrimonio... Ed, nunca le he dado vueltas a la idea de casarme, y mucho menos a hacerlo con una persona concreta. No sé qué clase de esposa sería.

Él le besó la mano.

—¿Me estás diciendo que no?

Grace abrió la boca, pero la volvió a cerrar.

—No estoy diciendo que no, pero tampoco puedo decir que sí. Es una situación complicada.

—Aclárame eso.

—Tengo que pensarlo —se apresuró a decir—. Dios mío, haces que la cabeza me dé vueltas.

—Algo es algo. —La atrajo hacia sí—. Ven, hagámoslo de nuevo.

—Ed. —Le acarició la mejilla antes de que él la besara—. Gracias por pedírmelo.

—De nada.

—Ed. —Lo miró con ojos risueños—. ¿Estás seguro de que no sólo te interesa mi cuerpo?

—Tal vez. Podría ser. Mejor comprobémoslo, para estar seguros.

Habría sido agradable dedicar el sábado a holgazanear o ayudar a Ed a aplicar la segunda capa de yeso. De todas formas, Grace se alegraba de que Ed pasase casi todo el día en la comisaría. Tenía mucho que pensar y lo haría mejor sola. También tendría oportunidad de que Fantasy le enganchase la segunda línea telefónica sin necesidad de darle explicaciones a Ed. Lo harían pronto.

Iba a actuar como cebo, lo cual significaba trabajar para Fantasy. Mientras hiciese falta o hasta que capturasen al asesino de su hermana por otros medios, pensaba dedicar las tardes a hablar con desconocidos por un teléfono erótico. Uno de ellos, tarde o temprano, se presentaría personalmente.

Ed abordaba el rompecabezas a su manera, pero ella iría directamente al meollo y haría encajar las piezas.

No le había gustado comprar una pistola. En Manhattan no le había parecido necesario poseer un arma. Sabía que la ciudad era peligrosa, pero para otros, para los que desconocían los lugares a los que se podía ir. Siempre se había sentido segura entre la multitud, en aquellas calles que le resultaban tan familiares. Pero en sus actuales circunstancias, le pareció prudente tener una pistola.

Era del calibre 32, pequeña y corta. Había manejado pistolas antes, pero sólo para informarse con vistas a sus novelas. Incluso había ido a un campo de tiro para experimentar qué se sentía al apretar el gatillo. Le habían dicho que tenía muy buena puntería. Pero cuando compró la pistola, dudó que alguna vez pudiese dispararle a un ser vivo.

La guardó en la mesilla y procuró olvidarla.

Pasó la mañana atendiendo al hombre de la compañía telefónica y mirando por la ventana. No quería que Ed regresase antes de que fuese un *fait accompli*. Él no podía impedírselo, naturalmente. Se lo repitió varias veces. Aún así, Grace vigilaba por la ventana mientras tomaba café y oía al instalador hablar de los progresos de su hijo en la liga de béisbol infantil.

Como le había dicho a Ed, la gente siempre se sinceraba con ella. A los pocos minutos de conocerlos, solían contarle cosas reservadas a la familia o los amigos íntimos. Siempre se lo había tomado con naturalidad, pero en aquel momento le pareció que valía la pena analizarlo.

¿Acaso tenía una cara especial? Se acarició la mejilla con gesto ausente. En parte podría deberse a eso, pensó, aunque seguramente era por sus dotes de buena oyente, como había sugerido Ed. Solía escuchar a medias cuando estaba inmersa en el desarrollo y los personajes de un argumento. Pero como escuchaba bien, aunque lo hiciese a medias bastaba.

La gente confiaba en ella, y ella iba a aprovecharse de ello. Se endurecería y conseguiría que el asesino de Kathleen confiase en ella, lo suficiente para acudir a ella. Se humedeció los labios y sonrió mientras el instalador le resumía el fenomenal juego de su hijo en su anterior partido. Cuando aquel cabrón se acercase a ella, estaría preparada. No la pillaría por sorpresa como a Kathleen y las demás.

Sabía muy bien lo que hacía. ¿No había pasado casi toda su vida estructurando tramas? No cometería errores.

El instalador y ella ya se tuteaban cuando lo acompañó a la puerta. Le deseó suerte a su hijo en el partido de esa tarde y dijo que esperaba verlo en las ligas mayores al cabo de unos años. Cuando se quedó sola pensó en el teléfono nuevo, relucía sobre la mesita del rincón de su habitación. En cuestión de horas sonaría por primera vez. Tenía mucho que hacer antes.

Llamar a Tess la ayudó. Aunque ésta le dio su aprobación con ciertas reservas, a Grace la fortaleció contar con su opinión favorable. Satisfecha, cogió las llaves de su hermana y las apretó. Había hecho lo correcto, estaba segura. Sólo le faltaba convencer a los demás.

No temblaba cuando fue a la comisaría. Había recuperado la fuerza y la decisión de rematar lo que había iniciado en Fantasy. Por costumbre, puso la radio demasiado alta y dejó que el último artificioso éxito de Madonna resonase en el coche. Le parecía bueno. Se sentía bien. Por primera vez en varias semanas apreciaba la plenitud de la primavera en Washington.

Las azaleas estaban en su esplendor. En los jardines se conjugaban los arbustos violetas, escarlatas y de tonos coral. Los narcisos empezaban a retroceder ante los tulipanes. El césped, de un intenso verde, recibía el recorte sabatino. Vio chicos en camiseta y ancianos con gorras de béisbol empujando los cortacéspedes.

La vida se renovaba. No le parecía una cursilería, pues necesitaba aferrarse a ello. La vida no sólo debía seguir, sino también mejorar, justificarse año tras año. Tal vez se probasen armas terribles en medio del desierto, pero allí trinaban los pájaros y la gente podía preocuparse de las cosas importantes: un partido de la liga infantil, una barbacoa familiar, una boda en primavera; ésas eran las cosas importantes. La muerte de Kathleen la había sumido en el dolor, pero también le había demostrado que lo que importaba era el día a día. Cuando se hubiese hecho justicia, volvería a aceptar las cosas corrientes.

Las bonitas zonas residenciales dejaban paso al cemento y el ajetreo del tráfico. Grace esquivó a otros coches con una competitividad natural. Conducía muy pocas veces, pero cuando lo hacía adoptaba una despreocupada arrogancia que hacía rechinar los dientes y jurar a los otros conductores. Hizo dos giros incorrectos porque tenía la mente en otras cosas y al final llegó al aparcamiento de la comisaría.

Si tenía suerte, no encontraría a Ed y podría hablar con el serio capitán Harris.

Vio a Ed en cuanto entró en la oficina de homicidios. El ligero hormigueo que sintió en el estómago no fue de ansiedad, sino de placer. Por un momento se limitó a observarlo y regocijarse con su imagen. Estaba sentado a una mesa escribiendo a máquina con dos dedos.

Tenía unas manos muy grandes. Grace se acordó de la suavidad y la eficiencia con que las había utilizado la noche anterior. Amaba a aquel hombre, pensó. El hombre que le había hecho promesas importantes y que, sin duda, las mantendría. Sintió un impulso tan fuerte de cruzar la oficina y abrazarlo que lo hizo sin más.

Ed dejó de escribir y cogió la mano que de pronto se posó en su hombro. La reconoció con sólo tocarla. Su olor y su tacto. Varios policías sonrieron al ver cómo Grace se inclinaba sobre el hombro de Ed para darle un beso. Si se hubiera dado cuenta, tal vez se habría sentido incómodo. Pero sólo tenía ojos para ella.

—Hola. —Le sujetó la mano y la hizo dar la vuelta—. No esperaba verte por aquí hoy.

—Vengo a interrumpir, pese a que me enfurece que me interrumpan cuando trabajo.

—Ya casi he acabado.

—Ed, tengo que ver a tu capitán.

Él percibió un matiz de disculpa en su voz.

—¿Para qué?

—Preferiría resolverlo todo de una vez. ¿Puedo verlo?

La observó con gesto inquisitivo. A esas alturas la conocía lo suficiente para saber que no le diría nada hasta que estuviese preparada.

—No sé si aún está aquí. Siéntate e iré a ver.

—Gracias. —Retuvo su mano un instante más. A su alrededor los teléfonos no dejaban de sonar y las máquinas de escribir traqueteaban—. Ed, cuando te diga lo que tengo que decirte, compórtate como un policía, por favor.

A él no le gustó nada oír aquello. Se le encogió el estómago, pero asintió.

—Voy a ver si encuentro al capitán Harris.

Grace se sentó a esperar. El informe sobre Mary Beth Morrison estaba en la máquina de escribir. Intentó leerlo con la misma objetividad con que Ed lo había escrito.

—Vamos, Lowenstein, déjame verlo.

Al oír la voz de Ben, Grace se volvió y lo vio aparecer detrás de una esbelta morena.

—Busca algo que hacer, Ben —sugirió Lowenstein, que llevaba una caja de cartón atada con un cordel—. Tengo sólo un cuarto de hora para salir de aquí y llegar a esa comida de madres e hijas.

—Lowenstein, sé buena. ¿Sabes cuándo vi por última vez una tarta casera? —Se inclinó sobre la caja hasta que Lowenstein lo detuvo hincándole un dedo en el estómago—. Es de cerezas, ¿verdad? Déjame echar un vistazo.

—Será peor si la ves. —Lowenstein dejó la caja en su mesa y la protegió con su cuerpo—. Es preciosa. Una obra de arte.

—¿Tiene esa masa trenzada tan bonita? —repuso Ben, haciendo sonreír a la mujer. Tal vez fuera un antojo, pensó él. ¿Acaso no se había mareado aquella mañana? Si iba a sufrir todos los malestares matutinos de Tess, también tenía derecho a sus antojos—. Vamos, sólo una esquinita.

—Te enviaré una foto. —Lowenstein le apoyó una mano en el pecho y entonces vio a Grace—. ¿Quién es ese bombón sentado en la mesa de Ed? Mataría por una chaqueta como ésa.

Ben miró y sonrió a Grace.

—Dame la tarta. A lo mejor podemos hacer un trato.

—Corta el rollo, Paris. ¿Es la nueva compañera de Ed?

—Si quieres cotilleo, págalo. —Lowenstein le lanzó una mirada fulminante y Ben retrocedió—. Sí, es ella. Grace McCabe. Escribe novelas de intriga y misterio de primera categoría.

—¿En serio? —Lowenstein estiró el labio inferior, pensando—. Parece más bien una estrella de rock. No recuerdo la última vez que leí un libro. Ni siquiera una caja de cereales. —Entornó los ojos al reparar en las originales y carísimas zapatillas deportivas de Grace. Originales y carísimas. Las dos palabras le sentaban bien a aquella mujer, pero Lowenstein se preguntó dónde encajaba su compañero—. No le romperá el corazón a Ed, ¿o sí?

—Ojalá lo supiera. Está loco por ella.

—¿Loco de verdad?

—Totalmente loco.

Adelantándose a Ben, puso la mano sobre la caja.

—Ahí viene. Dios mío, si casi se oyen los violines.

—¿Te estás volviendo cínica, Lowenstein?

—Lancé arroz en tu boda, ¿no? —Lo cierto era que los romances la enternecían—. Supongo que si se puede hablar de clase a la hora de casarse, Ed habrá hecho una alianza con Greenwich Village. —Señaló a Ed—. Creo que te llama.

—Sí. Lowenstein, cinco pavos por la tarta.

—No me ofendas.

—Diez.

—Vendida. —Extendió la mano y contó los billetes que Ben le entregó.

Éste, que pensaba zamparse la mitad a mediodía, guardó la caja en el cajón inferior de su mesa antes de seguir a Ed al despacho de Harris.

—¿Qué pasa?

—La señorita McCabe ha solicitado una reunión —explicó Harris. Llevaba media hora de retraso y estaba deseando marcharse.

—Agradezco el tiempo que me dedica. —Grace sonrió a Harris y casi lo encandiló—. No lo entretendré en vano, así que iré al grano. Todos sabemos que Fantasy es el vínculo entre los tres casos que nos ocupan. Y seguro que todos sabemos que habrá otros…

—La investigación está en pleno desarrollo, señorita McCabe —interrumpió Harris—. Le garantizo que tenemos a nuestra mejor gente trabajando en ella.

—No tiene que garantizarme nada. —Miró a Ed, esperando que la entendiese—. He pensado mucho en esto, primero por mi hermana, y segundo porque el asesinato siempre me ha interesado. Si el argumento dependiese de mí, sólo habría un paso lógico en este momento. Creo que es el correcto.

—Agradecemos su interés, señorita McCabe. —Cuando Grace le sonreía, Harris se sentía casi paternal. La pobre no tenía ni idea del verdadero trabajo policial—. Pero mis hombres tienen más experiencia en la investigación real.

—Lo comprendo. ¿Puedo decirle que creo haber encontrado la forma de atrapar a ese hombre? Ya he hecho gestiones. Capitán, sólo quiero informarlo, y usted hará lo que estime conveniente.

—Grace, esto no es un libro ni un espectáculo televisivo. —Ed la interrumpió porque tenía el presentimiento, el horrible presentimiento, de lo que ella pretendía.

Grace lo miró con una expresión de disculpa, lo cual lo preocupó aún más.

—No sabes hasta qué punto he deseado que lo fuera. —Tomó aliento y miró de nuevo a Harris—. He ido a ver a Eileen Cawfield.

—Señorita McCabe…

—Por favor, escúcheme. —Alzó la mano, no tanto para pedir como en gesto de autoridad—. Sé que todas las pistas encontradas conducen a un callejón sin salida, excepto Fantasy. ¿Han conseguido cerrar la empresa?

Harris soltó un gruñido y revolvió unos papeles.

—Esas cosas llevan su tiempo. Sin colaboración, mucho tiempo.

—Y cada una de las mujeres que trabaja para Fantasy es una víctima potencial. ¿Coincidimos en eso?

—En teoría —respondió Harris.

—Y en teoría, ¿puede usted protegerlas a todas? Claro que no —se contestó—. Pero sí puede proteger a una de ellas. A una que sabe lo que ocurre, que está dispuesta a arriesgarse y que, además, ya tiene un vínculo con el asesino.

—¿Te has vuelto loca? —musitó Ed, lo cual indicó a Grace que estaba a punto de explotar.

—Me explicaré. —Para tranquilizarse, buscó un cigarrillo en el bolso—. La voz de Kathleen fue lo que atrajo a ese psicópata. Y cuando éramos niñas, todo el mundo nos confundía por teléfono. Así pues, si yo asumo el papel de Desirée, él acudirá a mí. Y sabemos que ocurrirá.

—Me parece demasiado inconsistente y arriesgado, además de totalmente estúpido. —Ed espetó las últimas palabras mirando a su compañero para que lo apoyase.

—A mí tampoco me gusta —dijo Ben, aunque reconocía que era un plan meritorio—. El trabajo policial sólido siempre da mejores resultados que una fugaz inspiración temeraria. No tienes garantías de que se lo crea, y mucho menos de que haga lo que esperas. De todas maneras, la señora Morrison está colaborando con el dibujante de la policía. Con un poco de suerte tendremos un retrato robot al final del día.

—Estupendo. Tal vez lo capturéis antes de que sea necesario recurrir a mi plan. —Alzó las manos con las palmas hacia arriba—. Aunque yo no me fiaría mucho, pues estamos hablando de una mujer miope y aterrada en una habitación en penumbra. —Exhaló una bocanada de humo y se preparó para soltar la siguiente bomba—. Esta mañana le he preguntado a Tess su opinión sobre las posibilidades de que ese hombre se sienta atraído por la misma voz, el mismo nombre y la misma dirección. —Miró a Ben porque le costaba mirar a Ed—. Me dijo que no podría resistirse. Desirée fue la primera, la que lo empujó a todo esto. Y será Desirée la que acabe con él.

—Confío en la opinión de la doctora Court —señaló Harris, alzando la mano para acallar a Ed—. También creo que, tal como están las cosas, es hora de que probemos algo más agresivo.

Harris puso la mano sobre un montón de carpetas—. La rueda de prensa del lunes por la mañana se celebrará como estaba previsto. Lo esencial es que no queremos otra fatalidad. Estoy deseando acabar con esto. —Miró a Grace—. Si aceptamos su propuesta, necesitaremos su colaboración en todo momento, señorita McCabe. Enviaremos a una mujer policía para que atienda las llamadas en su casa. Usted puede trasladarse a un hotel hasta que comprobemos cómo funciona.

—Pero se trata de mi voz —dijo Grace sin alterarse. Y de su hermana. No iba a olvidar que también se trataba de su hermana—. Puede usted enviar a todas las mujeres policía que quiera, pero voy a trabajar para Fantasy y empiezo esta noche.

—De eso nada. —Ed se levantó, la cogió por un brazo y la sacó de la habitación.

—Espera un momento —protestó ella.

—Cállate. —Lowenstein, que se dirigía a la máquina de café, retrocedió para dejar paso a Ed—. Creí que tenías la cabeza sobre los hombros, y ahora sales con esta locura.

—La tengo sobre los hombros, pero voy a perder un brazo si te empeñas.

Ed no respondió. Salió de la comisaría y se dirigió al aparcamiento, con Grace trastabillando y resollando tras él, a tal punto que pensó si no sería el momento de dejar de fumar.

—Métete en el coche y vete a casa. Le explicaré a Cawfield que has cambiado de idea.

—Sabes que no soporto que me den órdenes, Ed. —Le costaba respirar y reprimir la ira, pero lo intentó—. Lamento que te disgustes.

—¿Que me disguste? —Le sujetó los dos brazos. Estaba a punto de levantarla en vilo y lanzarla como un fardo dentro del coche—. ¿Es así cómo llamas a esto?

—De acuerdo, lamento que te pongas como loco. ¿Por qué no cuentas hasta diez y me escuchas?

—Nada de lo que puedas decir me convencerá de que no has perdido el juicio. Si te queda algo de sensatez, si mis sentimientos significan algo para ti, sube al coche, vete a casa y espera.

—¿Te parece justo? ¿Te parece que tienes derecho a llevar las cosas a este extremo? —Grace alzó la voz y le dio un puñetazo en el pecho—. Sé que la gente piensa que soy una excéntrica y que me falta un tornillo, pero no esperaba esta actitud de ti. Sí, me importan tus sentimientos. Estoy loca por ti. Diablos, lo admito: estoy enamorada de ti. Pero ahora déjame en paz.

Ed le cogió la cara entre las manos y la besó súbitamente, no con tanta ternura y paciencia como otras veces. Como si temiera que ella se fuese a apartar, la abrazó con fuerza hasta que ambos se tranquilizaron.

—Vete a casa, Gracie —murmuró.

Ella cerró los ojos un momento y luego desvió la mirada, intentando reunir fuerzas y no flaquear.

—De acuerdo —dijo por fin—. Pero yo también quiero pedirte una cosa. —Se apartó con los ojos ensombrecidos y llenos de determinación—. Quiero que vuelvas ahí dentro, entregues la placa y la pistola a tu capitán y vayas a trabajar a la empresa de tu tío.

—¿A qué viene eso ahora?

—Se trata de algo que te pido, algo que necesito que hagas para no preocuparme más por ti. —Lo miró a la cara y vio su lucha interior y su respuesta—. Lo harías, ¿verdad? —preguntó en voz baja—. Sólo porque yo he dicho que necesito que lo hagas. Lo harías por mí y serías desgraciado. Lo harías, pero nunca me perdonarías por pedírtelo. Tarde o temprano, me odiarías por obligarte a renunciar a algo tan importante para ti. Bien, ahora puedes entender que si yo cedo en esto por ti, pasaré el resto de mi vida preguntándome si no podría haber hecho una última cosa por mi hermana.

—Grace, no se trata de que tengas que demostrar nada.

—Déjame explicarte una cosa. Tal vez sirva de algo. —Se mesó el cabello y se apoyó en el capó del coche. Se había serenado; miró una paloma que picoteaba con ansia un envoltorio tirado—. No me resulta fácil decirlo. Ya te he contado que Kathy y yo no estábamos muy unidas. En realidad, ella nunca fue la persona que yo quería que fuese. Fingí y disimulé todo lo que pude, pero ella estaba resentida contra mí, a veces incluso me odiaba. Kathleen no quería que las cosas fuesen así, pero tampoco podía evitarlo.

—Grace, no remuevas eso.

—Tengo que hacerlo. De lo contrario nunca podré enterrarlo, o enterrarla a ella. Yo detestaba a Jonathan, así que me dolía menos culparlo de todo a él. No me gustan los problemas, ya lo sabes. —En un gesto que sólo hacía cuando estaba muy cansada o muy tensa, se frotó la frente—. Los evito o los ignoro. Y decidí que era por su mala influencia que Kathleen no se molestaba en responder a mis cartas, ni nunca se mostraba receptiva cuando yo le hablaba de hacerle una visita. Quise creer que él la había convertido en una esnob a la que sólo le interesaba trepar en la escala social. Cuando se divorciaron, le eché toda la culpa a él. No se me dan bien los términos medios.

Hizo una pausa porque el resto era más duro. Cruzó las manos sobre el regazo y continuó:

—Lo culpé a él de que Kathy fuese adicta a las pastillas y también de su muerte. Ed, no imaginas hasta qué punto quería creer que él la había matado. —Tenía los ojos secos, pero vulnerables, dolorosamente vulnerables—. Pero en el funeral Jonathan habló conmigo. Me contó cosas de Kathleen que yo sabía en el fondo, pero que nunca había logrado aceptar. Entonces lo odié con toda mi alma. Lo odié por destruir la ilusión que yo misma me había construido. Sin embargo, durante estas semanas he tenido que asimilar quién era Kathleen, cómo era y por qué.

Ed le acarició la mejilla.

—No podías convertirte en otra persona, Grace.

Él la comprendía, sin más. Si no hubiera ocurrido ya, se habría enamorado de él en ese momento.

—No, no podía. No puedo. La culpabilidad ya no es tan fuerte, pero era mi hermana y aún la quiero. Y sé que si hago esto por ella, lo superaré para siempre. Si opto por el camino fácil, no creo que pueda soportarlo.

—Grace, hay otras maneras.

—No para mí. Esta vez no. —Cogió la mano de Ed entre las suyas—. No me conoces tan bien como crees. Durante años he endosado a otros el trabajo sucio. Si había que enfrentarse a algo desagradable, se lo pasaba a mi agente, a mi gestor financiero o a mi abogado. De esa manera podía seguir adelante sin distracciones y escribir. Si se trataba de algo que tenía que resolver yo, escogía el camino más fácil o me olvidaba del asunto... Por favor, Ed, no me pidas que te encargue esto a ti y me quede de brazos cruzados. Sería lo peor para mí.

Ed le acarició el pelo.

—¿Qué diablos quieres que haga, entonces?

—Comprender —murmuró—. Para mí es importante que comprendas. Lo haré aunque no lo quieras, pero sería más feliz si contara con tu comprensión. Lo siento.

—No se trata de que no lo comprenda, es que me parece un error. Llámalo instinto.

—Si es un error, tendré que cometerlo. No podré seguir con mi vida, de verdad que no, hasta que haga esto.

Ed podía esgrimir una docena de argumentos válidos y sensatos, pero sólo importaba uno:

—No soportaría que te ocurriese algo.

Grace logró sonreír.

—Yo tampoco. No soy estúpida. Te prometo que no haré ninguna idiotez estilo serie B, esas heroínas que saben que hay un maníaco suelto y oyen un ruido...

—... y en vez de cerrar bien la puerta, salen a ver qué es.

—Exacto. —Le dedicó una sonrisa—. Me sacan de quicio. Odio los argumentos artificiosos.

—No olvides que no es un argumento. Esta novela no tiene guión, Grace.

—Tendré mucho cuidado. Y cuento con lo mejor del departamento de policía.

—Si nos ponemos de acuerdo, ¿harás exactamente lo que te digamos?

—Por supuesto.

— ¿Aunque no te guste?

—Odio las promesas a ciegas, pero vale.

Ed la apartó del coche.

—Ya hablaremos de eso.

CAPITULO 13

El viaje de Charlton P. Hayden al Norte había tenido un gran éxito. En Detroit, consiguió el sólido apoyo de los sindicatos. Los obreros se inclinaban por él, atraídos por su campaña «Norteamérica para los norteamericanos». Los Fords y los Chevys se decoraron con pegatinas de «La Norteamérica de Hayden: sólida, segura y triunfante». Hablaba en términos sencillos, con las palabras del hombre corriente, con frases preparadas por dos expertos en oratoria. Llevaba más de una década recorriendo el camino hacia la Casa Blanca. Hayden prefería los Mercedes, pero se aseguró de que su gente alquilase un Lincoln.

Su aparición en el estadio de los Tigers había sido recibida con el mismo entusiasmo que la arrolladora victoria del equipo local. Su foto, en la que posaba con gorra de fildeador cogido del brazo del lanzador principal, se publicó en la portada del *Free Press*. Las multitudes lo habían aclamado en Michigan y Ohio, creían sus promesas y aplaudían sus discursos.

Ahora tenía en perspectiva un viaje al corazón del país: Kansas, Nebraska, Iowa. Hayden quería obtener el apoyo de los granjeros. Si hacía falta, recordaría hasta su tatarabuelo, que había labrado la tierra. Eso lo convertía en hijo de América, la sal de la tierra, a pesar de que él pertenecía a la tercera generación de Hayden que se licenciados en Princeton.

Cuando ganase las elecciones —él nunca pensaba hipotéticamente—, pondría en práctica sus planes para reforzar la columna vertebral del país. Hayden creía en Norteamérica, y por eso sus vigorosos discursos y apasionados llamamientos sonaban sinceros. Los destinos —el suyo y el de su patria— constituían creencias innatas, pero sabía que tanto en los juegos como en la guerra había que jugar a ganar. Era un hombre con un solo propósito: gobernar y gobernar bien. Unos sufrirían, otros se sacrificarían y otros llorarían. Creía firmemente que las necesidades de la mayoría estaban por encima de las de unos pocos, aunque esos pocos fueran su propia familia.

Amaba a su esposa. En realidad nunca se habría enamorado de una mujer inapropiada, pues su ambición pesaba demasiado en su carácter. Claire le convenía por su aspecto, sus antecedentes familiares y su estilo. Era una Merriville y, como los Vanderbilt y los Kennedy, había crecido en el acomodado entorno de la riqueza heredada y la posición ganada a pulso por antepasados inmigrantes. Claire era una mujer brillante y desde luego sabía que, en su círculo, la planificación de un menú resultaba tan importante como la aprobación de una ley.

Se había casado con Hayden sabiendo que el noventa por ciento de la energía de su marido se volcaría siempre en su trabajo. Era un hombre vigoroso y entregado, y consideraba que el diez por ciento de su tiempo era más que suficiente para su familia. Si alguien lo hubiera acusado de desatenderla, más que molestarse se habría reído.

Quería a su familia y, naturalmente, esperaba el máximo de sus miembros; era una cuestión tanto de orgullo como de ambición. Le agradaba ver a su esposa bien vestida y a su hijo entre los mejores de la clase, pero no solía elogiar los logros que daba por sentados. Si las notas de Jerald no hubiesen sido brillantes, le habría dado un toque de atención. Quería lo mejor para su hijo y exigía lo mejor de él.

Jerald estaba recibiendo una estupenda educación y su padre se sentía orgulloso de lo bien que le iba, a tal punto que ya hacía planes para su futura carrera política. Aunque no tenía intención de ceder el poder durante al menos dos mandatos, cuando lo hiciera, se lo entregaría a su propio hijo. Esperaba que Jerald estuviera preparado para su elevado destino.

Jerald era educado, inteligente y sensato. Tal vez demasiado retraído y solitario, pero Hayden lo achacaba a los últimos coletazos de la adolescencia. Era un muchacho muy apegado a los ordenadores y las chicas aún no le interesaban, de lo cual su padre se alegraba. Los jóvenes que salen con chicas siempre desatienden sus estudios y sus ambiciones por las mujeres. Su hijo no era especialmente agraciado. Un retoño tardío, solía decir Hayden. Jerald había sido un niño corriente y delgaducho que tendía a encorvarse si no le advertían que anduviese derecho. Siempre estaba en la lista de estudiantes destacados, se mostraba educado y atento en las cenas, y a los dieciocho años ya tenía su sitio en la política y en el esquema del partido.

Casi nunca daba a su padre motivos de preocupación.

Hasta últimamente.

—Te digo que está enfadado por algo, Claire.

—Por Dios, Charlton. —Claire alzó los pendientes de perlas y los de diamantes para ver cuáles iban mejor con su vestido de noche—. Tiene derecho a sus cambios de humor.

— ¿Qué es eso de que le duele la cabeza y que no asiste a la cena de esta noche? —Charlton peleó con sus puños de camisa con monograma. En la lavandería habían vuelto a pasarse con el almidón. Tendría que hablar con su secretaria.

Claire le dirigió una rápida mirada de preocupación.

—Creo que estudia demasiado. Lo hace para complacerte. —Se decidió por las perlas—. Ya sabes cuánto te admira.

—Es un chico inteligente. —Hayden retrocedió para comprobar si su chaqueta tenía arrugas—. No necesita estudiar hasta caer enfermo.

—Sólo es una jaqueca —murmuró ella. La cena de esta noche era importante; como todas, con las elecciones tan cerca. Ahora no quería preocuparse por su hijo. Su marido era bueno y honesto, pero no toleraba la debilidad—. No lo presiones, Charlton. Creo que está pasando por una especie de etapa.

—¿Te refieres a esos arañazos que tiene en su cara? —Satisfecho con la chaqueta, comprobó el brillo de los zapatos. Era crucial cuidar su imagen—. ¿Crees de verdad que estrelló la bicicleta contra unos rosales?

—¿Por qué no? —Bregó con el broche de su collar. Resultaba ridículo, pero tenía los dedos húmedos—. Jerald nunca miente.

—Tampoco es tan torpe. A decir verdad, no me parece el mismo desde que volvimos del Norte. Está nervioso y alterado.

—Le preocupan las elecciones, sólo eso. Quiere que ganes, Charlton. Para Jerald tú ya eres el presidente. Ayúdame, cariño. Esta noche estoy muy torpe.

Hayden, servicial, se acercó a abrocharle el collar.

—¿Nerviosa?

—No puedo negarlo. Me alegraré cuando pasen las elecciones. Sé cuánta presión soportas, en realidad todos nosotros la soportamos. Charlton… —Miró por encima del hombro y retuvo la mano de su marido. Tenía que decirlo. Tal vez fuera mejor hacerlo ya y conocer la reacción de su marido—. ¿Crees que… bueno, se te ha ocurrido que tal vez Jerald haya… experimentado?

—¿Con qué?

—Con drogas.

Charlton P. Hayden no solía verse sometido a sorpresas. Durante diez segundos se quedó sin habla.

—Eso es absurdo. Jerald fue uno de los primeros en adherirse a la campaña antidroga de su colegio. Incluso escribió una redacción sobre sus peligros y los efectos a largo plazo.

—Lo sé, lo sé. No me hagas caso, estoy diciendo tonterías.
—Pero no podía dejarlo pasar—. Últimamente parece muy despistado, sobre todo estas ultimas semanas. Se encierra en su habitación o pasa la tarde en la biblioteca. Charlton, el chico no tiene amigos. Nadie lo llama y nadie lo visita. La semana pasada riñó a Janet por coger su ropa sucia.

—Ya sabes cómo es con sus cosas personales. Siempre lo hemos respetado.

—Me pregunto si no lo hemos respetado demasiado.

—¿Quieres que hable con él?

—No. —Cerró los ojos y sacudió la cabeza—. Me estoy comportando como una tonta. Es la presión de la recta final, nada más. Ya sabes cómo se cierra Jerald cuando lo sermoneas.

—Por Cristo bendito, Claire, no soy un monstruo.

—Claro que no. —Cogió las manos de su marido y las apretó—. Al contrario, querido. A veces a los demás nos cuesta ser tan fuertes y tan buenos como tú. Dejémosle en paz un tiempo. Las cosas mejorarán cuando se gradúe.

Jerald esperó hasta que los oyó marcharse. Había temido que su padre se empeñe en que los acompañase a una de esas estúpidas cenas en que todos hablaban de política y vendían su causa favorita mientras con el rabillo del ojo buscaban un carro al que subirse.

La mayoría se subirían al de su padre. La gente ya le lamía el culo, y a Jerald eso lo repateaba. Todos iban a ver qué podían conseguir, igual que los periodistas que Jerald había visto alrededor de la casa, revolviendo en los cubos de basura de Charlton P. Hayden. Pero no encontrarían nada porque su padre era perfecto, el mejor. Y cuando saliese elegido en noviembre, que se preparasen. Su padre no necesitaba a nadie. Echaría a todos aquellos blandengues de sus absurdos trabajos y gobernaría correctamente. Y Jerald estaría a su lado, empapándose de poder, riendo, partiéndose de risa ante aquellos idiotas.

Entonces las mujeres rogarían al hijo del presidente de Estados Unidos que les hiciese caso. Mary Beth lo lamentaría, lamentaría muchísimo haberlo rechazado. Se acarició los arañazos de la cara casi con cariño. Aquella zorra se arrodillaría y le suplicaría perdón, pero no la perdonaría. El verdadero poder no perdona. Castigaría a Mary Beth y a todas las fulanas que le habían prometido cosas y no las cumplieron.

Y nadie lo descubriría porque él estaría más allá del penoso nivel de comprensión de la gente. En aquel momento estaba dolorido y le escocían los cortes de la pierna, pero pronto lo superaría. Conocía el secreto, y el secreto era puramente mental. Había nacido para la grandeza, como siempre le había dicho su padre. Por eso ninguno de los peleles que iban a su colegio se había convertido en amigos suyos. Nadie comprendía la verdadera grandeza, el poder real, aunque lo admirasen y adulasen. Llegaría a tener el mundo en sus manos, como su padre. Y entonces podría reformarlo o aplastarlo.

Soltó una risita y rebuscó en su alijo. Jerald nunca fumaba en casa, pues el olor dulzón de la marihuana se detectaba fácilmente. Cuando tenía muchas ganas de un porro, salía a fumar fuera. Prescindía del tabaco. Sus padres defendían activamente los derechos de los no fumadores. Los rastros de humo, tabaco o similares ensuciaban la pureza del aire de los Hayden. Jerald rió y sacó un porro de primera liado con nieve. Penciclidina. Polvo de ángel. Sonrió mientras lo acariciaba. Unas cuantas caladas y se sentiría como un ángel o como el propio Satán.

Sus padres estarían horas fuera y el servicio se encontraba en sus dependencias. Necesitaba energía. No, no necesitaba nada, se corrigió. Las necesidades eran para la gente vulgar. Quería energía. Quería volar hasta el cielo mientras buscaba a la siguiente, que iba a sufrir. Jerald cogió el revólver de su padre, con el que el capitán Charlton P. Hayden había matado a tantos comunistas en Vietnam. Su progenitor había ganado medallas por matar a un montón de desconocidos, así que habría algo de glorioso en ello.

Pero Jerald no quería medallas, sólo quería dar una patada. Una gran patada. El adolescente abrió la ventana antes de encender el porro. Y el psicópata conectó el ordenador para buscar.

Grace pasó su primera noche al teléfono dividida entre la diversión y el asombro. Se alegraba de poder aún sorprenderse. Ser escritora y vivir en Nueva York no significaba que lo hubiese visto y oído todo, ni mucho menos. Recibió llamadas de quejicas, de soñadores, de bichos raros y de tipos corrientes. Aunque se consideraba una mujer sofisticada y sexualmente despierta, se quedó sin habla más de una vez. Un hombre que llamaba de Virginia Occidental se dio cuenta de que era una principiante.

—No te preocupes, preciosa —le dijo—. Hablaré yo.

Trabajó tres horas y tuvo que reprimir risas y asombro, alguna que otra sensación escandalosa, en una ocasión ganas de colgar, y siempre sintiéndose incomoda de saber que Ed esperaba en el piso de abajo.

A las once, tras recibir la última llamada, recogió sus notas —nunca se sabía cuándo podían hacerle falta— y bajó. Ed no estaba solo.

—Hola, Ben. No sabía que estabas aquí.

—Tienes a todo el equipo. —Ben consultó su reloj y comprobó que ya había pasado la hora en que el asesino actuaba. No obstante, se quedaría media hora más—. ¿Qué tal?

Grace se sentó en el brazo de un sillón, miró a Ed y se encogió de hombros.

—Es algo sorprendente, muy curioso. ¿Os excitaría oír estornudar a una mujer?

Ed la observaba y le pareció que se sentía avergonzada.

—¿Algún sospechoso o dudoso?

—Uf. En su mayoría son tipos que buscan un poco de compañía, comprensión y que quieren, de un modo bastante retorcido, ser fieles a sus esposas. Hablar por teléfono es más seguro y menos comprometido que pagar a una prostituta. —Pero tampoco era para ponerse a pontificar, se recordó—. Lo estáis grabando todo, ¿verdad?

—Sí. —Ed arqueó una ceja—. ¿Te molesta?

—Tal vez. —Jugó con el borde de su manga—. Me resulta extraño saber que los chicos de la comisaría van a escuchar todo lo que he dicho. —Descartó la idea con un gesto enérgico—. Aún no me puedo creer las cosas que dije. Me llamó un tipo que tiene bonsáis, esos arbolitos japoneses, y pasó casi todo el rato contándome cuánto los quiere.

—Hay de todo. —Ben le ofreció un cigarrillo—. ¿Alguno pidió verte?

—Hubo algunas insinuaciones. De todas maneras, en la sesión de orientación de esta tarde recibí instrucciones sobre la forma de tratarlos y demás. —Estaba tranquila, casi contenta—. Pasé la tarde con Jezebel. Hace cinco años que se dedica a esto. Después de oír cómo atendía llamadas durante un buen rato, le cogí el truquillo. Y hay pautas. —Cogió una carpeta azul de la mesita de café—. Éste es el manual.

—Vaya. Déjame fisgar un poco. —Ben se lo arrebató, encantado.

—Describe las características de las diversas inclinaciones sexuales, las normales y otras que no conocía.

—Yo tampoco —murmuró Ben mientras leía.

—También incluye ejemplos de cómo decir las mismas cosas de diferentes maneras. Como un catálogo. —Exhaló una bocanada de humo y chasqueó la lengua—. ¿Sabes cuántas maneras hay para decir…? —Se calló al mirar a Ed. Sin duda él prefería un escueto resumen—. En fin, resulta útil. Es más fácil practicar sexo que hablar de él. ¿Alguien quiere galletitas de chocolate?

Ed negó con la cabeza y Ben soltó un gruñido sin dejar de hojear el manual.

—Te vas a quemar las pestañas —ironizó Ed cuando Grace fue a la cocina.

—Tal vez valga la pena. —Ben levantó la vista, sonriendo—. Algunas de estas cosas te parecerían increíbles. ¿Por qué no pedimos el traslado a antivicio?

—Tu mujer es loquera —le recordó Ed—. No se asustará por mucho que le digas.

—Ya, tienes razón. —Ben dejó el manual—. Me parece que Grace lo esta haciendo bien.

Ed gruñó y empezó a pasearse por la sala.

—Déjala en paz, Ed. Necesita hacer esto. Y tal vez contribuya a que se precipiten las cosas.

—Cuando se precipiten, podrían caerle encima.

—Estaremos aquí para que eso no ocurra. —Hizo una pausa. Sabía lo que se sentía cuando uno quería dar una patada, pero no había nada a mano—. ¿Recuerdas cómo me puse cuando Tess nos ayudó el invierno pasado?

—Lo recuerdo.

—Pues eso... Estoy de tu parte, amigo. Siempre.

Ed se detuvo y contempló la estancia. Le llamaba la atención lo pronto que Grace la había hecho suya. Tal vez Grace no se diese cuenta, pero había borrado la presencia de su hermana con un despliegue de revistas abiertas, zapatos desparejados y cosas por todas partes. Había flores marchitas en un viejo jarrón y polvo sobre los muebles. En cuestión de días y sin quererlo, había convertido aquel lugar frío e inhóspito en su hogar.

—Quiero casarme con ella.

Ben miró a su compañero y luego se sentó.

—Vaya. Parece que la doctora ha vuelto a dar en el clavo. ¿Se lo has pedido?

—Sí, se lo pedí.

—¿Y?
—Necesita tiempo.
Ben asintió. Lo comprendía perfectamente. Ella necesitaba tiempo, Ed no.
—¿Quieres un consejo?
—¿Por qué no?
—No dejes que lo piense mucho. Podría averiguar lo gilipollas que eres. —Ed sonrió, y Ben se levantó y cogió su chaqueta—. No te vendría mal echar un vistazo a este manual. La página seis es todo un éxito.
—¿Te marchas? —Grace regresaba con una bandeja de galletitas y tres cervezas.
—Ed se encargará del turno de noche. —Ben cogió una galletita y le dio un mordisco—. Riquísimas.
—Lo sé. —Grace rió y él cogió otra—. ¿Tienes tiempo para una cerveza?
—Me la llevaré. —Metió la botella en el bolsillo—. Lo has hecho muy bien, princesa. -Le pareció que ella se lo merecía, así que se inclinó sobre la bandeja y le dio un beso—. Hasta luego.
—Gracias. —Grace esperó a oír cerrarse la puerta antes de dejar la bandeja—. Es un encanto.
—El mejor.
Mientras Ben estuvo allí, no habían hablado directamente. Grace se sentó en el extremo del sofá y tomó otra galleta.
—Supongo que hace mucho que lo conoces.
—Sí, mucho. Ben tiene el mejor instinto del departamento.
—El tuyo no parece irle a la zaga.
Ed la miró coger su cerveza.
—El mío me dice que te meta en un avión rumbo a Nueva York.
Grace arqueó una ceja. Ya no se andaban con rodeos.
—¿Sigues disgustado?
—Preocupado.
—No quiero que te preocupes. —Sonrió y le ofreció una mano—. Sí que quiero que lo hagas. —Entrelazaron los

dedos y Grace los besó—. Tengo la sensación de que eres lo mejor que me ha pasado. Siento no poder facilitarte las cosas.

—Has fastidiado mis proyectos, Grace.

Ella ladeó la cabeza con un asomo de sonrisa en los labios.

—¿En serio?

—Acércate.

Se arrastró por el sofá hasta apretarse contra él.

—Cuando compré la casa, lo tenía todo muy claro. Iba a reformarla y convertirla en lo que a mi entender debía ser una casa. Cuando acabase, encontraría a la mujer adecuada. No sabía qué aspecto tendría, pero eso no importaba. Sería dulce, paciente y querría que yo la cuidase. Nunca tendría que trabajar como mi madre. Se quedaría en casa y se ocuparía de las cosas, el jardín y los niños. Le gustaría cocinar y planchar mis camisas.

Grace arrugó la nariz.

—¿Tendrían que gustarle esas cosas?

—Le encantarían.

—Pues entonces tendrás que encontrar una buena chica en alguna granja de Nebraska, preferiblemente que haya estado apartada del mundo los últimos diez años.

—Ésa es mi fantasía, ¿recuerdas?

Grace sonrió.

—Lo siento. Continúa.

—Todas las noches, cuando yo llegase a casa, me estaría esperando. Nos sentaríamos, apoyaríamos los pies en la butaca y hablaríamos. No de mi trabajo. No querría que ella tuviese contacto con eso; sería demasiado frágil para soportarlo. Y finalmente cuando llegase la jubilación, nos entretendríamos haciendo cosas en casa. —Ed le acarició el pelo y la agarró por la barbilla. Durante unos segundos se limitó a contemplarla: los rasgos marcados, los ojos grandes y el pelo suelto—. Tú no eres esa mujer, Grace.

Grace sintió una profunda punzada de pena.

—No, no lo soy.

—Pero eres la única a la que quiero. —La besó del modo tierno y suave que a Grace le aceleraba el pulso—. Ya ves, has fastidiado mis proyectos. Y tengo que agradecértelo.

Grace lo rodeó con sus brazos y permaneció aferrada a él.

Despertó en brazos de Ed al amanecer. Las sábanas la cubrían hasta la nariz y tenía la cabeza apoyada en su pecho. Lo primero que oyó fueron los latidos lentos y regulares de su corazón y sonrió. La luz, suave y brumosa, se asomaba a las ventanas, dulcificada por el canto de los pájaros. Tenía las piernas enlazadas con las de Ed y su calor y seguridad la impregnaban de arriba abajo.

Le dio un beso en el pecho. Se preguntó si habría una mujer en el mundo que no quisiese despertar de aquella manera, contenta y segura en brazos de su amante.

Se acercó más a Ed. Tenía un cuerpo firme y fuerte, pero el tacto de su piel resultaba cálido y delicado. Se excitó sin dar tiempo a que se despejasen las brumas del sueño.

Con un suspiro, deslizó las manos sobre él, explorando, probando y disfrutando. Sus labios le recorrieron la piel perezosamente. Cuando notó que a él se le aceleraba el corazón, murmuró satisfecha y se volvió para mirarlo, sonriendo.

Ed tenía los ojos intensos, oscuros. De pronto, todo se borró cuando la atrajo hacia sí y la besó. No lo hizo con ternura, sino con exigencia y deseo. Su fuerza fue tan descarnada como su ardor. Grace se vio arrastrada en una oleada de frenética excitación.

El control en el que Ed siempre había confiado había desaparecido. Era un hombre que se movía con cautela, muy consciente de su tamaño y su fuerza. Pero no en aquel momento. Rodaron sobre la cama como si estuvieran encadenados y él tomó lo que quería.

Grace estaba temblando, pero no de debilidad. Su pasión aumentaba a cada segundo, de modo que exigió su parte. Antes él le había demostrado una ternura y un respeto asombrosos, pero en aquel momento le enseñaba el lado oscuro y peligroso de su amor.

Le sujetó la cabeza y se acercó a ella, sus dedos se deslizaron hacia abajo, encontraron lo que buscaban y lo rodearon con suprema dicha.

Al final obtuvieron algo más que alivio: liberación.

Grace aún jadeaba cuando Ed se inclinó sobre ella, apoyó la cabeza entre sus pechos y enredó las manos en sus cabellos.

—Creo que he encontrado un sustitutivo para el café —dijo Grace y se echó a reír.

—No bromees con la cafeína —murmuró Ed—. Te matará.

—No; estaba pensando que si esto dura, podría escribir mi propio manual. —Bostezó y luego añadió—: Tal vez mi agente consiga colocarlo en alguna editorial de libros eróticos.

Ed levantó la cabeza y su barba cosquilleó la piel de Grace.

—Mejor continúa con las novelas de intriga. —Iba a añadir algo más cuando la radio-despertador de la mesilla se encendió con musica de rock—. Por Dios, ¿cómo puedes despertarte con esto?

—Nadie pone la sangre en movimiento como Tina Turner.

Ed la hizo poner boca abajo sobre las almohadas.

—¿Por qué no duermes un poco más? Tengo que ir a trabajar.

Ella le abrazó el cuello. Era un encanto cuando se empeñaba en mimarla.

—Prefiero ducharme contigo.

Él apagó la radio, interrumpiendo a Tina en medio de un grito, y llevó a Grace al cuarto de baño.

Media hora después Grace estaba sentada a la mesa de la cocina, revisando el correo de la mañana mientras Ed preparaba copos de avena.

—¿Seguro que no te apetece un bollo danés mohoso?— preguntó ella.

—Nada de eso. Los tiré todos.

Grace alzó la vista.

—Sólo estaban verdes por un lado. —Se encogió de hombros y siguió mirando el correo—. Uau, derechos. Ya era hora. —Abrió el sobre, dejó el cheque a un lado y hojeó los formularios—. Gracias a Dios, la maquinaria sigue funcionando. ¿Y unos donuts?

—Grace, un día de éstos vamos a hablar en serio de tu dieta.

—No tengo dieta.

—Por eso mismo.

Grace lo observó servirle copos de avena en su cuenco.

—Eres demasiado bueno para mí.

—Lo sé. —Sonrió y se sirvió en el suyo. Mientras lo hacía, su mirada se posó en el cheque recién recibido. La avena aterrizó en la mesa con un *plaf.*

—Se ha caído —constató Grace alegremente.

—Tú... ¿recibes muchos como ése?

—¿Muchos qué? Oh, ¿cheques de derechos? Dos al año, Dios los bendiga. —Tenía más hambre de la que creía y tomó una buena cucharada de avena. Si no tenía cuidado, pensó, aquella cosa acabaría gustándole—. Más los adelantos, naturalmente. ¿Sabes? Esto sabría mejor con azúcar. —Fue a coger el azucarero pero se fijó en la expresión de Ed—. ¿Ocurre algo?

—¿Qué? No. —Buscó un trapo para limpiar la avena derramada—. Sólo que no imaginaba el dinero que ganas escribiendo.

—Es un riesgo. A veces hay suerte. —Dio un sorbo a su primera taza de café y vio que Ed se concentraba en limpiar hasta la última manchita—. ¿Es un problema?

Ed pensó en la casa de al lado, que había comprado con sus ahorros. Ella podía haberla comprado sin ningún esfuerzo.

—No sé. Supongo que no.

Grace no esperaba aquella reacción. Lo cierto era que no le importaba demasiado el dinero; no era negligente con él como los ricos, pero sí descuidada e irreflexiva. También lo había sido cuando era pobre.

—No debería ser un problema. En los últimos años me he hecho rica escribiendo, pero no empecé a escribir por eso ni sigo escribiendo por eso. Odio pensar que pueda ser motivo de un cambio en ti respecto a mí.

—Pues mira, me siento como un idiota por creer que serías feliz aquí, en un sitio como éste y conmigo.

Grace entornó los ojos y lo miró.

—Creo que es la primera estupidez que te oigo decir. Tal vez no sepa aún qué nos conviene, pero cuando me aclare, el lugar no importará nada. ¿Por qué no te callas antes de que metas la pata peligrosamente? —Dejó el correo a un lado y cogió el periódico. Lo primero que vio al abrirlo fue el retrato robot del asesino de Kathleen-. Vaya. Trabajáis rápido.

—Queremos atraparlo. Hoy lo pondrán en la tele varias veces. Tenemos algo sólido para presentar en la rueda de prensa.

—Podría ser cualquiera.

—La señora Morrison recordaba muy pocos detalles. —No le gustaba la forma en que Grace estudiaba el dibujo, como memorizando cada línea y cada curva—. Cree haber visto la forma de la cara y los ojos.

—Parece muy joven. Si peináis los institutos de la zona, encontrareis más de doscientos muchachos que encajen. —Se le había encogido el estómago, así que se levantó para tomar agua. Había memorizado la cara. Con dibujo o sin él, no la olvidaría—. Muy joven —repitió—. Cuesta creer que un adolescente le hiciera eso a Kathleen.

—No todos los adolescentes se limitan a bailes de colegio y pizzerías, Grace.

—No soy tonta. —Se volvió hacia él con repentina virulencia—. Sé cómo es el mundo, maldita sea. Puede que no me guste pasarme la vida mirando en callejones oscuros y rincones pestilentes, pero lo sé. Leo el periódico todos los días y si me hago la ingenua es porque quiero. Primero tuve que aceptar que mi hermana había sido asesinada, y ahora tengo que aceptar que fue asesinada, además de golpeada y violada, por un delincuente juvenil.

—Por un psicópata —corrigió Ed en voz baja—. La locura no discrimina grupos de edad.

Grace apretó los dientes y volvió al periódico. Había dicho que quería una foto y tenía una, aunque fuese vaga. La estudiaría. La recortaría y la pegaría en la pared de su habitación. Al final, conocería aquella cara tan bien como la suya.

—Puedo asegurarte una cosa: anoche no hablé con ningún adolescente. Escuché todas las voces, los matices y los tonos. Habría reconocido a un chico joven.

—La voz de los chicos cambia a los doce o trece años. —Ed casi hizo una mueca cuando Grace buscó un cigarrillo. No podía vivir sin tabaco, ni sin café.

—No se trata sólo de timbre de voz, sino también de entonación y expresión. El diálogo es una de mis especialidades y percibo todos sus matices. —Se pasó las manos por la cara, intentando calmarse—. Habría reconocido a un adolescente.

—Tal vez. Me he fijado en que tomaste algunas notas.

—Meras herramientas de trabajo —murmuró Grace, y se olvidó del cigarrillo mientras estudiaba la fotografía. Faltaban detalles. Si lo miraba bien, si se concentraba, le daría un cuerpo, como hacía con los personajes de sus novelas—. Pelo corto. Militar o conservador. No parece un chico de la calle.

Ed había pensado lo mismo, pero un corte de pelo no estrechaba el campo de búsqueda.

—Distánciate un poco, Grace.

—Estoy involucrada.

—Y eso precisamente impide que seas objetiva. —Ed le dio la vuelta al periódico—. O que lo sea yo. Maldita sea, estás fastidiando mi trabajo.

—¿Cómo?

—¿Preguntas cómo? —Se apretó la nariz con dos dedos, a punto de reír—. Seguramente tiene que ver con que estoy loco por ti y no me gusta nada que contestes un teléfono erótico.

Grace se pasó la lengua por los dientes.

—Entiendo.

—Detesto que lo hagas, ésa es la verdad. Comprendo tus motivos, y como policía veo que puede ser un buen plan, pero…

—Estás celoso.

—Muchísimo.

—Ajá. —Le dio una palmadita en la mano—. Gracias. ¿Sabes una cosa? Si alguno de esos tipos me excita, iré corriendo a buscarte para que hagamos el amor.

—No es una broma.

—Por Dios, Ed, tómatelo a broma. De lo contrario me volveré loca. A ver si lo entiendes: me mortifica mucho saber que hay otras personas escuchando. Mientras hablaba con esos hombres, me preguntaba qué pensarían los polis que graban las conversaciones. —Soltó un suspiro de resignación—. Supongo que en realidad me preguntaba qué pensarías tú si estuvieras escuchando. Y por eso me concentré aún más. —Cogió el periódico y volvió a observar el retrato robot—. Tengo que ver la parte cómica y ridícula del asunto y recordar al mismo tiempo por qué lo estoy haciendo. Reconoceré la voz de un adolescente cuando la oiga. Te lo prometo.

Ed la miraba y pensaba. Acaba de oír algo que abría una nueva vía de investigación. Tenía sentido, mucho sentido. En ese momento llamaron a la puerta.

—Debe de ser mi relevo. ¿Estarás bien?

—Claro. Intentaré trabajar. Supongo que será mejor que vuelva a mi rutina.

—Puedes llamarme si lo necesitas. Si no estoy, la centralita sabe cómo localizarme.

—Estaré bien, de verdad.

Ed le alzó la barbilla.

—De todas maneras, llámame.

—De acuerdo. Y ahora vete antes de que los malos se salgan con la suya.

CAPITULO 14

Ben estaba inmerso en hacer llamadas y en el papeleo cuando Ed llegó a la comisaría. Al verlo, Ben le dio un buen mordisco a un donut y dijo:

—Lo sé. —Cubrió el auricular con la mano—. No sonó el despertador, tienes una rueda pinchada o el perro se comió tu placa.

—He pasado por la consulta de Tess —indicó Ed.

El tono, más que la frase, hizo que Ben se preocupase.

—Te volveré a llamar —dijo al teléfono y colgó—. ¿Por qué?

—Por algo que Grace me comentó esta mañana. —Tras echar un vistazo a los mensajes y expedientes que había sobre su mesa, Ed decidió que podían esperar—. Quería cambiar impresiones con tu mujer, quería ver si ella creía que el tipo encaja dentro de algún perfil psiquiátrico.

—¿Y?

—Bingo. ¿Te acuerdas de Billings, el que trabajaba en robos?

—Claro, un grano en el culo. Hace un par de años se estableció por su cuenta. Especialista en vigilancia.

—Hagámosle una visita.

—Parece que las escuchas dan pasta —observó Ben mientras contemplaba la oficina de Billings. Las paredes estaban cubiertas de seda marfil y la alfombra de tono peltre casi lamía los tobillos. En las paredes había un par de cuadros que Ben supuso le gustarían a Tess. Franceses y discretos. Las amplias ventanas de cristal de colores ofrecían una elegante vista del Potomac.

—Así se vive en el sector privado, amigos. —Billings apretó un botón de su mesa y se deslizó un panel, dejando al descubierto una serie de monitores de televisión—. El mundo es mío. Cuando queráis dejar el servicio público, hablad conmigo. Siempre tengo sitio para un par de chicos inteligentes.

Como había dicho Ben, Billings era un grano en el culo. Ed se sentó en una esquina de la mesa.

—Bonito montaje.

Lo único que a Billings le gustaba más que jugar al espionaje de alta tecnología era fanfarronear.

—Esto no es ni la mitad. Tengo cinco despachos en este piso y estoy pensando en abrir otra sucursal. Diplomáticos, amigos y vecinos. —Billings hizo un gesto con sus grandes manos—. En esta ciudad siempre hay alguien dispuesto a pagar por sacar de quicio a otro.

—Un negocio sucio, Billings.

Le dedicó una sonrisa a Ben. Acababa de gastar dos mil dólares en un puente dental y sus dientes estaban más rectos que un batallón de marines.

—Sí, es cierto. ¿Y qué hacen aquí dos de los mejores tipos del departamento? ¿Queréis que averigüe quién se acuesta con el jefe cuando su esposa está fuera?

—Tal vez en otro momento —respondió Ed.

—A ti te hago un descuento especial, Jackson.

—Lo tendré en cuenta. Mientras, me gustaría contarte una pequeña historia.

—Dispara.

—Digamos que tenemos a un fisgón. Es listo, pero está chalado. Le gusta escuchar. Tú sabes de eso.

—Claro. —Billings se reclinó en su sillón hecho a medida.

—Le gusta escuchar a mujeres —continuó Ben—. Le gusta escucharlas hablar de sexo, pero él no participa. Ha encontrado una mina de oro en las líneas eróticas. De alguna manera se cuela en la centralita de un teléfono erótico, escoge la voz que más le excita y la escucha durante horas mientras la mujer habla con otros hombres. Dime, ¿puede hacerlo sin que el otro tipo o ella se enteren?

—Si tienes el equipo adecuado, puedes intervenir cualquier conversación, directamente o a través de cualquier centralita. Tengo chismes que podrían conectaros desde aquí a la costa Oeste, pero cuestan lo suyo. —Estaba interesado. Todo lo que tuviese que ver con escuchas le interesaba. Billings se habría dedicado al espionaje de verdad si hubiera encontrado un gobierno que confiase en él—. ¿En qué estáis trabajando?

—Avancemos un poco más en la historia. —Ben cogió la pirámide de cristal que había sobre el escritorio y examinó sus facetas—. Si este fisgón quisiera encontrar a la mujer... No sabe su nombre ni dónde vive ni cómo es, pero quiere verla y lo único que tiene es su voz y la cinta que ha grabado... ¿podría llegar hasta ella?

—¿Tiene cerebro?

—¿A ti qué te parece?

—Si tiene cerebro y un buen ordenador, el mundo está chupado. Dime tu número de teléfono, Paris. —Se dirigió a su terminal de trabajo y tecleó el número. La máquina zumbó mientras Billings la programaba—. No está en la guía —murmuró—, lo cual resulta un poco más difícil.

Ben encendió un cigarrillo. Antes de que hubiera fumado la mitad, su dirección apareció en la pantalla.

—¿Te resulta familiar? —preguntó Billings.

—¿Puede hacerlo cualquiera? —repuso Ben.

—Cualquier pirata informático un poco espabilado. Os diré algo, con esta criatura y un poco de imaginación puedo averiguar lo que sea. Dadme otro minuto. —Se puso a trabajar con el nombre y la dirección de Ben—. El balance de tu cuenta corriente no es gran cosa, Paris. Yo en tu lugar no extendería un cheque de más de cincuenta y cinco dólares. —Se apartó del monitor—. Un buen fisgón necesita habilidad y paciencia, además del equipo adecuado. Un par de horas aquí y te digo qué número calza tu madre.

Ben aplastó la colilla en un cenicero.

—Si te conectamos con el cebo, ¿podrías conseguir la posición del fisgón?

Billings sonrió. Mostrarse amable había sido un rasgo de inteligencia por su parte.

—Tratándose de un viejo amigo, por un precio razonable te diré lo que ha desayunado.

—Siento mucho molestarle, senador, pero la señora Hayden está al teléfono. Dice que es importante.

Hayden siguió revisando el discurso que daría esa tarde en la comida de la Liga de Mujeres Votantes.

—¿En qué línea, Susan?

—En la tres.

Hayden apretó el botón, sosteniendo el auricular contra el hombro.

—Sí, Claire. Ando mal de tiempo.

—Charlton, se trata de Jerald.

Tras veinte años de matrimonio, conocía a su esposa lo suficiente para reconocer los signos de alarma verdadera.

—¿Qué le pasa?

—Me acaban de llamar del colegio. Se ha metido en una pelea.

—¿Una pelea? ¿Jerald? —Hayden regresó al discurso y soltó una risita—. No digas tonterías.

—Me ha llamado el decano Wight en persona. Jerald la emprendió a puñetazos con otro estudiante.

—Claire, no sólo me cuesta creerlo dado el carácter de nuestro hijo, sino que además me parece absurdo que me molestes porque Jerald y otro chico riñeron por alguna tontería. Hablaremos cuando llegue a casa.

—Charlton. —El tono cortante le impidió colgar—. Según Wigh no ha sido una tontería, al otro chico lo han llevado al hospital.

—Eso es ridículo. —Pero Hayden ya no leía el discurso—. Me parece que se está dando demasiada importancia a un par de puñetazos y unas contusiones.

—Charlton. —A Claire se le encogió el estómago—. Dicen que Jerald intentó estrangularlo.

Veinte minutos después Hayden estaba sentado muy tieso en el despacho del decano Wigh. Junto a él se encontraba Jerald con los ojos bajos y la boca cerrada. Tenía la camisa blanca arrugada y manchada, pero se había enderezado la corbata. Oscuros cardenales se sumaban a los arañazos de su cara y tenía los nudillos hinchados.

Al verlo, Hayden se había reafirmado en la idea de que el incidente sólo había sido la típica riña entre jóvenes. Naturalmente, a Jerald le llamarían la atención. Un sermón y una reducción de privilegios durante un tiempo. Ahora estaba pensando qué postura le convenía adoptar si el asunto se filtraba a la prensa.

—Espero que podamos aclarar esto en breve.

Wigh suspiró. Le faltaban dos años para la jubilación y para cobrar la pensión. Durante veinte años en St. James había enseñando, amonestado y educado a los hijos de los ricos. Muchos de sus antiguos alumnos se habían convertido en figuras públicas por méritos propios. Si algo sabía de quienes le confiaban a sus retoños, era que no les importaban las críticas.

—Sé que tiene usted una agenda frenética, senador Hayden. No habría solicitado esta reunión si no hubiera pensado que era importante.

—Me consta el meritorio trabajo que hace usted, decano Wigh. De lo contrario, Jerald no estaría aquí. Sin embargo, me veo obligado a decir que todo esto se está sacando de su justo término. Naturalmente, no disculpo la participación de mi hijo en la pelea. —Lo dijo contemplando la cabeza gacha de Jerald—. Y le aseguro que nos encargaremos de este asunto en casa.

Wigh se ajustó las gafas, un gesto que Hayden y Jerald interpretaron como producto del nerviosismo. Hayden se armó de paciencia, mientras Jerald se regodeaba.

—Se lo agradezco, senador. Sin embargo, como decano tengo una responsabilidad con St. James y sus alumnos. No me queda más remedio que expulsar temporalmente a Jerald.

La boca de Hayden se tensó. Jerald lo vio por el rabillo del ojo. El idiota del decano se había metido en un lío, pensó.

—Me parece un poco exagerado. También yo asistí a un colegio preuniversitario. Las escaramuzas se castigaban, naturalmente, pero no con tanto celo.

—Esto no puede considerarse una escaramuza, senador. —Había visto la mirada de Jerald cuando apretaba la garganta del joven Lithgow y le había dado mucho miedo. Incluso en aquel momento le ponía nervioso el rostro cabizbajo del muchacho. Randolf Lithgow había sufrido graves heridas en la cara. Cuando el señor Burns intentó separarlos, Jerald lo atacó con tal ferocidad que lo tiró al suelo, y luego siguió estrangulando a un Lithgow casi inconsciente, hasta que varios alumnos consiguieron apartarlo.

Wigh se aclaró la garganta. Conocía el poder y la riqueza del hombre con que estaba hablando. Con toda probabilidad, Hayden sería el siguiente presidente. Que el hijo de un presidente se graduase en St. James era cómo una medalla de oro para el colegio. Sólo por eso, Wigh se había abstenido de expulsar definitivamente a Jerald.

—En los cuatro años que Jerald ha estado con nosotros, nunca hemos tenido el menor problema con sus estudios o su comportamiento.

Naturalmente, Hayden no esperaba menos.

—En tal caso, no dudo que Jerald sufrió una grave provocación.

—Tal vez. —Wigh carraspeó de nuevo—. Aunque no se pueda perdonar la gravedad del ataque, desearíamos oír la versión de Jerald antes de dar por firme la medida disciplinaria que acabo de comentar. Le aseguro, senador, que no expulsamos a los alumnos por nimiedades.

—Pero ¿aún no la ha dado?

—Hasta el momento, Jerald se ha negado a proporcionar explicaciones.

Hayden contuvo un resoplido. Pagaba varios miles de dólares al año por la educación de Jerald, y aquel hombre no conseguía obtener de él una simple explicación.

—¿Tendría la bondad de dejarnos a solas un momento, decano Wigh?

—Por supuesto. —Se levantó, contento de alejarse de la mirada silenciosa y fría del hijo del senador.

—Decano… —La voz autoritaria de Hayden lo detuvo en la puerta—. Estoy seguro de que puedo confiar en su discreción en este asunto.

Wigh tenía muy en cuenta las generosas contribuciones que los Hayden habían hecho a St. James en los últimos cuatro años. También sabía que la vida personal de un candidato puede fácilmente arruinar su carrera política.

—Los problemas del colegio siempre se quedan en el colegio, senador.

Hayden se levantó en cuanto Wigh salió. Fue un gesto automático, casi instintivo. Estar de pie subrayaba su autoridad.

—Muy bien, Jerald. Quiero escuchar tu explicación.

Jerald, con las manos sobre los muslos como le habían enseñado, miró a su padre. No sólo vio a un hombre alto y elegante, sino a un rey con la espada ensangrentada y la justicia sobre los hombros.

—¿Por qué no lo mandas a tomar por culo? —preguntó.

Hayden lo miro boquiabierto. Si su hijo le hubiese dado una bofetada no se habría sentido más conmocionado.

—¿Qué has dicho?

—Lo que hacemos los alumnos no es cosa suya —afirmó Jerald con el mismo tono razonable—. No es más que una rata gorda que se sienta detrás de una mesa cara y se da importancia. No sabe cómo son las cosas de verdad. Es un tipejo insignificante.

Su tono era tan educado y su sonrisa tan sincera que su padre no pudo evitar seguir mirándolo con asombro.

—El decano Wigh es el director del colegio y, mientras estudies en St. James, merece tu respeto.

Mientras estudies allí. Un mes más. Si su padre quería esperar unas semanas antes de darle una patada en el culo a Wigh, él tendría paciencia.

—Sí, señor.

Hayden asintió, aliviado. Sin duda, el chico estaba disgustado, tal vez sufría una especie de conmoción. Él odiaba presionarlo, pero necesitaba respuestas.

—Háblame de tu roce con Lithgow.

—Me estaba molestando.

—Ajá. —Hayden pisó terreno más firme. A esa edad, los muchachos tienen exceso de energía y suelen desahogarse unos con otros—. Así pues, ¿debo entender que él provocó el incidente?

—La tenía tomada conmigo. Es un idiota. —Jerald empezó a retorcerse con impaciencia, pero se contuvo. Control. Su padre exigía control—. Le advertí que me dejase en paz, sí, se lo advertí. —Le sonrió a su padre. Sin saber bien por qué, a Hayden se le heló la sangre—. Dijo que si yo no encontraba pareja para el baile de graduación, él tenía una prima coja. Y entonces quise matarlo allí mismo, aplastar su bonita cara.

Hayden se esforzó por creer que se trataba de la furia de un chico, la rabieta de un chico, pero no lo consiguió.

—Jerald, emplear los puños no siempre es la respuesta. Tenemos un solido conjunto de normas de convivencia y debemos ceñirnos a él.

—¡Nosotros ponemos y quitamos las normas! —Jerald alzó la cabeza con una mirada salvaje, rabiosa. Hayden se asustó y cerró los ojos queriendo creer que se lo había imaginado—. Se lo dije, le dije que no quería ir a un baile de colegio pijo a beber ponche y robar unos besos tontos. Él se rió. No debería haberse reído de mí. Dijo que a lo mejor no me gustaban las chicas. —Se relamió la saliva de los labios—. Entonces supe que iba a matarlo. Le dije que no me gustaban las chicas, que me gustaban las mujeres, las mujeres de verdad. Y después le pegué una buena torta y él empezó a sangrar por la nariz. Así que seguí atizándolo. —Jerald seguía sonriendo mientras su padre palidecía—. No lo culpo por tenerme envidia, sino por haberse reído de mí. Te habría llenado de orgullo la forma en que lo castigué por burlarse.

—Jerald…

—Podría haberlos matado a todos —declaró el chico—. Podría haberlo hecho, pero no lo hice. No habría valido la pena, ¿verdad?

Durante un horrible momento a Hayden le pareció encontrarse ante un desconocido. Pero era su hijo, su mimado y educado hijo. "Es culpa de la excitación", se dijo. Sí, aquello se debía a la tensión que acababa de vivir.

—Jerald, no disculpo que perdieras los nervios, pero puede pasarle a cualquiera. También entiendo que, cuando nos provocan, decimos cosas… cosas inauditas.

El muchacho curvó los labios en un gesto casi dulce. La encantaba la rica oratoria de su padre.

—Sí, señor.

—Wigh dice que intentaste estrangular al otro chico.

—¿En serio? —La mirada de Jerald era inexpresiva, pero reaccionó encogiéndose de hombros—. Es la mejor forma, ¿no crees?

Hayden tenía las axilas empapadas. ¿Estaba asustado? ¡Qué tontería! Era el padre de Jerald. No tenía motivos para asustarse, pero el sudor le resbalaba por la espalda.

—Te llevaré a casa.

"Sólo es una pequeña crisis nerviosa", se dijo Hayden mientras salían los tres de la habitación. El muchacho se había esforzado demasiado en sus estudios y necesitaba un descanso.

Grace suspiró cuando sonó el teléfono. Ese día por fin había trabajado de verdad. Durante horas se había encerrado en su imaginación y había escrito algo que le gustaba.

Secretamente había temido no poder escribir de nuevo acerca de asesinos y víctimas. Pero lo había logrado, con dificultad al principio, y luego con la fluidez de siempre. La historia, el acto de escribir, el mundo que creaba no tenían nada que ver con Kathleen, sino con ella misma. Tal vez un par de horas más y tendría suficiente material para enviar a Nueva York y calmar los nervios de su editor. Pero en ese momento sonó el teléfono y la devolvió a la realidad. Y la realidad sí tenía que ver con Kathleen.

Grace aceptó la llamada, colgó y esperó fumando un cigarrillo. El teléfono sonó poco después.

—¿Desirée?

—Hola, Mike, ¿qué puedo hacer por ti?

Vaya forma de pasar la velada, pensó minutos después. Ed estaba abajo jugando al gin rummy con Ben mientras ella fingía ser una campesina casquivana ante Sir Michael, el caballero negro.

Inofensivo. La mayoría de los hombres que llamaban eran así. Estaban solos y buscaban compañía. Eran cautos y preferían el sexo seguro y electrónico. Se encontraban tensos, presionados por la familia y el trabajo, y una llamada telefónica les resultaba más barata y menos comprometida que una prostituta o un psicólogo. Era la forma más natural de considerarlo.

Pero Grace sabía mejor que nadie que en realidad no era tan natural.

En la mesilla tenía el retrato hecho por el dibujante de la policía publicado por el periódico. ¿Cuántas veces lo había estudiado intentando ver algo? Los asesinos y los violadores eran distintos a los demás hombres, pero tenían el mismo aspecto: normal, sin marcas distintivas. Eso era lo verdaderamente aterrador. Uno podía pasar por su lado en la calle, coincidir con ellos en un ascensor, estrecharles la mano en un cóctel, y no llegar a saberlo nunca.

¿Lo reconocería cuando lo oyera? Su voz sería tan normal e inofensiva como la de sir Michael. No obstante, estaba segura de que lo reconocería. Estudió una vez más el retrato robot. La voz encajaría y ella sabría asociarla con el dibujo.

Ben cruzó la calle hasta una furgoneta sin distintivos. Ed le había ganado veinticinco pavos al gin rummy y le pareció que ya era hora de hablar con Billings. Abrió la puerta lateral. Billings alzó la vista y lo saludó.

—Sorprendente —dijo como para sí—. Sí señor, sorprendente con mayúsculas. ¿Quieres escuchar?

—Eres un pervertido, Billings.

Éste sonrió y mordió un cacahuete.

—La señora es muy buena al teléfono, colega. Debo agradecerte que me hayas permitido escucharla. Estoy por llamarla.

—¿Por qué no lo haces? Me encantaría ver cómo Ed te arranca los brazos y te aplasta la nariz. —Era precisamente para evitar esa posibilidad que Ben había salidoa hacer las comprobaciones—. ¿Haces algo con el dinero de los contribuyentes aparte de meneártela?

—No te alteres, Paris. Recuerda, fuiste tú el que acudió a mí. —Tragó el cacahuete—. Vaya, esta vez lo ha conseguido. El tío está a punto de... —Se interrumpió—. Un momento. —Apretó los auriculares con una mano y empezó a mover los diales de su equipo—. Parece que alguien quiere una partida gratis.

Ben se adelantó y se inclinó sobre su hombro.

—¿Lo tienes?

—Tal vez. Unos clics, una subida de voltaje. Mira la aguja. Sí, sí, está ahí. —Billings movió interruptores y rió en tono socarrón—. Tenemos un *ménage à trois.*

—¿Puedes localizarlo?

—¡Joder!, ¡qué listo es! Un degenerado muy inteligente. Tiene un codificador de señal. ¡Maldita sea!

—¿Qué?

—Ella ha colgado. Supongo que los tres minutos del tipo se acabaron.

—¿Lo has localizado, Billings?

—Necesito más de treinta segundos, coño. A ver si vuelve. —Billings cogió más cacahuetes—. ¿Sabes, Paris? Si ese individuo está haciendo lo que pensáis que hace, no es estúpido. No; es listo, muy listo. Tiene toda la pinta de haber comprado un equipo de primera y saber usarlo. Se cubrirá las espaldas.

—¿Me estás diciendo que no podrás localizarlo?

—No; te estoy diciendo que es bueno. Muy bueno. Pero yo soy mejor. Otra vez el teléfono.

Jerald no podía creerlo. Le sudaban las manos. Era un milagro, y había conseguido que ocurriera. Nunca había dejado de pensar en ella, de desearla. Y ella había regresado sólo para él. Desirée había vuelto. Y lo estaba esperando.

Presa de la excitación, se puso de nuevo los auriculares y sintonizó.

Aquella voz. La voz de Desirée. Sólo oírla le producía una erección, lo hacía sudar, lo llenaba de ansiedad. Era la única que contaba para él. Sabía llevarlo hasta el límite. El poder estaba tanto en ella como en él. Cerró los ojos y dejó que ella lo dominase, que lo absorbiese una y otra vez. Había regresado. Había regresado por él porque él era el mejor.

Dios, se volverían a ver. Había hecho bien en quitarse la máscara de corderito y enseñarles quién era a aquellos mariquitas del colegio. Y ahora Desirée había regresado. Lo quería a él, quería tenerlo dentro, quería que le diese el supremo estremecimiento.

Casi la sentía debajo de él, sacudiéndose y gritando, pidiéndole que lo hiciera. Ella había vuelto para que él comprobase que no sólo tenía poder sobre la vida, sino también sobre la muerte. La había hecho regresar. Cuando fuera a verla, sería aún mejor que la primera vez. Sería una culminación sublime.

Las otras sólo habían sido una especie de prueba. En ese momento lo entendió. Las otras sólo habían servido para que Jerald comprendiese el nexo indisoluble que lo unía a Desirée. Y ella volvía a hablarle, se ofrecía a él para toda la eternidad.

Tenía que ir a su encuentro, pero no esa noche. Primero debía prepararse.

—Ha apagado su cacharro. —Billings soltó un juramento y pulsó botones—. El muy bastardo se ha desconectado. Vamos, vuelve, vuelve, que casi te tenía.

—Dame lo que tengas, Billings.

Éste sacó un plano sin dejar de soltar improperios. Con los auriculares puestos, trazó cuatro líneas, formando un rectángulo sobre seis manzanas.

—Está ahí. Hasta que se conecte, es todo lo que sé. Joder, no me extraña que desconectase, el otro tipo está gimiendo como un bebé.

—Sigue atento. —Ben guardó el plano en el bolsillo y salió de la furgoneta. No era suficiente, pero era mucho más de lo que tenían una hora antes.

Llamó a la puerta y entró cuando Ed la abrió.

—Lo tenemos en un cuadrante de unas seis manzanas. —Ben miró hacia el piso de arriba, fueron a la sala y desplegaron el plano sobre la mesita del café. Ed se sentó en el borde del sofá y se inclinó sobre el papel.

—Un vecindario de alto nivel.

—Sí, el abuelo de Tess vive allí. —Ben señaló un punto al margen del cuadrante—. Y también el congresista Morgan, aquí. —Movió el dedo dentro del cuadrado rojo.

—Tal vez no sea mera casualidad que se utilizase la tarjeta de crédito de Morgan para las flores —murmuró Ed—. A lo mejor nuestro chico lo conoce o conoce a sus hijos.

—El hijo de Morgan es de esa edad. —Ben cogió un vaso de Pepsi ya casi sin gas.

—Tiene una coartada sólida y la descripción no coincide.

—Ya, pero me pregunto qué diría si lo ponemos a estudiar a fondo el dibujo.

—El colegio del chico de Morgan es el St. James, ¿no?

—Una academia preuniversitaria. La flor y nata conservadora.

Ed recordó el corte de pelo del dibujo, sacó su libreta y se levantó.

—Lo llamaré.

Ben se acercó a la ventana y vio la furgoneta. Dentro estaba Billings comiendo cacahuetes y tal vez, sólo tal vez, acotando las posibilidades. No disponían de mucho tiempo. Lo sabía. Algo iba a estallar muy pronto. Si las cosas no salían bien, Grace estaría perdida.

Vio por encima del hombro cómo Ed hablaba por teléfono. Sabía lo frustrante, lo aterrador que era que la mujer que amas estuviera en medio de algo incontrolable. Intentaban ser policías, buenos policías, pero conservar la objetividad era como agarrarse a una cuerda enjabonada: se perdía pie continuamente.

—La madre del senador Morgan ha muerto esta mañana —anunció Ed cuando colgó—. La familia estará un par de días fuera. —La mirada de Ben le confirmó que no disponían de un par de días—. Quiero apartarla de esto.

—Lo sé.

—Maldita sea, no tiene por qué exponerse de esta manera. No es de aquí. Debería regresar a su loft de Nueva York. Cuanto más tiempo se quede…

—Más difícil será verla marchar —concluyó Ben—. Tal vez no se marche, Ed.

No podía mentir a su compañero.

—La amo y por eso preferiría que estuviera allí, a salvo, y no aquí conmigo.

Ben se sentó en el brazo de un sillón y cogió un cigarrillo, el decimoctavo del día. La culpa era de Ed por obligarlo a contarlos.

—Hay una cosa que siempre he admirado en ti, aparte de tu habilidad a la hora de echar un pulso, y es que sabes juzgar los caracteres, Ed. Sueles calar a las personas al cabo de diez minutos. Supongo que ya sabes que Grace no va a cambiar de opinión.

—Tal vez no se ha visto obligada aún. —Ed metió las manos en los bolsillos.

—Hace unos meses, pensé seriamente en aflojarle la cuerda a Tess y dejarla marchar. A cualquier parte lejos de de aquí. —Ben observó el ascua del cigarrillo—. Ahora, en retrospectiva, lo veo más claro: no habría servido de nada. Tess es como es gracias a su férrea determinación de hacer lo que considera su deber. Me moría de miedo y lo descargué casi todo sobre ella.

—Tal vez si te hubieras esforzado más, no habrías estado a punto de perderla —repuso Ed, y al punto lamentó haberlo dicho—. Perdón.

Si hubiera sido otro, Ben se hubiera desahogado expeditivamente. Como era Ed, se contuvo.

—Es algo que me he preguntado muchas veces. No olvido lo que sentí cuando supe que aquel cabrón la tenía a su merced. Nunca lo olvidaré. —Aplastó el cigarrillo y empezó a pasearse—. Y tú ahora quieres mantener a Grace al margen de esta parte de tu vida, totalmente a salvo. Quieres que permanezca impoluta e inmaculada, sin contaminarse con la mierda en la que tú te mueves a diario: los atracos de las bandas, los escándalos domésticos, las prostitutas y los chulos. Pues no te funcionará, amigo, porque por mucho que hagas, siempre llevarás fragmentos a casa contigo.

—Lo que lleve a casa no tiene por qué ponerla en la línea de fuego.

—No, pero ella se encuentra en ésta. Acéptalo. —Ben se tocó el pelo—. ¡Joder!, sé lo que estás pasando y te compadezco. No sólo por ti, sino también por mí, porque me llega a lo más hondo... Lo que más nos fastidia es que al final ella lo va a atrapar. Seguramente querrías que fuese de otra manera, pero óyeme bien: es ella quien lo va a cazar.

—Cuento con eso —dijo Grace desde la puerta. Ambos se volvieron sorprendidos. Ella miró a Ed—. Lo siento, cuando me percaté de que era una conversación privada, ya había oído demasiado. Voy a preparar café, pero antes me gustaría decirte: siempre termino lo que empiezo.

Ben cogió su chaqueta cuando Grace fue a la cocina.

—Voy a concertar el turno de noche con Billings.

—Sí. Gracias.

—Te recojo por la mañana. —Se dirigió a la puerta, pero se detuvo—. Te diría que te lo tomases con calma, pero no lo haré. Si tuviera que volver a vivirlo, me sentiría como tú.

Grace oyó la puerta al cerrarse y luego los pasos de Ed camino de la cocina. De inmediato cogío la cafetera, que hasta ese momento se había limitado a mirar.

—No sé por qué diablos Kathy no tenía microondas. Cada vez que quiero cocinar algo, me parece que estoy en una aldea perdida de las Rocosas. Me apetece una pizza congelada. ¿Tienes hambre?

—No.

—A estas alturas, el café debe parecerte lodo. —Cogió unas tazas, que resonaron en el armario—. Creo que queda zumo en el frigorífico.

—Estoy bien. ¿Por qué no te sientas y me dejas a mí?

—¡Basta ya! —Grace se giró en redondo, volcando la taza—. ¡Maldita sea! Deja de arroparme y de darme palmaditas en la espalda. No soy una niña. Hace años que me cuido sola y lo hago muy bien. No quiero que me prepares café ni nada parecido.

—De acuerdo. —Grace quería pelea. Estupendo. Él estaba dispuesto—. ¿Qué demonios quieres?

—Quiero que pares. Quiero que dejes de mirarme como si me fuera a caer de narices cada vez que doy un paso.

—Sería fácil si mirases por donde pisas.

—Sé lo que hago y no necesito que tú ni nadie esté a mi lado esperando para cogerme. Soy una mujer capaz y razonablemente inteligente.

—Tal vez sí, cuando no te pones anteojeras. Miras al frente, Grace, pero no sabes qué diablos ocurre a los lados o detrás de ti. Nadie va a parar, y menos yo, hasta que esto termine.

—Entonces deja de transmitirme sentimientos de culpa por hacer lo único que puedo hacer.

—¿Qué quieres, que no me preocupe por ti, que no me importe lo que te suceda? ¿Crees que puedo abrir y cerrar mis sentimientos como si fueran un grifo?

—Eres policía. Se supone que te comportas de manera objetiva y quieres capturar a ese bastardo como sea.

—Quiero capturarlo, en efecto. —Grace reparó en su expresión fría y comprendió que podía ser muy duro cuando quería.

—Entonces sabes que lo que estoy haciendo podría arrojarlo a tus pies. Piénsalo, Ed. Tal vez una mujer siga viva esta noche gracias a que ese psicópata ha contactado conmigo.

Ed lo sabía, pero el problema era que no podía dejar de preocuparse por su seguridad.

—Sería muy fácil si no te amase.

—Pues ámame hasta el punto de comprenderlo.

Ed quería ser razonable, volver a ser el Ed lógico y equilibrado de siempre. Pero no lograba entrar en razones. Si aquello no acababa pronto, tal vez no volviese a ser el mismo. De pronto se sintió exhausto y se frotó los ojos con los dedos. Seis manzanas encerradas en cuatro líneas rojas. Tenía que bastar con eso. Él haría que bastara. Encontraría la manera de conseguirlo o, de lo contrario, a la noche siguiente metería a Grace en un vuelo hacia Nueva York. Abrío los ojos.

—El café está hirviendo.

Grace reprimió un juramento, se volvió y apagó el fuego. Cogió el mango de la cafetera y se quemó los dedos.

—¡Mierda! No —se apresuró a añadir cuando Ed se adelantó—. Me he quemado, yo lo arreglaré. —Con una mirada furiosa puso la mano bajo el grifo de agua fría—. ¿Lo ves? Sé cuidarme. No hace falta que me des un besito para que me duela menos. -Cerró el grifo con un movimiento brusco y se quedó mirando cómo goteaban sus dedos—. Lo lamento de veras. Me odio cuando me pongo así.

—¿Me atizarás si te pido que te sientes?

Grace sacudió la cabeza y se acercó a la mesa.

—Supongo que ya estaba nerviosa y, cuando bajé y te oí hablar con Ben, me desquicié del todo. —Cogió un paño de cocina y empezó a retorcerlo—. No sé manejar tus sentimientos ni los míos. Que yo sepa, nadie había sentido por mí lo que sientes tú.

—Bien.

Grace rió con desgana y lo miró con franqueza.

—Y es justo reconocer que yo nunca había sentido por nadie lo que siento por ti.

Ed esperó un segundo.

—¿Pero?

—Quiero decirte ahora lo que siento, pero me temo que sólo servirá para que las cosas nos resulten más difíciles a los dos.

—Inténtalo.

—Tengo miedo. —Cerró los ojos, pero no resistió cuando él le cogió la mano—. Mucho miedo. Cuando estaba arriba con el maldito teléfono, quería colgar y mandarlo todo al cuerno. Pero no pude. Ni siquiera sé con certeza si lo que estoy haciendo está bien. Lo ignoro, pero tengo que seguir. Resulta peor porque tú me arrastras hacia otro lado y yo no quiero hacerte daño.

—Quieres mi apoyo, quieres que te diga que estás haciendo lo correcto. Pues no creo que pueda hacerlo.

—Entonces dime que no está bien, porque si insistes, te creeré.

Ed contempló las manos entrelazadas. Las de Grace eran pequeñas y delicadas, con las uñas recortadas y sin pintar. Llevaba un anillo de oro y diamantes en el dedo meñique.

—¿Has hecho camping alguna vez?

—¿En una tienda? —Negó con la cabeza, un tanto desconcertada por la pregunta—. No. Nunca he comprendido a la gente que le gusta dormir en el suelo.

—Conozco un lugar en Virginia Occidental. Hay un río y muchas rocas, y una miríada de flores silvestres. Me gustaría llevarte.

Grace sonrió. Ésa era la manera que tenía Ed de ofrecer paz.

—¿En una tienda?

—Claro.

—Supongo que no hay servicio de habitaciones.

—Podría llevarte una taza de té al saco de dormir.

—De acuerdo. —Grace le tendió la mano—. ¿Por qué no me das un beso en los dedos para que me duelan menos?

CAPITULO 15

—Tess, estás estupenda. —Claire Hayden rozó su mejilla contra la de su amiga y se sentó a la mesita de rincón del Mayflower—. Agradezco mucho que te reúnas conmigo al final de una de tus ajetreadas jornadas.

—Siempre me alegra verte, Claire. —Sonrió, aunque le dolían los pies y anhelaba un buen baño caliente—. Me pareció que tenías algo importante que comentarme.

—Seguramente estoy exagerando. —Se ajustó la chaqueta del traje rosa nacarado—. Tomaré un vermut seco —pidió al camarero y miró a Tess—. ¿Dos?

—No; yo tomaré un Perrier. —Se fijó en que la mujer del senador no dejaba de hacer girar su anillo de casada—. ¿Cómo está Charlton? Hace meses que sólo os veo en las noticias de la noche. Esta recta final debe de ser muy emocionante para vosotros.

—Ya conoces a mi marido, se lo toma todo con calma. En cuanto a mí, intento prepararme para la locura del verano. Sonrisas, discursos y podios achicharrantes. La prensa ya asedia la casa. —Movió sus hombros menudos como si quisiese sacudirse el agobio—. Forma parte del asunto. Charlton siempre dice que los programas son más importantes que el candidato, pero no estoy tan segura. Si da un portazo, hay veinte periodistas dispuestos a afirmar que ha tenido un berrinche.

—La vida pública no resulta fácil. Ser la esposa del líder de un partido conlleva mucha tensión.

—Oh, no es para tanto. Lo acepto. —Se interrumpió mientras les servían las bebidas. Sólo tomaría uno, por mucho que le apetecieran dos. La esposa del candidato no podía dar lugar a ninguna clase de habladurías, por mínima que fuese—. Reconozco que hay veces en que me gustaría retirarnos a una pequeña granja en cualquier parte. —Bebió un sorbo—. Aunque, por supuesto, enseguida me aburriría. Adoro Washington. Y desde luego me encantará ser la primera dama.

—Si mi abuelo acierta, muy pronto lo serás.

—El querido John. —Claire sonrió de nuevo, pero Tess se fijó en la tensión que enturbiaba sus ojos—. ¿Cómo está?

—Como siempre. Se alegrará cuando le diga que nos hemos visto.

—Me temo que no se trata de algo social y preferiría que no lo comentes con tu abuelo ni con nadie.

—De acuerdo. Bien, cuéntame lo que te preocupa.

—Tess, siempre he admirado tu capacidad profesional y sé que puedo confiar en tu discreción.

—Si me estás pidiendo que considere confidencial lo que vas a decirme, muy bien.

—Sabía que lo entenderías. —Hizo otra pausa para beber y luego acarició el tallo de la copa—. Como ya te he dicho, seguramente no es nada. A Charlton no le gustaría que te comente esto, pero no puedo seguir ignorándolo.

—Entonces, Charlton no sabe que estás aquí.

—No. —Claire alzó la vista. Sus ojos ya no estaban ensombrecidos, sino teñidos de desesperación—. No quiero que lo sepa, aún no. Debes comprender la enorme presión que soporta para ser… un ideal. En el mundo actual nadie tolera la menor imperfección en los líderes. Cuando se descubre un fallo, y la prensa se empeña en buscarlo continuamente, lo exageran y retuercen hasta que se vuelve más importante que la trayectoria de una persona. Tess, tú sabes hasta qué punto las manchas de la vida familiar de un candidato, en sus relaciones personales, pueden perjudicar su campaña.

—Pero no me has pedido que viniera para hablar de la campaña de Charlton.

—No. —Claire dudó. Cuando lo dijera, no habría vuelta atrás. Veinte años de su vida y cinco más de la de su marido podían depender de aquella decisión—. Se trata de Jerald, mi hijo. Me temo que él, bueno, me parece que últimamente no está bien.

—¿En qué sentido?

—Siempre fue un chico introvertido y solitario. Seguramente no te acuerdas de él, aunque solía asistir a las recepciones y otras galas con nosotros.

Tess recordaba vagamente un chico delgado que se escondía en los rincones.

—Me temo que no lo recuerdo bien.

—Le pasa a todo el mundo. —La radiante sonrisa de Claire se extinguió y empezó a doblar el mantel sobre el regazo—. Es muy discreto e inteligente. Inteligentísimo, diría yo. Está entre los diez primeros de su clase y siempre ha ocupado puestos de honor en St. James. Varias universidades privadas de primera línea lo han admitido, aunque él seguirá la tradición familiar y estudiará en Princeton. —Empezó a hablar rápidamente, demasiado rápido, como si estuviera descendiendo por una montaña rusa y temiese quedarse sin aliento—. Creo que pasa más tiempo con su ordenador que con la gente. Yo no entiendo de esas cosas, pero Jerald es un prodigio con esos aparatos. Con sinceridad, debo decir que nunca me dio problemas. Nunca fue rebelde ni respondón. Cuando mis amigas me decían lo frustradas que se sentían con sus hijos adolescentes, yo me maravillaba de que Jerald fuese un chico tan educado y agradable. Tal vez no muy afectuoso, pero con buen carácter.

—¿El hijo ideal? —murmuró Tess. Sabía lo engañosa que podía ser la «perfección» y cuántas taras ocultaba a veces.

—Sí, sí, exactamente. Adora a su padre. Casi demasiado, ya sabes. A veces me inquieta un poco, pero para un chico resulta gratificante admirar a su padre. En cualquier caso, nunca tuvimos que enfrentarnos a los problemas que abruman hoy a tantos padres: drogas, promiscuidad, rebeldía. Pero últimamente...

—Tómate tu tiempo, Claire.

—Gracias. —Cogió la copa y bebió para humedecerse la garganta seca—. En los últimos meses Jerald ha pasado cada vez más tiempo solo. Se encerraba en su habitación todas las noches. Sé que estudia mucho e incluso he intentado convencerlo de que no se esfuerce tanto. Algunas mañanas parece muy cansado. Tiene súbitos cambios de humor. Sé que ha estado colaborando en la campaña de su padre, y a eso achaqué sus altibajos. También yo he estado un poquitín desquiciada.

—¿Has hablado con él?

—Lo he intentado, tal vez sin demasiado interés. No me di cuenta de lo difícil que podía llegar a ser. Hace unas noches, al volver de la biblioteca, estaba... Tess, estaba hecho un desastre, con la ropa perdida y arañazos en la cara. Evidentemente se había peleado con alguien, pero adujo que se había caído de la bicicleta. Yo lo dejé pasar y ahora lo lamento. Incluso permití que su padre lo creyera, aunque sabía que esa noche Jerald había cogido el coche. Me dije que Jerald tenía derecho a su intimidad y que, como es un chico bien educado, no perdería la cabeza. Pero, últimamente hay algo inquietante en su mirada.

—Claire, ¿crees que está tonteando con las drogas?

—No lo sé. —Por un momento se permitió el lujo de cubrirse la cara con las manos—. No lo sé, sólo sé que tenemos que hacer algo antes de que sea peor. Ayer tuvo una pelea horrible en el colegio y lo han expulsado temporalmente. Tess, dicen que intentó matar al otro chico... con sus manos. —Contempló sus propias manos, donde estaba el anillo de boda—. Nunca había tenido problemas hasta ahora.

Tess se estremeció. Tragó saliva y preguntó en un tono cuidadosamente neutral:

—¿Qué explicó Jerald de la pelea?

—Nada, al menos a mí. Sé que habló con su padre, pero ninguno de los dos me dirá nada. Charlton está preocupado. —Miró a su amiga y luego volvió a concentrarse en el mantel—. Finge que no lo está, pero yo me doy cuenta. Sé que esto podría resultar nefasto si se filtrase a la prensa, y me aterroriza pensar en las repercusiones que tendría sobre la campaña. Charlton insiste en que lo único que Jerald necesita son unos días para descansar y tranquilizarse. Ojalá pudiera creerlo.

—¿Te gustaría que hablase con Jerald?

—Sí, claro. —Claire le cogió la mano—. Mucho. No sé qué hacer. He sido mejor esposa que madre. Y Jerald se me ha ido de las manos. Estoy muy preocupada por él. Parece distante, ensimismado, como si supiera algo que nadie más sabe. Espero que se abra si habla con alguien que, sin ser de la familia, no deja de ser uno de los nuestros.

—Haré lo que pueda, Claire.

—Sé que lo harás.

Randolf Lithgow no soportaba estar en el hospital. Odiaba a Jerald Hayden por haberlo enviado allí. Le fastidiaba más la humillación que el dolor. ¿Cómo iba a regresar y enfrentarse a los demás después de que aquel imbécil arrogante le diese una paliza?

Aquel capullo se creía todo un fenómeno porque su padre se presentaba a presidente. Lithgow esperaba que Charlton P. Hayden perdiese las elecciones en todos los estados. Esperaba que su derrota fuese tan vergonzosa que tuviese que abandonar Washington a hurtadillas, en plena noche, arrastrando al loco de su hijo con él.

Se removió en la cama, deseando que llegara la hora de las visitas. Bebió con una pajita y consiguió tragar, aunque tenía la garganta muy irritada. Aquel obseso se las iba a pagar en cuanto pudiese tenerse en pie.

Aburrido, inquieto y sin dejar de compadecerse, se puso a hacer *zapping* con el mando a distancia. No estaba de humor para soportar el informativo de las seis. Ya se enteraría de toda aquella basura en los "Acontecimientos del Día", cuando volviese al colegio. Siguió buscando y encontró una reposición de una serie cómica. Se sabía de memoria los diálogos. Soltó un juramento y siguió zapeando. Más noticias. Cuando estaba a punto de renunciar y ponerse a leer una revista, vio el retrato del asaltante de Mary Beth Morrison en la pantalla.

No le hubiese prestado atención de no ser por los ojos. Aquellos ojos lo obligaron a fijarse. Eran los mismos que había visto cuando estaba a punto de perder el conocimiento mientras Jerald pretendía estrangularlo. Se concentró y se esforzó por añadir los detalles que el dibujo omitía. Antes de que estuviese seguro, la imagen fue sustituida por un periodista. Emocionado, buscó otro informativo para verlo otra vez.

Si confirmaba su sospecha, sabía muy bien qué haría.

—Habrá coches patrulla recorriendo esa zona toda la noche. —Ben hojeó el expediente. Ed seguía observando el plano como si esperase que surgiera algo de él—. Si sale a la calle, es muy probable que lo localicen.

—No me gustan los pronósticos. —Miró hacia el vestíbulo. En el piso de arriba, Grace afrontaba su tercera noche como cebo—. ¿Cuántas veces crees que hemos recorrido ese cuadrante hoy, en coche y a pie?

—He perdido la cuenta. Escucha, sigo pensando que el colegio es una buena opción. Ese decano Wight no reconoció el retrato-robot, pero se puso nervioso.

—La gente se pone nerviosa en presencia de la policía.

—Sí, pero me da en la nariz que pescaremos algo cuando Lowenstein les enseñe el retrato a todos los alumnos.

—Quizá. Pero eso le concede esta noche y muchas horas de mañana.

—En la casa estamos nosotros. Fuera está Billings y cada quince minutos pasa un coche patrulla. Está más segura aquí que si la tuviéramos encerrada.

—He estado pensando en el perfil psiquiátrico que hizo Tess, pero no logro ponerme en la piel de ese malnacido.

—Tal vez porque tienes los dos remos en el agua.

—No es eso. Ya sabes lo que ocurre cuando te acercas a uno de esos tipos. Por muy chalado y enfermo que esté, acabas pensando como él, anticipándote a él.

—Así es. Por eso lo vamos a pillar.

—Aún no estamos en su onda. —Ed se frotó los ojos. Le dolían desde la media tarde—. Y eso se debe a que es un adolescente. Cuanto más lo pienso, más seguro estoy. Y no por la identificación de Morrison. Los chicos no piensan como los adultos. Siempre creí que por eso enviaban a la guerra más jóvenes que adultos.Aún no han asumido su propia mortalidad. No ocurre hasta que alcanzas la veintena, más o menos.

Ben se acordó de su hermano.

—Algunos chicos son adultos a los dieciséis.

—Éste no. Todo lo que dice Tess indica no sólo un psicópata, sino también un inmaduro.

—Pues pensemos como psicópatas inmaduros menores de veinte años.

—Seguramente está furioso desde su fracaso con la señora Morrison. —Ed empezó a pasearse por la sala—. Como ella dijo, lloriqueaba como un niño que se hubiese quedado sin su juguete favorito. ¿Qué hace un mocoso mimado cuando alguien le rompe su juguete?

—Rompe los de los demás.

—Exacto. —Se volvió hacia Ben—. Serás un padre estupendo.

—Gracias. Las violaciones y tentativas ocurridas desde lo de Morrison no encajan.

—Bien que lo sé. —Habían repasado todos los nuevos casos, buscando un vínculo?—. Tal vez no ha atacado a otra mujer, pero eso no significa que no pueda hacerlo. Cuando un violador se ve obligado a parar, se llena de frustración y furia. Y se trata de un chico. Tendrá que descargarla sobre alguien, no me cabe duda.

—¿Crees que buscará pelea, provocar a otro chico?

—Imagino que a alguien más débil, alguien que a él le parezca más débil. Y se sentirá mejor si es alguien conocido.

—Podemos comprobar los arrestos por asalto en los dos últimos días.

—Y los hospitales. No creo que se conforme con unos empujones.

—Empiezas a pensar como Tess. —Ben sonrió—. Por eso te respeto. Seguro que es ella —dijo cuando sonó el teléfono—. Le dije que me llamara cuando llegase a casa.

—Dile que tome calcio. —Ed cogió el expediente, pero el tono de Ben reclamó su atención.

—¿Cuándo? ¿Tienes una dirección? Renockie y tú sustituidnos aquí. Ya nos ocupamos nosotros. Escucha, Lowenstein, me importa una mierda quién… ¿Quién? Joder. —Se pasó la mano por la cara mientras intentaba pensar—. Id al juez Meiter, es republicano. No, no estoy de broma. Quiero la orden de registro en mis manos dentro de una hora o lo haremos sin ella.

Colgó. Si hubiera podido, se habría bebido un vaso de vodka de un tirón.

—Ha habido una identificación del retrato. Un chico ingresado en el hospital Georgetown ha reconocido a un compañero que intentó estrangularlo. Estudia último curso en St. James. El capitán va a enviar a alguien para que le tome una declaración por escrito.

—¿Tenemos un nombre?

—El que llamó lo ha identificado como Jerald Hayden, y vive en medio del cuadrante de Billings.

—Vamos allá.

—Tenemos que respetar los trámites o...

—A la mierda con los trámites.

Ben no se molestó en señalar que era Ed el que siempre hablaba de respetar el sistema.

—Es hijo de Charlton P. Hayden, el futuro presidente —añadió.

Ed arrugó el entrecejo y miró a su compañero.

—Subo a ver a Grace -anunció

A Ben no le dio tiempo de asentir porque el teléfono volvió a sonar.

—Paris.

—Ben, siento interrumpir.

—Escucha, doctora, ahora no puedo hablar.

—Seré breve. Creo que se trata de algo importante.

Ben miró el reloj y calculó que Lowenstein tardaría aún una hora en aparecer.

—Desembucha.

—Creo que estoy al borde del secreto profesional —eso la había mortificado mientras reflexionaba—, pero tienes que saberlo. Hoy hablé con una conocida mía. Está angustiada por su hijo. Ayer provocó una grave pelea en el colegio y estuvo a punto de estrangular a otro chico. Ben, mucho de lo que me contó encaja con el perfil de vuestro asesino en serie.

—Conque al final sí rompió el juguete de otro —murmuró Ben—. Dame el nombre, doctora. —Como ella no respondió de inmediato, la visualizó sentada a su mesa, atrapada entre su juramento y su conciencia—. Lo haremos de otra manera. Dime si este nombre te suena: Jerald Hayden.

—¡Dios mío!

—Tess, necesito tu influencia. Estamos esperando la orden de registro. Una llamada tuya la aceleraría.

—Ben, he aceptado a ese chico como paciente.

Era inútil reprochárselo, pensó Ben. Tess era como era.

—Entonces piensa que será mejor que lo atrapemos rápido. Y vivo. Llama a Harris y cuéntale lo que me has dicho.

—Ten cuidado. Ahora es mucho más peligroso.

—Tú y el pequeño esperadme levantados. Estoy loco por ti.

Ben colgó cuando Ed y Grace bajaban a la sala.

—¡Ed dice que sabéis quién es! –exclamó ella, expectante.

—Así es. ¿Dispuesta a dimitir como amante telefónica?

—Dispuestísima. ¿Cuánto falta para que lo detengáis?

—Estamos esperando la orden judicial. Estás un poco pálida. ¿Quieres un coñac?

—No, gracias.

—Ha llamado Tess. —Ben encendió un cigarrillo y se lo tendió a Grace—. Washington es una ciudad pequeña. Hoy ha hablado con la madre de Jerald Hayden. La señora cree que su hijo necesita un loquero.

—Qué curioso. —Grace exhaló una bocanada de humo y arrugó el entrecejo—. Pensé que cuando ocurriese sería una especie de culminación, un estallido de fuegos artificiales. Pero se reduce a una llamada y un papel escrito.

—El trabajo policial es sobre todo papeleo —afirmó Ed.

—Ya. —Grace intentó sonreír—. Ocurre lo mismo con mi trabajo. Quiero verlo. -Dio otra calada—. Sigo queriendo ver a ese cabrón, Ed.

—Mejor esperemos a que todos los cabos sueltos estén atados. —Ed le acarició la mejilla y ella se volvió para mirarlo—. Hiciste lo que tenías que hacer, Grace. Ahora debes dejar que Kathleen se vaya.

—Sólo la dejaré marchar cuando todo acabe. Después de haber llamado a mis padres y... a Jonathan.

Lowenstein tardó menos de cuarenta minutos en llevar la orden de registro, y la entregó en mano a Ben.

—El grupo sanguíneo de Hayden figura en los archivos del hospital Georgetown. Encaja. Id por él. Cubriremos la casa hasta que volváis.

—Tú te quedas. —Ed posó las manos en los hombros de Grace.

—No pensaba ir. Escucha, sé que el mundo necesita héroes, pero yo te necesito más. Así que sé un buen policía, Ed Jackson, y cuídate. —Lo cogió por la camisa y lo atrajo para darle un beso—. Hasta luego.

—Cuida bien a esta señora, Renockie —dijo Ben al salir—. No me gustaría que luego Ed se enfadase contigo.

Grace soltó un largo suspiro y se volvió hacia sus nuevos cuidadores.

—¿Alguien quiere un poco de café asqueroso?

Claire oyó el timbre de la puerta y estuvo a punto de soltar un juramento. Si se retrasaban más de cinco minutos llegarían tarde. Le indicó al ama de llaves que se retirase, se atusó el cabello y abrió la puerta.

—Detectives Jackson y Paris. —Las placas desataron una sorda alarma en Claire—. Nos gustaría hablar con Jerald Hayden.

—¿Jerald? —Años de entrenamiento dibujaron una sonrisa automática en sus labios—. ¿De qué se trata? —El joven Lithgow, pensó. Sus padres iban a presentar cargos.

—Tenemos una orden de registro, señora. —Ben se la entregó—. Buscamos a Jerald Hayden para interrogarlo en relación con los asesinatos de Kathleen Breezewood y Mary Grice y con el intento de violación de Mary Beth Morrison.

—No puede ser. —Era una mujer fuerte, nunca se había desmayado. Se hincó las uñas en las palmas hasta que su visión se despejó—. Debe haber un error.

—¿Que pasa Claire? Vamos muy mal de tiempo. —Hayden se acercó a la puerta. La amable impaciencia de su rostro cambió ligeramente cuando vio las identificaciones-. ¿Algún problema?

—Se trata de Jerald. —Claire aferró los brazos de su marido—. Buscan a Jerald. Oh Dios, Charlton. Hablan de asesinato.

—Eso es absurdo.

—Su esposa tiene los documentos, senador. —La habitual compasión de Ed se había quedado en el camino—. Tenemos autorización para llevarnos a su hijo e interrogarlo.

—Llama a Stuart, Claire. —Era el momento de los abogados, pensó. Aunque no lo creía, no quería creerlo, Hayden vio cómo se desintegraba la sólida plataforma que había construido con tanto esmero a lo largo de los años—. Estoy seguro de que aclararemos esto enseguida. Enviaré a buscar a Jerald.

—Preferiríamos hacerlo nosotros —afirmó Ed.

—Muy bien.

Hayden se volvió y empezó a subir las escaleras. A cada peldaño que pisaba le parecía que desaparecían su vida, sus ambiciones y sus creencias. Visualizó con toda nitidez, con una claridad dolorosa, la mirada de Jerald en el despacho del decano. Pero se mantuvo erguido, como un valiente ante el pelotón de fusilamiento, y llamó a la puerta de su hijo.

—Disculpe, senador. —Ben se acercó y abrió la puerta sin contemplaciones. La luz estaba encendida, la radio puesta y la habitación vacía.

—Debe de estar abajo. —Un sudor frío se deslizó por la columna de Hayden.

—Lo acompañaré –dijo Ben.

Ed hizo un gesto apenas perceptible a su compañero y entró en la habitación.

Tardaron diez minutos en determinar que Jerald Hayden no se encontraba en casa. Ben volvió a la habitación de Jerald con el senador y su esposa.

—He encontrado drogas. —Ed señaló el cajón de la mesa abierto—. Por favor, no toque nada —advirtió a Hayden cuando el senador se acercó—. Alguien vendrá a levantar acta. Calculo unos cincuenta gramos de cocaína y más de cien de hierba. —Tocó la tapa del frasco con la punta de un bolígrafo—. Y un poco de nieve.

—Se trata de un error. —La histeria se apoderó de Claire—. Jerald no consume drogas, créanme. Es un estudiante laureado con matrículas de honor...

—Lo lamento. —Ben miró el ordenador que ocupaba gran parte de la mesa, y luego a Ed. Como había dicho Billings, el equipo era de última generación—. El chico no está en casa.

Mientras su madre lloraba en su habitación, Jerald saltaba la valla que separaba la propiedad de Ed de la de Kathleen Breezewood. Nunca se había sentido como en aquel momento. La sangre le bullía y el corazón le retumbaba. Desirée lo estaba esperando para llevarlo más allá de los límites mortales para siempre.

Renockie tomaba café en la sala mientras Grace daba vueltas al suyo y miraba el reloj. ¿Dónde estaba Ed? ¿Por qué no llamaba?

—Se podría decir que soy un gran fan suyo, señorita McCabe.

—Se lo agradezco, detective.

—He esperado a que Lowenstein fuera a ver a Billings para decírselo porque soy un escritor aficionado.

¿Y quién no?, pensó Grace, esforzándose por sonreír. No era propio de ella mostrarse desconsiderada.

—¿En serio? ¿Escribe novelas de detectives?

—Sólo relatos breves. —Su rostro redondo y agradable se ruborizó—. Pasamos muchas horas en el coche, esperando, y eso nos da mucho tiempo para pensar.

—Podría enseñarme algo de lo que ha escrito.

—No quisiera obligarla.

—Me gustaría verlo. ¿Por qué no…? —Se interrumpió al ver la expresión de Renockie. También ella lo había oído: un ruido pesado y una puerta que se abría.

—Suba al piso de arriba y cierre la puerta con llave. —Renockie sacó el arma al tiempo que la cogía por un brazo—. Por si acaso.

Grace obedeció sin rechistar. Renockie sujetaba el arma con las dos manos, apuntando hacia la puerta.

En la habitación, Grace echó la llave y permaneció apoyada contra la puerta, esperando y escuchando. Seguramente sería una falsa alarma. ¿Qué podía ser, si no? Ed ya debía de haberlo atrapado. Llamaría de un momento a otro para decir que todo había terminado.

Oyó un crujido en el suelo de madera y se sobresaltó. El sudor le perlaba la frente y le resbalaba sobre sus ojos. Se lo enjugó, pensando que era una tonta. Seguro que era el aspirante a escritor, que iba a decirle que todo estaba en orden.

—¿Desirée?

El susurro secó hasta la última gota de sudor de su cuerpo y Grace se estremeció de miedo, al borde del pánico. El picaporte giró hacia la izquierda y luego hacia la derecha.

—Desirée.

Atrapada. La palabra golpeó su mente una y otra vez. Atrapada y sola, completamente sola, a merced del hombre que había venido a matarla. Ahogó un grito con las dos manos. Siempre había sabido que él vendría. Y estaba atrapada, sí, pero no indefensa. Corrió hasta el cajón donde guardaba la pistola y la cogió en el momento en que la puerta se vino abajo estrepitosamente.

Era un adolescente, pensó al verlo. ¿Cómo ese chiquillo con una camiseta de marca y la barbilla llena de espinillas podía haber matado a su hermana? Lo miró a los ojos y éstos le contaron toda la historia en un instante.

—Desirée, sabías que volvería. —Él también tenía un arma.

—No soy Desirée. —A Grace casi se le paró el corazón al verla, y reparó en la mancha de sangre que cubría el puño del chico. En la otra mano llevaba flores. Un ramo de claveles rojos.

—No importa cómo te empeñes en llamarte. Has regresado. Has regresado para mí.

—No. —Grace alzó la pistola cuando él avanzó—. No te acerques. No quiero hacerte daño.

—No puedes. —Se rió como si estuviera encantado. Nunca había querido nada como la quería a ella. Lo que más deseaba era complacerla—. Los dos sabemos que no puedes hacerme daño. Estamos por encima de eso, tú y yo. ¿Recuerdas cómo fue? ¿Te acuerdas, Desirée? Te gustaba deslizarte entre mis manos mientras te acariciaba.

—Mataste a mi hermana. Lo sé. La policía también lo sabe y está de camino.

—Te amo. —Se fue acercando mientras hablaba, casi hipnotizándola con aquellos ojos—. Sólo a ti. Juntos podremos hacer lo que sea, ser cualquier cosa. Siempre volverás a mí. Y yo seguiré escuchando tu voz y esperando. Será como antes. Para siempre. —Le ofreció las flores.

Oyeron el sonido al mismo tiempo y Grace vio a Renockie con la cara ensangrentada. Jerald lo había golpeado con la culata de su pistola. Estaba apoyado contra el marco de la puerta, intentando sostenerse.

Jerald se volvió. Una mueca deformaba sus labios. Cuando levantó la pistola, Grace le disparó.

—¿Qué demonios pasa? —Ben y Ed corrieron por el camino justo cuando Lowenstein por fin conseguía abrir la puerta de una patada.

—Fui a llevarle donuts a Billings y a decirle que se fuese a casa, y al volver la puerta estaba cerrada.

Los tres empuñaron sus armas, entraron y se separaron. Ed vio la sangre y su mirada siguió el rastro por la escalera. Iba a subir cuando oyeron el disparo.

Se le paró el corazón. Le pareció que todo se oscurecía mientras corría. Oyó gritar el nombre de Grace, pero no sabía si había sido él. Saltó sobre el cuerpo de Renockie y entró en la habitación. Estaba preparado, deseaba matar.

Grace se había deslizado hasta el suelo, con la espalda apoyada contra la cama. Aún sostenía la pistola. Estaba pálida, con los ojos turbios y deslumbrados, pero respiraba. Ed pisó los claveles diseminados por el suelo cuando se acercó a ella.

—¿Grace? —Le tocó, los hombros, la cara, el pelo—. Grace, dime si te hizo daño. Mírame, Grace. Háblame. —Mientras hablaba, le quitó la pistola de la mano.

—Era muy joven. No sabía que fuera tan joven. Me trajo flores. —Los ojos de Grace se fijaron en Ed cuando él se interpuso entre ella y el cuerpo caído a escasos metros—. Dijo que me amaba. —Grace empezó a respirar con dificultad, y Ed intentó abrazarla, pero ella lo rechazó—. No, no pasa nada. Estoy bien.

Lowenstein cogió el teléfono que estaba detrás de Grace.

—Según Renockie, usted le ha salvadola vida. Ha actuado como una profesional.

—Ya. —Grace apoyó la cabeza en la mano un momento—. Ed, estoy bien, de verdad. Pero no creo que pueda levantarme sin ayuda.

—Apóyate en mí —murmuró él—. Con cuidado.

Grace apoyó la cabeza en su hombro y asintió.

—Vale.

—No saldrás de ésta, muchacho. —Ben estaba inclinado sobre Jerald. Había examinado la herida y, aunque Lowenstein estaba llamando a una ambulancia, no serviría de nada—. Si hay algo que quieras decir, es el momento.

—No me asusta morir. —No le dolía nada. Todo era muy dulce—. Es la experiencia definitiva. Desirée lo sabe. Ella ya lo sabe.

—¿Mataste a Desirée y a Roxanne?

—Les di lo mejor. —Alzó la vista y vio la cara de Desirée flotando sobre la suya—. Desirée...

Aunque Ed intentó apartarla, Grace permaneció donde estaba y miró a Jerald. Quería una foto y la llevaría con ella el resto de su vida. Quería justicia, pero en aquel momento no sabía muy bien qué significaba.

—Volveré —dijo Jerald—. Estaré esperándote. Recuérdalo. —Sonrió y a continuación expiró.

—Vamos abajo, Grace. —Ed la sacó de la habitación.

—¿Crees que llegaremos a saber por qué?

—Debes contentarte con las respuestas que encuentres. Siéntate, te traeré un coñac.

Ella se sentó, apoyó los codos en las rodillas y se cogió la cara entre las manos—. Le dije que no quería hacerle daño. Y gracias a Dios, así fue. Sólo lo vi una vez, vi cómo era, y no lo odié tanto.

—Ten.

—Gracias. —Bebió un trago, temblando, y luego otro—. Yo… —Se frotó la nariz con el dorso de la mano—. ¿Cómo te ha ido el día?

Ed la observó un momento. Estaba recuperando el color y ya no le temblaban las manos. Una mujer fuerte, pensó. Era una mujer fuerte. Se agachó a su lado y le quitó la copa. Grace abrió los brazos y lo acogió.

—Oh, Ed, no quiero volver a pasar por algo tan terrible, nunca.

—Yo tampoco.

Grace le dio un beso en el cuello.

—Estás temblando.

—Eres tú.

Lo abrazó más fuerte y sonrió.

—Como quieras.

Ben dudó un momento en la puerta y luego se aclaró la garganta.

—Lárgate, Paris

—Ya me voy. Tenemos la declaración de Renockie, así que la tuya no corre prisa, Grace. Los chicos acabarán con esto lo antes posible y os dejarán solos.

—Gracias. —Grace se separó un poco de Ed y extendió una mano—. Eres un buen tipo, Ben.

—Ojalá hubiera sido más rápido. —Cogió la mano de Grace y la apretó—. Lo has pasado mal, Gracie. Tess dice que, si necesitas hablar, cuentes con ella.

—Lo sé. Dile que me alegro de devolverle a su marido por las noches.

Ben posó una mano en el hombro de Ed.

—Te veo por la mañana.

—Muy bien. —Cuando Ben se marchó, Ed le devolvió la copa a Grace—. Bebe un poco más.

—Podría vaciar la botella. —Oyó pasos y voces en la escalera, y supo qué significaban. En esta ocasión no fue a mirar—. Ed, ¿te importaría? No quiero quedarme aquí, quiero irme a casa.

Ed le acarició la mejilla antes de que se levantase. No soportaba perderla.

—Lo lamento, cariño, pero no puedes irte esta noche a Nueva York. Terminar el papeleo llevará aún un par de días.

—¿Nueva York? —Grace dejó el coñac. Ya no lo necesitaba—. He dicho que quería ir a casa, Ed. A la casa de al lado. —Él la miró y ella esbozó una sonrisa—. Eso siempre que la oferta siga en pie.

—Sigue en pie. —La abrazó—. Aún no es un hogar pero es tu casa, sí. Queda mucho por hacer.

—Tengo las noches libres. —Se apretó contra él, feliz—. Nunca te conté que, el primer día que llegué aquí, escogí la tuya como la casa en que me gustaría vivir. Vamos a casa, Ed.

—Vamos. —La ayudó a levantarse.

—Una cosa. —Grace se frotó la cara hasta quitarse la última lágrima—. No pienso planchar tus camisas.

Fin

WITHDRAWN
No longer the property of the
Boston Public Library.
Sale of this material benefited the Library.